D1487936

DONNEUR SAIN

Tess Gerritsen est médecin et vit dans le Maine. Après le succès de *Donneur sain*, son premier roman, elle a cessé d'exercer pour élever ses enfants et écrire.

TESS GERRITSEN

Donneur sain

ROMAN TRADUIT DE L'ANGLAIS PAR ANNE DAMOUR

CALMANN-LÉVY

Titre original :

HARVEST
Pocket Books, New York, 1996

Pour Jacob, mon mari et mon meilleur ami.

1

Il était petit pour son âge, plus petit que les autres garçons qui faisaient la manche dans le passage souterrain d'Arbatskaïa, pourtant à onze ans il avait déjà tout connu. Il fumait depuis quatre ans, volait depuis trois ans et demi, et faisait des passes depuis deux. Yakov n'aimait pas beaucoup cette dernière activité, mais l'oncle Misha y tenait. Comment auraient-ils pu sinon acheter du pain et des cigarettes ? C'était sur Yakov, le plus petit et le plus blond des protégés d'oncle Misha, que reposait la charge principale de leur commerce. Les clients préféraient toujours les plus jeunes, les blonds. Ils ne semblaient pas se soucier qu'il lui manquât une main ; à vrai dire la plupart ne remarquaient même pas son moignon. Ils étaient attirés par sa petitesse, sa blondeur, son regard bleu hardi.

Yakov était impatient de grandir et d'abandonner définitivement ce métier, de gagner sa vie en devenant pickpocket comme les plus grands. Tous les matins en se réveillant dans l'appartement de Misha, et tous les soirs avant de s'endormir, il levait sa bonne main et saisissait le barreau au-dessus de son lit pliant. Il tirait et tirait, espérant augmenter sa taille d'une fraction de centimètre. Un exercice inutile, disait l'oncle Misha. Yakov était petit parce qu'il venait d'une famille de rabougris. La femme qui l'avait abandonné dans Moscou sept ans auparavant était elle aussi une petite malingre. Yakov n'en avait aucun souvenir, de même qu'il se rappelait peu sa propre existence avant sa venue en ville. Il savait seulement ce que lui avait dit l'oncle Misha, et il n'en croyait que la moitié. À onze ans, Yakov était de petite taille et plein de sagacité.

C'était donc avec son scepticisme naturel qu'il observait à présent l'homme et la femme en train de discuter affaires avec l'oncle Misha à la table de la salle à manger.

Le couple était arrivé dans une longue voiture noire aux vitres teintées. L'homme, qui s'appelait Gregor, était en costume-cravate et portait des chaussures de cuir véritable. Nadiya, la femme, une blonde vêtue d'une jupe et d'une veste de beau lainage, tenait à la main une mallette de plastique. Elle n'était pas russe — les quatre garçons dans la pièce l'avaient tout de suite remarqué. Américaine peut-être, ou anglaise. Elle parlait russe couramment mais avec un accent.

Pendant que les deux hommes discutaient, un verre de vodka à la main, la femme parcourait la pièce du regard, examinant les vieux lits pliants de l'armée repoussés contre le mur, les piles de draps sales, et les quatre garçons pressés les uns contre les autres dans un silence anxieux. Elle avait des yeux gris pâle, de jolis yeux, et elle les observa avec intérêt l'un après l'autre. Elle regarda d'abord Pyotr, le plus âgé d'entre eux avec ses quinze ans. Puis Stepan, treize ans, et Aleksei, dix ans.

Et enfin elle se tourna vers Yakov.

Yakov avait l'habitude de ce genre d'examen, et il lui rendit son regard calmement. Mais il n'était pas accoutumé à ce qu'on ne s'attarde pas sur lui. En général, les adultes ignoraient les autres garçons. Cette fois, il semblait que ce soit cette grande perche de Pyotr qui intéressait la dame.

Nadiya dit à Misha : « Vous prenez la bonne décision, Mikhaïl Isayevich. Ces enfants n'ont aucun avenir ici. Nous leur offrons une chance exceptionnelle ! » Elle sourit aux garçons.

Stepan, le crétin de service, lui rendit un sourire pâmé.

« Vous savez, ils ne parlent presque pas anglais, dit l'oncle Misha. À peine un mot, de temps en temps.

— Les enfants apprennent vite. Pour eux, cela vient tout seul.

— Il leur faudra le temps de s'adapter. La langue, la nourriture...

— Notre agence est souvent confrontée à ces problèmes. Beaucoup de nos protégés sont russes. Des orphelins, comme eux. Pendant un certain temps, ils séjourneront dans une école spéciale afin de leur donner le temps de s'habituer.

— Et s'ils n'y parviennent pas ? »

Nadiya marqua une pause. « Il y a parfois des exceptions. Des enfants qui ont des problèmes émotionnels. » Son regard enveloppa les quatre garçons. « En est-il un parmi eux qui vous préoccupe particulièrement ? »

Yakov savait qu'il était l'exemple même de ces exceptions dont ils parlaient. L'enfant qui riait peu et ne pleurait jamais, que l'oncle Misha appelait son « petit homme de pierre ». Yakov ignorait pourquoi il ne pleurait jamais. Les autres versaient des larmes de crocodile dès qu'ils avaient le moindre bobo. Yakov mettait simplement son esprit en veilleuse, de la même manière que l'écran de télévision se brouillait le soir à la fin des programmes.

Pas de transmission, pas d'image, uniquement un flou confortable.

L'oncle Misha dit : « Ce sont tous de gentils garçons. D'excellents petits. »

Yakov jeta un coup d'œil aux trois autres. Pyotr avait un front proéminent et des épaules voûtées en permanence, comme celles d'un gorille. Stepan avait des oreilles bizarres, petites et fripées, entre lesquelles flottait un petit pois en guise de cerveau. Aleksei suçait son pouce.

Et moi, pensa Yakov, contemplant le moignon de son avant-bras, je n'ai qu'une main. Qu'avons-nous de si excellent ? Et pourtant c'était précisément ce que l'oncle Misha disait et répétait. Et la femme continuait à opiner du bonnet. Oui, ils étaient de bons garçons, des garçons en pleine santé.

« Ils ont même des dents saines ! souligna Misha. Pas une seule de gâtée. Et voyez la taille de mon Pyotr.

— Celui-ci est plutôt malingre. » Gregor désignait Yakov. « Et qu'est-il arrivé à sa main ?

— C'est de naissance.

— Les radiations ?

— Elles n'ont pas eu d'autres effets sur lui. Il ne lui manque qu'une main.

— Cela ne devrait pas poser de problème », dit Nadiya. Elle se leva de sa chaise. « Nous devons partir. Il est l'heure.

— Déjà ?

— Nous avons un emploi du temps à respecter.

— Mais... leurs vêtements...

— L'agence leur en fournira. Meilleurs que ceux qu'ils portent à présent.

— Êtes-vous vraiment aussi pressés ? Nous n'avons même pas eu le temps de nous dire au revoir. »

Un éclair d'irritation traversa les yeux de la femme. « Une minute seulement. Nous ne pouvons pas rater nos correspondances. »

L'oncle Misha contempla ses garçons, ses quatre garçons, auxquels il n'était pas lié par le sang, ni même par l'amour, mais par une sorte de dépendance réciproque. Un besoin mutuel. Il les serra l'un après l'autre dans ses bras. Quand il arriva à Yakov, il le tint embrassé un peu plus longtemps, un peu plus fort. L'oncle Misha sentait l'oignon et la cigarette, des odeurs familières. De bonnes odeurs. Mais instinctivement Yakov eut un mouvement de recul à son contact. Il avait horreur d'être touché ou étreint, par qui que ce soit.

« Souviens-toi de ton oncle, murmura Misha. Lorsque tu seras riche en Amérique. Souviens-toi comme j'ai bien pris soin de vous.

— Je ne veux pas aller en Amérique, dit Yakov.

« — C'est pour ton bien. Pour votre bien à tous.

— Je veux rester avec toi, mon oncle ! Je veux rester ici.

— Il faut que tu partes.

— Pourquoi ?

— Parce que j'en ai décidé ainsi. » L'oncle Misha le saisit par les épaules et le secoua brutalement. « Je l'ai décidé. »

Yakov tourna la tête vers les autres garçons, qui se regardaient en souriant. Et il pensa : *Ils sont contents de ce qui arrive. Pourquoi suis-je le seul à avoir des doutes ?*

La femme prit Yakov par la main. « Je vais les emmener à la voiture pendant que Gregor remplit les derniers papiers avec vous.

— Mon oncle ? » appela Yakov.

Mais Misha avait déjà fait demi-tour et regardait par la fenêtre.

Nadiya escorta les quatre garçons le long du couloir et dans l'escalier désert. Il y avait trois étages à descendre jusqu'à la rue. Un martèlement de chaussures, une joyeuse cavalcade fit résonner bruyamment les marches.

Ils avaient atteint le rez-de-chaussée quand Aleksei s'immobilisa.

« Attendez ! J'ai oublié Chouchou ! cria-t-il et il fit demi-tour.

— Reviens ici ! hurla Nadiya. Pas question de remonter là-haut !

— Je peux pas laisser Chouchou.

— Redescends immédiatement ! »

Aleksei continua à monter quatre à quatre les marches de l'escalier. La femme s'apprêtait à se lancer à sa poursuite, mais Pyotr l'arrêta : « Il ne partira pas sans Chouchou.

— Qui est Chouchou ? demanda-t-elle sèchement.

— Son chien en peluche. Il l'a depuis toujours. »

Elle leva les yeux vers les étages et Yakov vit passer dans son regard quelque chose qu'il ne comprit pas.

De la peur.

Elle resta sans bouger, comme si, indécise, elle hésitait à attendre ou à abandonner Aleksei. Lorsque le garçon réapparut, serrant son Chouchou mité contre lui, la femme parut se liquéfier de soulagement contre la balustrade.

« Je l'ai ! cria triomphalement Aleksei, en embrassant son animal.

— Partons, maintenant », dit la femme, et elle les poussa tous dehors.

Les quatre garçons s'entassèrent sur la banquette arrière de la voiture. Ils étaient serrés et Yakov se retrouva à moitié assis sur les genoux de Pyotr.

« Tu ne peux pas poser ton cul ailleurs ? grogna Pyotr.

— Où veux-tu que je le mette ? Sur ta figure ? »

Pyotr le poussa. Il le poussa à son tour.

« Arrêtez ! ordonna la femme assise à l'avant. Tenez-vous tranquilles.

— Mais il n'y a pas assez de place à l'arrière, protesta Pyotr.

— Débrouillez-vous pour en faire. Et taisez-vous ! » La femme leva la tête vers le dernier étage de la maison. Vers l'appartement de Misha.

« Qu'est-ce qu'on attend ? demanda Aleksei.

— Gregor. Il signe les papiers.

— Combien de temps ça va prendre ? »

La femme s'enfonça dans son siège et regarda droit devant elle. « Pas longtemps. »

On l'a échappé belle, songea Gregor lorsque Aleksei ressortit de l'appartement et claqua la porte derrière lui. Si le petit fumier était apparu un moment plus tard, c'était la catastrophe. Que foutait cette idiote, à laisser le gosse remonter dans l'appartement ? Dès le début, il s'était opposé à l'idée d'utiliser Nadiya. Mais Reuben avait insisté pour mettre une femme dans le circuit. Les gens seraient plus en confiance avec une femme.

Les pas de l'enfant diminuèrent dans l'escalier, une

succession de patapoum, patapoum, suivie du bruit étouffé de la porte d'entrée de l'immeuble. Gregor se tourna vers l'entremetteur.

Debout devant la fenêtre, Misha regardait en bas dans la rue, contemplant la voiture où avaient pris place les quatre garçons. Il appuya une main contre la vitre, les doigts écartés en un geste d'adieu. Quand il se retourna pour faire face à Gregor, ses yeux étaient embués de larmes.

Mais ses premiers mots concernèrent l'argent. « C'est dans la valise ?

— Oui, répondit Gregor.

— Le compte y est ?

— Vingt mille dollars américains. Cinq mille par enfant. Vous étiez d'accord avec le prix.

— Oui. » Misha soupira et se passa la main sur le visage. Un visage marqué par l'abus de vodka et de tabac. « Ils seront adoptés par des familles convenables, n'est-ce pas ?

— Nadiya s'en occupera. Elle adore les enfants, vous savez. C'est pour cette raison qu'elle a choisi ce genre de travail. »

Misha eut un petit sourire forcé. « Peut-être pourrait-elle me trouver une famille américaine. »

Gregor devait trouver le moyen de l'éloigner de la fenêtre. Il désigna la mallette posée sur une table basse. « Allez-y. Vérifiez si le compte y est. »

Misha se dirigea vers elle et l'ouvrit. À l'intérieur étaient empilées des liasses de billets verts. Vingt mille dollars, assez pour se payer toute la vodka nécessaire quand on veut se démolir le foie. Il en faut peu de nos jours pour acheter l'âme d'un homme, songea Gregor. Dans les rues de la nouvelle Russie, tout se marchandait. Une caisse d'oranges d'Israël, un poste de télévision américain, le corps d'une femme. Les occasions ne manquaient pas, pour ceux qui savaient les dénicher.

Misha contemplait l'argent, son argent, pourtant son regard ne trahissait aucun triomphe. Plutôt une expression de dégoût. Il referma la mallette et resta tête baissée, les mains posées sur le plastique rigide.

Par-derrière, Gregor s'approcha du crâne dégarni de Misha, leva le canon d'un automatique muni d'un silencieux, et tira deux balles dans la tête de l'homme.

Le sang et la cervelle giclèrent sur le mur. Misha s'affaissa en avant, le visage contre terre, renversant la table basse au passage. La mallette tomba sur le tapis avec un son mat.

Gregor la ramassa d'un geste preste avant que le sang ne pût l'atteindre. Des lambeaux de chair s'étaient collés sur le plastique. Il alla dans les toilettes, essuya les éclaboussures, jeta le papier et tira la chaîne. Lorsqu'il revint dans la pièce où gisait Misha, la flaque de sang s'était déjà élargie sur le plancher et commençait à imbiber un autre tapis.

Gregor jeta un dernier regard autour de lui pour s'assurer que son travail était terminé et qu'il ne laissait aucune trace. Il fut tenté d'emporter la bouteille de vodka, mais s'en abstint. Les gosses lui demanderaient pourquoi il avait pris la précieuse bouteille de l'oncle Misha, et Gregor détestait répondre aux questions des enfants. C'était le boulot de Nadiya.

Il sortit de l'appartement et descendit dans la rue.

Nadiya et ses protégés l'attendaient dans la voiture. Elle le regarda pendant qu'il s'installait au volant, une interrogation muette dans les yeux.

« Tu as signé tous les papiers ? demanda-t-elle.

— Oui. Tous. »

Elle se renfonça dans son siège avec un soupir de soulagement. Elle n'a pas le sang-froid nécessaire pour ce genre de situation, réfléchit Gregor en faisant démarrer la voiture. Reuben pouvait raconter tout ce qu'il voulait, cette femme était un handicap.

Des bruits de chamaillerie se firent entendre à l'arrière. Gregor jeta un coup d'œil dans le rétroviseur et vit les garçons se pousser et se bousculer sur la banquette. Tous sauf le plus petit, Yakov, qui fixait un point droit devant lui. Leurs regards se croisèrent dans

16

le miroir, et Gregor eut l'impression indéfinissable de voir des yeux d'adulte dans ce visage d'enfant.

Le môme alors se détourna et donna un coup de poing dans l'épaule de son voisin. En un instant, la banquette se transforma en une véritable mêlée de bras et de jambes.

« Ça suffit ! leur cria Nadiya. Vous ne pouvez donc pas rester tranquilles ? La route est longue jusqu'à Riga. »

Les garçons se calmèrent. Pendant un moment le silence régna à l'arrière. Puis dans le rétroviseur, Gregor vit le plus petit, celui qui avait un regard d'adulte, flanquer un coup de coude à son voisin.

Il sourit. Aucune raison de s'inquiéter. Ce n'étaient que des mômes, après tout.

2

Il était minuit et Karen Terrio luttait pour garder les yeux ouverts. Pour rester sur la route.

Depuis deux jours elle conduisait presque sans interruption ; elle était partie immédiatement après l'enterrement de tante Dorothy et s'était à peine arrêtée quelques instants sur le bord de la route pour se reposer ou avaler un hamburger et du café. Beaucoup de café. L'enterrement de sa tante se perdait dans une masse brouillée de souvenirs. Des glaïeuls fanés. Des cousins anonymes. Des petits fours rassis. Des paroles aimables, une quantité de paroles aimables.

Maintenant elle n'avait qu'un seul désir : rentrer chez elle.

Certes, elle aurait dû s'arrêter à nouveau, faire un petit somme rapide avant de poursuivre sa route, mais elle était si près du but, à quatre-vingts kilomètres de Boston. Au dernier Restoroute, trois tasses de café lui avaient permis de remettre la machine en fonction ; de retrouver assez de tonus pour aller de Springfield à Sturbridge. À présent, l'effet de la caféine commençait à se dissiper et, bien qu'elle se crût éveillée, elle piquait brusquement du nez de temps à autre et se redressait, consciente de s'être endormie une fraction de seconde.

L'enseigne d'un Burger King attira son attention dans l'obscurité. Elle quitta l'autoroute.

À l'intérieur, elle commanda un muffin aux myrtilles et du café et alla s'asseoir à une table. À cette heure de la nuit, seuls quelques rares clients occupaient la salle, tous arborant le même masque blême de la fatigue. Des fantômes de la route, songea Karen. Les mêmes créatures fourbues qui semblaient hanter tous les Restoroute de la planète. Il régnait un calme surnaturel, chacun s'efforçant de rester éveillé pour reprendre le volant.

À la table voisine, l'air las et abattu, une femme regardait deux petits enfants manger sagement leurs biscuits secs. Ces enfants, si sages, si blonds, rappelèrent à Karen ses petites filles. Elles fêteraient leur anniversaire demain. Ce soir, alors qu'elles dormaient dans leurs lits, songea-t-elle, un jour seulement les séparait de leurs treize ans. Un jour les éloignait un peu plus de leur enfance.

Au moment où vous vous réveillerez, se dit-elle, je serai à la maison.

Elle remplit un dernier gobelet de café qu'elle emporta dans sa voiture.

Elle avait l'esprit clair maintenant. Elle était près du but. Une heure, quatre-vingts kilomètres, et elle ouvrirait la porte d'entrée. Elle démarra et sortit du parking.

Quatre-vingts kilomètres, pensa-t-elle. Seulement quatre-vingts.

À trente kilomètres de là, garés derrière un supermarché, Vincent Lawry et Chuck Servis terminaient leur pack de six bières. Ils avaient commencé voilà quatre heures, sans interruption, juste une petite compétition amicale pour voir lequel des deux était capable de s'enfiler le plus grand nombre de Budweiser sans gerber. Inutile d'essayer d'en faire le compte maintenant ; ils calculeraient le total le lendemain matin, en additionnant les boîtes amoncelées sur le siège arrière.

Chuck avait sans conteste pris l'avantage et il jubilait, ce qui exaspérait Vince, car Chuck était toujours meilleur en tout. Et ce n'était pas juste. Lui, Vince, aurait pu tenir une tournée supplémentaire, mais il n'y avait plus de Budweiser, et Chuck affichait son rictus de bouffeur de merde, sachant pourtant que le combat était déloyal.

Vince ouvrit brutalement la portière et se dégagea péniblement du siège du conducteur.

« Où tu vas ? demanda Chuck.

— En chercher d'autres.

— Tu es incapable d'en avaler une de plus.

— Va te faire foutre », lança Vince, et il traversa en titubant le parking jusqu'à la porte du supermarché.

Chuck éclata de rire. « Tu ne tiens même plus sur tes cannes ! » lui cria-t-il par la fenêtre.

Ducon, pensa Vince. C'est ce qu'on allait voir ! Il était parfaitement capable de marcher. Il allait entrer tranquillement dans le magasin et acheter deux autres packs de six boîtes. Mettons trois. Ouais, il pouvait en descendre trois. Facile. Il avait un estomac d'acier, et sauf qu'il lui fallait pisser toutes les dix minutes, il ne ressentait aucun effet.

Il trébucha en franchissant la porte — le seuil était foutrement haut — mais il se rattrapa immédiatement. Il sortit trois packs du bac du congélateur et se dirigea en roulant des épaules vers la caisse. Il posa brutalement un billet de vingt dollars sur le comptoir.

Le caissier regarda l'argent et secoua la tête. « J'peux pas l'accepter, dit-il.

— Comment ça, vous pouvez pas l'accepter ?

— J'peux pas vendre de la bière à un client en état d'ébriété.

— Vous prétendez que je suis ivre ?

— Exact.

— Écoutez. C'est mon fric, d'accord ? Vous voulez pas de ce foutu fric ?

— J'veux pas d'ennuis. Va rapporter ces bières, mon vieux, d'accord ? Mieux, pourquoi pas te payer un café ou un truc à manger. Un hot dog.

— J'ai pas envie d'un putain de hot dog.

— Dans ce cas, tu prends la porte, fiston. Allez, ouste. »

Vince balança un des packs de six bières en travers du comptoir. Le lot glissa et s'écrasa par terre. Il s'apprêtait à en lancer un autre lorsque le caissier sortit un pistolet. Vince resta ébahi, soudain figé au milieu de son geste.

« Allez, tire-toi en vitesse, dit l'homme.

— Ça va, ça va. » Vince recula, les deux mains levées docilement. « Ça va, j'ai compris. »

En sortant, il trébucha à nouveau sur ce maudit seuil.

« Alors, où sont ces bières ? demanda Chuck au moment où Vince remontait dans la voiture.

— Ils en ont plus.

— Ils en ont plus, putain ! » Vince démarra en écrasant l'accélérateur. La voiture sortit du parking avec un crissement de pneus.

« Où on va maintenant ? demanda Chuck.

— Chercher un autre endroit, bordel ! » Il cligna des yeux, tentant de percer l'obscurité. « Où est la bretelle d'accès ? Elle devrait être quelque part par ici.

— Mec, laisse tomber. Tu vas pas tenir une autre tournée sans gerber.

— Où est cette bretelle de malheur ?

— Je crois que tu l'as dépassée.

— Non, la voilà. »

Vince tourna brusquement à gauche.

« Hé, fit Chuck, hé, je crois pas que...

— Y me reste ces sacrés vingt dollars à foutre en l'air. Ils les prendront. Quelqu'un va les prendre.

— Vince, tu es dans le mauvais sens !

— Quoi ? »

Chuck hurla : « Tu es dans le mauvais sens ! »

Vince secoua la tête et essaya de concentrer son esprit sur la route. Mais les lumières des phares étaient trop vives, elles l'éblouissaient, devenaient de plus en plus aveuglantes à mesure qu'il avançait.

« Tourne à droite ! hurla Chuck. C'est une voiture ! Tourne à droite ! »

Vince tourna à droite.

Les phares aussi.

Il entendit un cri, inconnu, inhumain.

Qui ne provenait pas de Chuck, mais de lui.

Le docteur Abby DiMatteo était exténuée, plus fatiguée qu'elle ne l'avait jamais été de sa vie. Elle était restée éveillée pendant vingt-neuf heures d'affilée, hormis dix minutes de sommeil dérobées dans la salle de radio, et elle savait que son épuisement était visible. En se lavant les mains dans le lavabo de l'unité des soins intensifs, elle s'était regardée dans le miroir, consternée à la vue des cernes sous ses yeux noirs, du désordre de ses cheveux bruns qui retombaient emmêlés sur ses épaules. Déjà dix heures, et elle n'avait pas eu le temps de prendre une douche, ni même de se brosser les dents. Pour tout petit déjeuner elle avait avalé un œuf dur et une tasse de café sucré, qu'une infirmière attentionnée lui avait apportés une heure plus tôt. Elle s'estimerait heureuse si elle trouvait un instant pour déjeuner, et encore plus si elle parvenait à quitter l'hôpital à cinq heures, à se retrouver chez elle à six heures. S'affaler dans un fauteuil lui paraissait le luxe suprême.

Mais il n'était pas question de s'asseoir pendant la visite du lundi matin. Surtout quand elle était conduite par le docteur Colin Wettig, directeur des internes résidants en chirurgie de l'hôpital de Bayside. Major militaire à la retraite, Wettig avait la réputation de poser des questions précises et impitoyables. Abby était terrifiée en sa présence ; comme l'étaient tous les autres internes.

Onze d'entre eux se trouvaient en ce moment même rassemblés dans la salle des soins intensifs, formant un demi-cercle de blouses blanches et de casaques vertes. Le regard rivé sur le directeur de service. Sachant que chacun d'entre eux pouvait tomber sur une question piège. Rester coi vous condamnait à une longue séance d'humiliation publique.

Le groupe avait déjà examiné quatre patients en postopératoire, discuté des traitements et des pronostics. À présent, ils se pressaient autour du lit numéro onze. La nouvelle admission d'Abby. C'était à son tour de présenter le cas.

Bien qu'elle tînt la pancarte entre ses mains, elle ne se référa pas à ses notes. Elle présenta le cas de mémoire, les yeux rivés sur le visage froid du Major.

« La patiente est âgée de trente-quatre ans, de race blanche, admise en traumatologie à une heure ce matin après une collision frontale à grande vitesse sur la route quatre-vingt-dix. Intubée et stabilisée sur place, puis transportée ici en hélico. À son arrivée aux urgences, elle présentait de nombreux traumatismes. Fractures ouvertes et enfoncement localisé du crâne, fractures de la clavicule et de l'humérus, plaies multiples de la face. Au premier examen, elle m'est apparue comme une femme bien nourrie, de taille moyenne. Absence de réponse à tous les stimuli, à l'exception de quelques réflexes posturaux douteux.

— Douteux ? la coupa Wettig. Qu'entendez-vous par là ? Manifeste-t-elle une réaction ou non ? »

Abby sentit son cœur battre plus vite. Merde, il la prenait déjà en défaut. Elle avala sa salive et reprit : « Tantôt les membres de la patiente réagissent à des stimuli douloureux. Tantôt ils ne bougent pas.

— Quelle conclusion en tirez-vous ? D'après l'échelle de Glasgow ?

— Eh bien, étant donné qu'une absence totale de réponse correspond à un stade trois, et que la mobilisation posturale est de deux, je suppose qu'on peut attribuer à la patiente une profondeur de coma de... deux et demi. »

Quelques rires étouffés s'élevèrent parmi l'assistance.

« Le stade deux et demi n'existe pas, fit le docteur Wettig.

— Je sais, dit Abby. Mais ce cas n'entre pas clairement dans...

— Continuez votre compte rendu », l'interrompit-il à nouveau.

Abby jeta un coup d'œil aux visages qui l'entouraient. Avait-elle déjà tout raté ? Elle n'en était pas sûre. Elle prit sa respiration et continua. « Les signes vitaux étaient une pression artérielle de neuf-six et un pouls à cent. Elle était déjà intubée. Pas de respiration spontanée. Rythme respiratoire dépendant entièrement d'une ventilation assistée de vingt-cinq respirations à la minute.

— Pourquoi avoir choisi cette fréquence ?

— Pour la garder en hyperventilation.

— Pour quelle raison ?

— Diminuer le dioxyde de carbone dans le sang. Minimiser ainsi les risques d'œdème cérébral.

— Poursuivez.

— L'examen du crâne, comme je l'ai mentionné, a révélé des fractures ouvertes et un enfoncement des pariétal et temporal gauches. Les importantes tuméfactions et lacérations de la face ont rendu difficile l'évaluation des fractures faciales. Les pupilles étaient fixes et sans réaction. Le nez et la gorge...

— Les réflexes oculo-moteurs ?

— Je ne les ai pas vérifiés.

— Vous ne l'avez pas fait ?

— Non monsieur. Je n'ai pas voulu manipuler le cou. Je craignais une éventuelle lésion de la moelle épinière. »

Elle vit, à son imperceptible hochement de tête, que sa réponse était satisfaisante.

Elle décrivit les caractéristiques physiques. Les bruits respiratoires normaux. Le cœur normal. L'abdomen peu atteint. Wettig ne l'interrompit pas. Une fois terminée la description des résultats neurologiques, elle se sentit plus assurée. Presque présomptueuse. Et pourquoi pas ? Elle savait qu'elle s'en était drôlement bien tirée.

« Quelle a été votre impression, demanda le docteur Wettig. Avant d'avoir vu les radios ?

— En me basant sur la mydriase et l'absence de réaction des pupilles, dit Abby, j'ai pensé à une probable compression du mésencéphale. Sans doute provoquée par un hématome sous-dural ou épidural. » Elle se tut un instant avant d'ajouter avec une note d'assurance : « Le scanner cérébral l'a confirmé. Un hématome sous-dural important du côté gauche. On a fait appel à l'équipe de neurochirurgie. Ils ont éliminé le caillot en urgence.

— Vous estimez donc que votre impression première était correcte, docteur DiMatteo ? »

Abby hocha de la tête.

« Voyons comment les choses se présentent ce matin », dit Wettig en s'approchant du lit. Il dirigea le rayon de sa minitorche vers les yeux de la patiente. « Pupilles aréactives. » Il pressa un doigt, fortement, contre le sternum. La patiente resta sans mouvement, flasque. « Pas de réaction à la douleur. Ni à la mobilisation ni au reste. »

Les autres internes s'étaient avancés, mais Abby resta au pied du lit, les yeux fixés sur la tête bandée de la patiente. Tandis que Wettig poursuivait son examen, frappant les tendons avec un marteau à réflexe, fléchissant les coudes et les genoux, elle sentit son attention faiblir, emportée par une vague de lassitude. Elle regardait la tête de la femme, récemment rasée. Elle revoyait ses cheveux châtain foncé, maculés de sang et d'éclats de verre. Il y avait également des fragments de verre dans ses vêtements. Aux urgences, Abby avait aidé les infirmières à découper son chemisier. Un chemisier de soie bleu et blanc portant la griffe de Donna Karan. Ce dernier détail semblait gravé dans la mémoire d'Abby. Pas le sang ni les os brisés ni le visage détruit. Non, c'était cette étiquette. Donna Karan. Une marque connue. Elle imaginait cette femme entrant un jour, quelque part, dans une boutique, examinant les chemisiers, faisant glisser les portemanteaux sur la tringle...

Le docteur Wettig se redressa et regarda l'infirmière des soins intensifs. « Quand l'hématome a-t-il été drainé ?

— Elle est sortie de réa vers quatre heures.

— Il y a six heures ?

— Oui, environ six heures. »

Wettig se tourna vers Abby.

« Comment dans ce cas expliquer l'absence totale de changement ? »

Abby s'extirpa de son engourdissement et s'aperçut que tout le monde l'observait. Elle baissa les yeux vers la patiente. Regarda la poitrine monter et s'abaisser, monter et s'abaisser, à chaque sifflement des soufflets du respirateur.

« Il se peut... peut-être un œdème postopératoire, dit-elle, et elle jeta un coup d'œil au moniteur. La pression intracrânienne est un peu élevée à vingt millimètres.

— Suffisamment élevée à votre avis pour provoquer des changements pupillaires ?

— Non. Mais...

— L'avez-vous examinée immédiatement après l'intervention ?

— Non, monsieur. Elle a été transférée en neurochirurgie. J'ai parlé à l'interne après l'intervention, et il m'a dit...

— Je n'interroge pas l'interne du service de neurochirurgie. Je vous interroge vous, docteur DiMatteo. Vous avez diagnostiqué un hématome sous-dural. Il a été éliminé. Alors pourquoi les pupilles restent-elles dilatées et sans réaction six heures après l'intervention ? »

Abby hésita. Le Major l'observait. Les autres aussi. Un silence humiliant uniquement rompu par le sifflement du respirateur.

Le docteur Wettig balaya l'assistance d'un regard impérieux. « L'un de vous peut-il aider le docteur DiMatteo à répondre ? »

Abby se redressa de toute sa taille. « Je peux répondre seule à la question », dit-elle.

Wettig se tourna vers elle, les sourcils haussés. « Oui ?

— Les... changements pupillaires — la position des membres à la mobilisation posturale, tout désignait le mésencéphale. La nuit dernière j'ai supposé que l'hématome sous-dural comprimait le mésencéphale. Mais l'état de la patiente étant stationnaire, je... je pense que je me suis trompée.

— Vous pensez ? »

Elle laissa échapper un soupir. « Je me suis trompée.

— Quel est votre diagnostic maintenant ?

— Une hémorragie du mésencéphale. Peut-être due à des forces de cisaillement. Ou des lésions résiduelles provoquées par l'hématome sous-dural. Les changements ne sont peut-être pas encore visibles au scanner. »

Wettig la dévisagea un court instant avec une expression impénétrable. Puis il se tourna vers les autres internes. « Une hémorragie du cerveau moyen est une hypothèse valable. Avec une échelle de Glasgow de deux — il jeta un regard à Abby — *et demi,* le pronostic est nul. Absence de respiration spontanée, absence de mouvement spontané, la patiente semble avoir perdu tout réflexe du tronc cérébral. Pour le moment je n'ai pas d'autre suggestion que de la maintenir artificiellement en vie. Et songer à un éventuel prélèvemement. » Il adressa un bref signe de tête à Abby. Puis passa au patient suivant.

Un des internes pressa le bras d'Abby. « Chapeau, DiMatteo, lui souffla-t-il, tu as fait un malheur ! »

Abby hocha la tête avec lassitude. « Merci. »

Le chef de clinique, le docteur Vivian Chao, était une légende vivante parmi le personnel chirurgical de Bayside. Selon l'histoire, deux jours après sa première relève d'interne résidant, le confrère qui faisait équipe avec elle s'était écroulé, victime d'un claquage nerveux, et avait dû être conduit sur une civière, secoué de sanglots incontrôlables, au service psychiatrique. Vivian avait assuré seule le boulot. Pendant vingt-neuf jours d'affilée, elle avait été la seule responsable du service d'orthopédie, vingt-quatre heures sur vingt-quatre. Elle avait apporté ses effets personnels dans la salle de repos, et perdu trois kilos en se nourrissant exclusivement à la cafétéria. Pendant vingt-neuf jours, elle n'avait pas franchi la porte d'entrée de l'hôpital. Le trentième jour, sa relève terminée, elle avait voulu prendre sa voiture pour rentrer chez elle et s'était aperçue qu'on l'avait mise à la fourrière une semaine plus tôt.

Au quatrième jour de la relève suivante, en chirurgie vasculaire, l'interne de l'équipe montante avait été renversé par un autobus et hospitalisé avec le bassin brisé. Une fois encore, quelqu'un avait dû assurer le remplacement.

Vivian Chao avait rapporté ses effets au vestiaire.

Aux yeux des autres résidants, elle avait ainsi mérité le titre honoraire de super-mec, statut consacré le jour où lui fut remis au cours du dîner de cérémonie de fin d'année une paire de boules d'acier.

Après avoir entendu les bruits qui couraient sur Vivian Chao, Abby avait eu du mal à faire le lien entre cette réputation de « boules d'acier » et ce qu'elle avait découvert : une Chinoise laconique, si petite qu'elle devait monter sur un tabouret pour opérer. Bien que Vivian parlât rarement durant les visites, elle se tenait toujours au premier rang, montrant un visage impassible.

Ce fut avec le même air détaché qu'elle aborda ce jour-là Abby dans l'unité des soins intensifs. Abby surnageait dans un océan de fatigue, chaque pas lui demandant un effort quasiment insurmontable, chaque décision un acte de volonté désespéré. Elle ne remarqua pas la présence de Vivian à ses côtés avant d'entendre sa voix. « J'ai entendu dire que vous aviez admis un traumatisme crânien AB positif. »

Abby leva les yeux de la pancarte sur laquelle elle inscrivait l'évolution de l'état des patients. « Oui. Hier soir.

— La patiente est-elle encore en vie ? »

Abby jeta un regard vers le box numéro onze. « Tout dépend de ce que vous entendez par "en vie".

— Le cœur et les poumons sont-ils en bon état ?

— Ils fonctionnent.

— Quel âge ?

— Trente-quatre ans. Pourquoi ?

— J'ai un cas médical en attente. Insuffisance cardiaque dépassée. Groupe sanguin AB positif. Il attend un nouveau cœur. » Vivian s'approcha du classeur. « Quel lit ?

— Onze. »

Vivian sortit la pancarte du planning et rabattit la couverture métallique. Son visage ne trahit aucune émotion pendant qu'elle parcourait les pages.

« Ce n'est plus moi qui m'en occupe, dit Abby. Je l'ai transférée en neurochirurgie. Ils ont drainé un hématome sous-dural. »

Vivian poursuivit sa lecture.

« Elle est en postop', depuis seulement dix heures, dit Abby. Un peu tôt, me semble-t-il, pour décider d'un prélèvement.

— Pas de changement neurologique jusqu'à présent, à ce que je vois.

— Non. Mais on ne sait jamais...

— Avec un indice de trois à l'échelle de Glasgow ?

Ça m'étonnerait. » Vivian remit le dossier à sa place et se dirigea vers le lit numéro onze.

Abby la suivit.

Depuis le seuil du box, elle regarda Vivian effectuer rapidement un examen physique. Elle procédait de la même façon qu'en salle d'opération, sans effort ni perte de temps inutiles. Au cours de sa première année d'internat, Abby avait souvent observé Vivian en train d'opérer, admirant ses petites mains vives, les doigts délicats qui nouaient des sutures parfaites. Elle se sentait horriblement maladroite en comparaison. Elle avait passé des heures à s'entraîner, utilisé des mètres et des mètres de fil chirurgical qu'elle nouait sur les poignées des tiroirs de son bureau. Même si elle avait acquis la technique requise, elle savait qu'elle ne posséderait jamais les mains magiques de Vivian.

Aujourd'hui, en regardant Vivian examiner Karen Terrio, Abby trouvait un aspect glaçant à l'efficacité de ces mains.

« Pas de réaction aux stimuli douloureux, fit remarquer Vivian.

— Il est encore tôt...

— Peut-être. Peut-être pas. » Vivian sortit un marteau à réflexe de sa poche et frappa les tendons. « Un vrai coup de chance.

— Comment pouvez-vous dire une chose pareille ?

— Mon patient en soins intensifs est AB positif. Il attend un cœur depuis un an. C'est la meilleure compatibilité qui se soit jamais présentée pour lui. »

Abby regarda Karen Terrio et se rappela à nouveau le chemisier blanc et bleu. Quelles pensées avaient traversé la jeune femme au moment où elle l'avait boutonné pour la dernière fois ? Des pensées banales, sans doute. Certainement pas des images de mort. Ni des images de lit d'hôpital, de perfusions et de machines à pomper l'air dans ses poumons.

« J'aimerais aller de l'avant avec la compatibilité lymphocytaire. M'assurer qu'ils sont vraiment OK, dit Vivian. Et nous pourrions démarrer un test HLA, déterminant pour les autres organes. L'encéphalogramme a été fait, n'est-ce pas ?

— Elle n'est pas dans mon service, répondit Abby. Et de toute façon, j'estime que c'est prématuré. Personne n'en a parlé au mari.

— Quelqu'un va devoir le faire.

— Elle a des enfants. Il faut leur donner le temps de s'y habituer.

— Les organes n'ont pas beaucoup de temps.

— Je sais. Je sais qu'il faudra le faire. Mais, comme je l'ai dit, elle n'est en postop' que depuis dix heures... »

Vivan se dirigea vers le lavabo et se lava les mains. « Vous ne vous attendez tout de même pas à un miracle, non ? »

Une infirmière des soins intensifs apparut sur le seuil du box. « Le mari est là avec les enfants. Ils attendent d'être autorisés à la voir. En avez-vous encore pour longtemps ?

— J'ai terminé », dit Vivian. Elle jeta la serviette de papier froissée dans la poubelle et sortit.

« Puis-je les faire entrer ? » demanda l'infirmière.

Abby se tourna vers Karen Terrio. En l'espace d'un instant, elle vit, avec une douloureuse clarté, le spectacle qui s'offrirait au regard d'un enfant. « Attendez, dit-elle. Pas tout de suite. » Elle s'approcha du lit et rapidement remit en ordre les couvertures. Elle humecta une serviette en papier et essuya les traces de mucus séché sur la joue de la jeune femme. Puis transféra la poche d'urine de l'autre côté du lit, où elle serait moins visible. Se reculant, elle jeta alors un dernier regard à Karen Terrio. Et elle comprit que rien de ce qu'elle pourrait faire, ni elle ni personne, n'atténuerait le chagrin qui allait s'abattre sur ces enfants.

Avec un soupir, elle fit un signe à l'infirmière. « Ils peuvent entrer maintenant. »

À quatre heures et demie du même après-midi, Abby parvenait péniblement à se concentrer sur ce qu'elle écrivait et à garder les yeux ouverts. Elle était restée de garde pendant trente-trois heures et demie. Ses visites de l'après-midi étaient terminées. Elle allait pouvoir, enfin, rentrer chez elle.

Mais alors qu'elle refermait le dernier dossier, son regard, malgré elle, se dirigea à nouveau vers le lit onze. Elle pénétra dans le box, s'attarda au pied du lit, contemplant Karen Terrio avec hébétude. S'efforçant de réfléchir, de trouver quelque chose, quelque chose d'autre à tenter.

Elle n'entendit pas les pas qui s'approchaient d'elle.

Ce fut seulement en entendant : « Salut, beauté ! » qu'elle se retourna et vit les yeux bleus et les cheveux bruns du docteur Mark Hodell. Debout derrière elle, il lui souriait. Un sourire qui ne s'adressait qu'à elle, un sourire qui lui avait tellement manqué pendant la journée. La plupart du temps, Mark et Abby s'arrangeaient pour grignoter un morceau ensemble, voire échanger un geste de la main en se croisant. Aujourd'hui, ils ne s'étaient pas croisés une seule fois, et une bouffée de joie gonfla le cœur d'Abby. Il se pencha pour l'embrasser, puis fit un pas en arrière, contemplant ses cheveux décoiffés et sa blouse froissée. « On dirait que la nuit a été dure, murmura-t-il compatissant. Combien de temps as-tu dormi ?

— Je ne sais pas. Une demi-heure.

— On m'a dit que tu as fait des étincelles en présence du grand chef ce matin. »

Elle haussa les épaules. « Disons qu'il ne m'a pas rivé mon clou.

— C'est l'équivalent d'un triomphe. »

Elle sourit. Puis son regard revint au lit onze et son expression s'attrista. Karen Terrio disparaissait sous l'amoncellement des appareils. Le respirateur, les perfusions. L'aspiration et le monitoring cardiaque, la pression artérielle, la pression intracrânienne. Un appareil pour mesurer chaque fonction du corps. Dans cette nouvelle ère de la technique, à quoi bon prendre un pouls, poser les mains sur une poitrine ? À quoi servaient les médecins puisque les machines pouvaient tout faire ?

« Je l'ai admise la nuit dernière, dit Abby. Trente-quatre ans. Un mari et deux gosses. Deux jumelles. Elles étaient là tout à l'heure. Je les ai vues. Et c'est étrange, Mark, elles étaient incapables de la toucher. Elles sont restées à la regarder. À simplement la regarder. Mais sans la toucher. Et je pensais : *Il faut que vous la touchiez maintenant parce que c'est votre dernière chance de le faire. La dernière chance.* Mais elles restaient là. Et je me dis qu'un jour, elles regretteront... » Elle secoua la tête. Passa rapidement sa main sur ses yeux. « J'ai appris que l'autre type s'était engagé en sens inverse, ivre. Tu sais ce qui me fiche hors de moi, Mark. C'est qu'il s'en tirera. En ce moment même, il est en haut, en orthopédie, gémissant parce qu'il a quelques malheureux os brisés. » Abby aspira une longue bouffée d'air et toute sa colère parut se dissiper. « Mon Dieu, je suis ici pour sauver des vies. Et me voilà en train de regretter que ce type n'ait pas été réduit en bouillie sur l'autoroute. » Elle se détourna du lit. « Il est temps que je rentre à la maison. »

Mark fit descendre sa main le long de son dos en un geste à la fois réconfortant et possessif. « Viens, dit-il. Je vais te raccompagner jusqu'à la porte. »

Ils sortirent de la salle et pénétrèrent dans l'ascenseur. Au moment où les portes se refermaient, elle se sentit vaciller contre lui. Il la prit dans le cercle chaud et familier de ses bras. C'était un endroit où elle se sentait en sécurité, où elle s'était toujours sentie protégée.

Un an plus tôt, Mark Hodell lui apparaissait comme le contraire d'une présence rassurante. Abby était en première année d'internat. Mark était chirurgien thoracique — pas n'importe quel chirurgien, mais l'un des principaux membres de l'équipe de transplantation cardiaque de Bayside. Ils s'étaient rencontrés en salle d'opération sur un cas de traumatisme. Le patient, un gosse de dix ans, était arrivé aux urgences en ambulance avec une flèche qui lui sortait de la poitrine — suite à une querelle entre frères et sœurs et d'un choix discutable de cadeau d'anniversaire. Mark était déjà en tenue quand Abby était entrée dans le bloc opératoire. Elle n'était à l'hôpital que depuis une semaine et se sentait nerveuse, intimidée à l'idée d'assister l'éminent docteur Hodell. Elle s'était avancée vers la table d'opération. Timidement, elle avait jeté un coup d'œil à l'homme qui lui faisait face. Au-dessus du masque, elle avait seulement distingué un front large et intelligent et deux yeux bleus magnifiques. Très directs. Très inquisiteurs.

Ils avaient opéré ensemble. L'enfant avait survécu.

Un mois plus tard, Mark avait demandé à Abby de sortir avec lui. Elle avait refusé à deux reprises. Non parce qu'elle n'en avait pas envie, mais parce que sa raison l'en empêchait.

Un mois s'était écoulé. Il était revenu à la charge. Cette fois la tentation avait été la plus forte. Elle avait accepté.

Cinq mois auparavant, Abby était venue s'installer chez Mark à Cambridge. Il n'avait pas été facile, au début, d'apprendre à vivre avec un célibataire de quarante et un ans qui n'avait jamais partagé sa vie — ni sa maison — avec une femme. Mais aujourd'hui, en sentant Mark la serrer dans ses bras, la consoler, elle ne pouvait imaginer la vie, ni l'amour, avec quelqu'un d'autre.

« Pauvre chérie, murmura-t-il, son haleine chaude dans ses cheveux. C'est dur, hein ?

— Je ne suis pas faite pour ça. Qu'est-ce que je fiche ici ?

— Tu fais ce que tu as toujours rêvé de faire. C'est ce que tu m'as dit.

— Je ne me souviens même plus de mes rêves. Ils sont si loin.

— Il me semble qu'ils avaient un rapport avec l'envie de sauver des vies, non ?

— Exact. Et me voilà en train de souhaiter la mort de cet ivrogne qui était dans l'autre voiture. » Elle secoua la tête, comme dégoûtée d'elle-même.

« Abby, tu viens de passer par le pire des services. Il te reste encore deux jours en trauma. Tu dois tenir le coup deux jours de plus.

— Tu parles. Ensuite je me retrouverai en chirurgie thoracique...

— Du gâteau en comparaison. Les accidents ont toujours été un cauchemar. Tâche d'en prendre ton parti comme tout le monde. »

Elle se blottit plus étroitement dans ses bras. « Si je m'orientais vers la psychiatrie, perdrais-tu tout respect pour moi ?

— Tout respect. Ça ne fait aucun doute.

— Tu es un salaud ! »

Riant, il enfouit ses lèvres dans ses cheveux. « C'est ce que pensent un tas de gens, mais tu es la seule qui ait le droit de le dire. »

Ils descendirent au rez-de-chaussée et sortirent de l'hôpital. L'automne était déjà là en cette fin de septembre, mais Boston semblait écrasé par une vague de chaleur qui durait depuis six jours. En traversant le parking, Abby sentit fondre ses dernières réserves d'énergie. Lorsqu'ils atteignirent sa voiture, elle tenait à peine debout. Voilà le résultat, se dit-elle. L'enfer que nous traversons pour devenir chirurgiens. Les journées qui n'en finissent pas, le stress, les heures pendant lesquelles il faut continuer d'avancer, coûte que coûte, alors que nous sommes sur le point de nous effondrer. Elle savait qu'il s'agissait d'un processus d'élimination, cruel et nécessaire. Mark y avait survécu ; elle ferait de même.

Il la serra dans ses bras, lui donna un autre baiser. « Tu es certaine de pouvoir conduire jusqu'à la maison ? demanda-t-il.

— Je vais brancher le pilote automatique.

— Je rentrerai dans une heure. Tu veux que je rapporte une pizza ? »

Avec un bâillement, elle se glissa derrière le volant. « Pas pour moi.

— Tu ne veux pas dîner ? »

Elle tourna la clé de contact. « Tout ce dont j'ai envie ce soir, c'est de mon lit. »

3

Pendant la nuit, la réalité lui parvint comme un doux murmure ou une caresse d'ailes sur son visage : *Je suis en train de mourir.* Cette révélation n'effraya pas Nina Voss. Depuis des semaines, grâce à la présence quotidienne de trois infirmières qui se relayaient autour d'elle, des visites du docteur Morissey qui chaque jour augmentait les doses de Furosémide, Nina était restée sereine. Et pourquoi ne l'aurait-elle pas été ? Sa vie avait été remplie de moments heureux. Elle avait connu l'amour, la joie, l'émerveillement. Au cours des quarante-six années de son existence, elle avait vu le soleil se lever au-dessus des temples de Karnak, erré au crépuscule dans les ruines de Delphes, gravi les collines du Népal. Et elle avait connu la paix de l'esprit, ayant accepté d'occuper la place que Dieu lui avait assignée dans Son univers. Elle n'avait que deux regrets. L'un était de n'avoir pas eu d'enfant. L'autre était de laisser Victor seul.

Toute la nuit son mari avait veillé à son chevet, lui tenant la main durant les longues heures où elle suffoquait et toussait, où l'on remplaçait les bouteilles d'oxygène et où le docteur Morissey venait la voir. Même dans son sommeil, elle sentait la présence de Victor. Parfois, à l'approche de l'aube, dans la brume de ses rêves, elle l'entendait dire : *Elle est si jeune. Tellement jeune. Ne peut-on rien faire d'autre, n'importe quoi d'autre ?*

Quelque chose ! N'importe quoi ! C'était bien de Victor. Il ne croyait pas en l'inévitable.

Mais Nina y croyait, elle.

Elle ouvrit les yeux et vit que la nuit avait enfin passé, et que le soleil brillait à travers la fenêtre de sa chambre. Au-delà s'étendait la vue de son cher Rhode Island Sound. Avant sa maladie, avant que la myocardiopathie ne lui eût ôté toute force, Nina était dès le point du jour réveillée et habillée. Elle aimait sortir sur le balcon de leur chambre et regarder le soleil se lever. Même les matins où le brouillard enveloppait le Sound, lorsque l'eau n'était qu'un léger tremblement argenté dans la brume, elle restait là, sentant la terre s'incliner, le jour se répandre autour d'elle. Comme aujourd'hui.

J'ai connu tant de petits matins. Je vous remercie, Seigneur, pour chacun d'entre eux.

« Bonjour, chérie », murmura Victor.

Nina fixa son regard sur le visage de son mari qui se penchait vers elle en souriant. Certains voyaient en Victor Voss l'image de l'autorité. D'autres celle du génie ou d'une nature impitoyable. Mais ce matin, Nina ne voyait sur les traits de son mari que le reflet de l'amour. Et de l'épuisement.

Elle tendit la main. Il la prit et la pressa contre ses lèvres.

« Tu devrais aller dormir un peu, Victor, dit-elle.

— Je ne suis pas fatigué.

— Mais je vois bien que si.

— Pas du tout. » Il lui embrassa la main à nouveau, ses lèvres chaudes sur sa peau glacée. Ils se regardèrent pendant un moment. L'oxygène chuintait doucement à l'intérieur des canules insérées dans ses narines. Par la fenêtre ouverte montait le bruit des vagues qui refluaient sur les rochers.

Elle ferma les yeux. « Tu te souviens de ce jour... » Sa voix faiblit et elle s'interrompit pour reprendre son souffle.

« Quel jour ? demanda-t-il tendrement.

— Celui où... je me suis cassé la jambe... » Elle sourit.

C'était la semaine où ils s'étaient connus, à Gstaad. Il lui avait raconté par la suite qu'il l'avait remarquée dévalant une piste noire, s'était lancé à sa poursuite, avait repris le remonte-pente, était redescendu à sa suite... Il y avait vingt-cinq ans.

Depuis ce jour, ils ne s'étaient plus quittés.

« J'ai su, murmura-t-elle. Dans cet hôpital... où tu es resté auprès de mon lit. J'ai su.

— Tu as su quoi, ma chérie ?

— Que tu étais le seul qui comptait pour moi. » Elle ouvrit les yeux et lui sourit à nouveau. C'est alors qu'elle vit une larme couler le long de sa joue. Oh, pourtant Victor ne pleurait jamais ! Elle ne l'avait jamais vu pleurer, pas une seule fois durant les vingt-cinq années de leur vie commune. À ses yeux, c'était lui qui était fort, lui qui était courageux. Aujourd'hui, en contemplant son visage, elle se rendit compte qu'elle s'était trompée.

« Victor, dit-elle, et elle serra sa main entre les siennes. Tu ne dois pas avoir peur. »

D'un geste vif, presque coléreux, il se tamponna les yeux. « Non, ça n'arrivera pas. Je ne veux pas te perdre.

— Je serai toujours là.

— Non. Ce n'est pas suffisant ! Je te veux sur cette terre. Ici. Avec moi. Avec *moi*.

— Victor, s'il existe une chose..., une chose que je sais... » Elle chercha sa respiration. « C'est que le temps... que nous avons sur cette terre... est une toute petite partie... de notre existence. »

Elle perçut son sursaut. Il se leva de sa chaise et fit quelques pas jusqu'à la fenêtre, où il resta à contempler le Sound. Elle sentit la chaleur de sa main abandonner sa peau. Le froid la gagner à nouveau.

« Je vais tout arranger, Nina, dit-il.

— Il y a des choses... dans cette vie... que nous ne pouvons pas changer.

— J'ai déjà fait des démarches.

— Mais Victor... »

Il se retourna et la regarda. Ses épaules, dans le cadre de la fenêtre, semblaient occulter la lumière de l'aube. « Tout va s'arranger, chérie, dit-il. Ne t'inquiète pas. »

C'était une de ces chaudes soirées où tout semble parfait, le soleil couchant, les glaçons qui tintent dans les verres, les femmes élégantes et parfumées dans leurs robes de soie et de mousseline. Dans le jardin clos de murs du docteur Bill Archer, Abby avait l'impression que l'air lui-même était enchanté. Les clématites et les roses grimpaient à l'assaut d'une pergola. Des massifs de fleurs coloraient çà et là l'étendue des pelouses. Le jardin faisait la fierté et la joie de Marilee Archer, dont on entendait la voix forte de contralto énumérer fièrement les appellations botaniques en guidant d'une plante à l'autre les épouses des autres médecins.

Dans le patio, un verre à la main, Bill Archer riait. « Marilee se débrouille drôlement mieux que moi en latin.

— Je l'ai étudié pendant trois ans au collège, dit Mark. Les seuls mots dont je me souvienne sont ceux que j'ai appris en médecine. »

Ils se tenaient tous autour d'un barbecue en brique, Bill Archer, Mark, le Major, et deux chirurgiens résidants. Abby était la seule femme de ce petit cercle. C'était une chose à laquelle elle ne s'était jamais habituée, d'être le seul élément féminin d'un groupe. Elle parvenait à l'oublier pendant quelques minutes, puis regardait l'assemblée de chirurgiens dans une pièce et se sentait soudain envahie d'un sentiment de malaise en constatant qu'elle était entourée d'hommes.

Ce soir, il y avait des femmes à la réception que donnait Bill Archer chez lui, les épouses de ces messieurs, mais elles semblaient se déplacer au sein d'un univers parallèle qui se recoupait rarement avec celui de leurs maris. Abby saisissait de temps à autre des bribes de conversations féminines. On y parlait de roses de Damas, de voyages à Paris, de repas mémorables. Elle se sentait partagée, un pied de chaque côté de la frontière qui séparait les hommes des femmes.

C'était Mark qui l'ancrait à ce milieu masculin. Lui et Bill Archer, également spécialiste de la chirurgie thoracique, étaient très proches. Archer, chef de l'équipe de transplantation cardiaque, était l'un des médecins de Bayside qui avaient recruté Mark voilà sept ans. Il était naturel que les deux hommes s'entendent aussi bien. Tous deux étaient énergiques, athlétiques, et dotés d'un formidable esprit de compétition. En salle d'opération, ils travaillaient en équipe, mais hors de l'hôpital, leur amicale rivalité s'étendait depuis les pistes de ski du Vermont jusqu'aux eaux de Massachussets Bay. Tous deux possédaient un voilier de la classe des J-35, mouillé dans la marina de Marblehead, et depuis le début de la saison, les points gagnés en régates étaient de six contre cinq, le *Red Eye* d'Archer devançant le *Gimme Shelter* de Mark. Mark avait l'intention d'égaliser durant le week-end. Il avait déjà demandé à Rob Lessing, l'autre interne résidant, d'être son équipier.

Qu'est-ce qu'ils avaient tous avec leurs bateaux ? se demandait Abby. Ils parlaient de trucs et de machins, une conversation *high-tech* alimentée aux testostérones. Dans cette assemblée, le centre de la scène était occupé par deux têtes grisonnantes. Archer, avec sa crinière parsemée de fils blancs. Et Mark qui, à quarante et un ans, voyait ses tempes s'argenter.

La conversation dérivant vers l'entretien des coques, le dessin des quilles et le coût exorbitant des spinnakers, l'attention d'Abby se relâcha. Ce fut alors qu'elle remarqua deux invités arrivés tardivement : le docteur Aaron Levi et son épouse, Elaine. Aaron, le cardiologue de l'équipe de transplantation, était un homme d'une timidité maladive. Il avait déjà battu en retraite dans un coin reculé de la pelouse, où il se tenait silencieux, les épaules voûtées, son verre à la main. Elaine regardait autour d'elle, cherchant à qui parler.

Abby en profita pour échapper aux palabres nautiques. Elle s'écarta subrepticement de Mark et alla rejoindre les Levi.

« Madame Levi ? Je suis heureuse de vous revoir. »

Elaine lui rendit son sourire. « Vous êtes... Abby, n'est-ce pas ?

— Oui, Abby DiMatteo. Je crois que nous nous sommes rencontrées au pique-nique des internes.

— Ah oui, c'est exact. Il y a tellement d'internes que j'ai du mal à m'y reconnaître. Mais je me souviens parfaitement de vous. »

Abby rit. « Nous ne sommes que trois femmes en chirurgie, nous ne passons pas inaperçues.

— C'est déjà mieux qu'autrefois, où il n'y en avait pas une seule. Dans quel service êtes-vous en ce moment ?

— Je commence la chirurgie thoracique dès demain.

— Vous allez donc travailler avec Aaron.

— Si j'ai la chance de participer à une transplantation.

— Vous l'aurez. L'équipe est surchargée ces derniers temps. Ils ont même des cas qui leur sont envoyés par Massachussetts General, ce qui réjouit particulièrement Aaron. » Elaine se pencha vers Abby. « Ils lui ont refusé un stage il y a des années. Aujourd'hui, ils lui envoient leurs patients.

— La seule chose que Mass Gen ait de plus que Bayside, c'est l'aura de Harvard, dit Abby. Vous connaissez Vivian Chao, j'imagine ? Notre chef de clinique ?

— Naturellement.

— Elle est sortie dans les dix premiers rangs d'Harvard Med. Mais lorsqu'elle a posé sa candidature pour un poste d'interne, c'est Bayside qu'elle a choisi en premier. »

Elaine se tourna vers son mari. « Aaron, tu as entendu ça ? »

À regret, il leva les yeux de son verre. « Entendu quoi ?

— Vivian Chao a préféré Bayside à Mass Gen. Vraiment, Aaron, tu es déjà parvenu au sommet ici. Pourquoi voudrais-tu partir ?

— Partir ? » Abby se tourna vers le cardiologue, mais ce dernier lançait un regard courroucé à sa femme. Leur soudain silence étonna Abby. Depuis l'autre extrémité de la pelouse leur parvenait un brouhaha de rires et de conversations, mais dans ce coin du jardin aucun son ne s'élevait.

Aaron s'éclaircit la voix. « C'est une idée qui m'est venue à l'esprit, dit-il. Sans plus. Voyez-vous. Ne plus vivre dans une métropole. S'installer dans une petite ville. Tout le monde en rêve, mais personne ne franchit le pas.

— Pas moi en tout cas, dit Elaine.

— J'ai grandi dans une de ces petites villes, dit Abby. À Belfast, dans le Maine. Je n'avais qu'une envie, c'était d'en partir.

— Cela n'a rien d'étonnant, dit Elaine. Nous nous cramponnons tous à la civilisation.

— À dire vrai, ce n'était pas aussi terrible qu'on l'imagine.

— Mais vous ne souhaitez pas y revenir, n'est-ce pas ? »

Abby hésita. « Mes parents sont décédés. Et mes deux sœurs vivent dans un autre État. Je n'ai plus aucune raison de retourner là-bas. Et beaucoup de rester ici. »

Dans le silence gêné qui suivit, Abby entendit quelqu'un l'appeler. Elle se retourna et vit Mark lui faire un signe de la main.

« Veuillez m'excuser », dit-elle, et elle traversa la pelouse pour le rejoindre.

« Archer est en train de faire visiter son saint des saints, dit Mark.

— Quel saint des saints ?

— Viens. Tu verras. » Il la prit par la main. Ils franchirent la terrasse, pénétrèrent dans la maison et montèrent au premier étage. Abby n'était entrée qu'une seule fois dans la maison des Archer, pour y admirer les tableaux accrochés dans la galerie.

Ce soir, c'était la première fois qu'elle était invitée à pénétrer dans la pièce située à l'extrémité du hall d'entrée.

Bill Archer les attendait à l'intérieur. Les docteurs Frank Zwick et Raj Mohandas étaient confortablement installés dans des fauteuils de cuir. Toutefois Abby remarqua à peine l'assistance ; ce fut la pièce qui retint son attention.

Un vrai musée de matériel médical. Dans des vitrines était exposée une incroyable variété d'instruments à la fois fascinants et terrifiants. Des scalpels et des lancettes. Des bocaux à sangsues. Des forceps munis de pinces capables de broyer un crâne de nouveau-né. Au-dessus de la cheminée était accroché un tableau : le combat entre la Mort et le Médecin se disputant la vie d'une jeune femme. Les mesures d'un concerto brandebourgeois emplissaient la pièce.

Archer baissa le volume et on n'entendit plus que le murmure de la musique en fond sonore.

« Aaron ne vient pas ? demanda Archer.

— Il a été prévenu. Il va monter, répondit Mark.

— Bon. » Archer sourit à Abby. « Que pensez-vous de ma petite collection ? »

Elle examinait le contenu d'une vitrine. « Elle est fascinante. Certains de ces instruments me sont totalement inconnus. »

Archer indiqua un étrange appareillage de rouages et de poulies. « Cette machine est particulièrement intéressante. Elle avait pour objet de produire un courant de faible intensité, qui était appliqué à différents endroits du corps. Elle était réputée tout soigner, les maladies féminines aussi bien que le diabète. C'est curieux, n'est-ce pas ? Les absurdités que la science médicale voudrait nous faire avaler sont sans limite ! »

Abby s'immobilisa devant le tableau et contempla le personnage de la Mort vêtu d'une robe noire. Le médecin en héros, le médecin en conquérant, pensa-t-elle. Et bien entendu l'objet de ce sauvetage était une femme. Une très belle femme.

La porte s'ouvrit.

« Le voilà, dit Mark. Nous nous demandions si vous ne nous aviez pas oubliés, Aaron. »

Aaron entra dans la pièce. Il ne répondit pas, fit simplement un signe de tête en prenant place dans un fauteuil.

« Puis-je vous offrir un autre verre, Abby ? demanda Bill Archer.

— Non, merci.

— Un peu de cognac ? C'est Mark qui conduit, n'est-ce pas ? »

Abby sourit. « Une goutte, alors. »

Archer la servit. Il régnait un calme étrange, comme si chacun attendait que cette formalité fût accomplie. Abby se rendit alors compte qu'elle était l'unique interne du groupe. Bill Archer organisait régulièrement ce genre de réception, pour accueillir les nouveaux venus en chirurgie thoracique et traumatologique. Aujourd'hui même, par exemple, six autres internes déambulaient dans le jardin. Mais ici, dans la retraite personnelle d'Archer, seule l'équipe de transplantation était réunie.

Et Abby.

Elle s'assit sur le divan à côté de Mark et but son verre à petites gorgées. Elle commençait à sentir l'effet du cognac et de l'attention particulière dont elle était l'objet. À l'époque où elle préparait son internat, elle avait regardé ces cinq hommes avec une admiration craintive, considérant comme un privilège de pouvoir assister Archer ou Mohandas en salle d'opération. Même si sa relation avec Mark l'avait introduite dans leur groupe, elle n'oubliait jamais qui étaient ces hommes. Pas plus qu'elle n'oubliait le pouvoir qu'ils avaient sur l'avenir de sa carrière.

Archer était assis en face d'elle. « J'ai entendu certains échos favorables à votre sujet, Abby. Venant du Major. Avant de partir tout à l'heure, il a émis des remarques particulièrement élogieuses vous concernant.

— Le docteur Wettig ? » Abby ne put réprimer un rire étonné. « À franchement parler, je ne sais jamais exactement ce qu'il pense de mon travail.

— C'est dans ses habitudes. Laisser place à un peu d'inquiétude. »

Les autres s'esclaffèrent. Abby se joignit à eux.

« Je respecte le jugement de Colin, dit Archer. Et je sais qu'à ses yeux vous êtes l'un des meilleurs éléments du programme opératoire du niveau deux de l'hôpital. J'ai travaillé avec vous, j'ai pu constater qu'il avait raison. »

Abby se tortilla un peu sur le divan, légèrement embarrassée. Mark prit sa main et l'étreignit. Le geste n'échappa pas à Archer, qui sourit.

« Manifestement, Mark a pour vous une estime particulière. Et c'est en partie pour cette raison que nous avons estimé cette discussion utile. Je sais qu'elle peut paraître prématurée, mais nous sommes amateurs de projets à long terme. Nous pensons qu'il est toujours bon d'explorer un territoire à l'avance.

— Je crains de ne pas très bien comprendre », dit Abby.

Archer saisit le carafon de cognac et s'en versa à nouveau une larme. « Notre équipe de transplantation ne s'intéresse qu'aux meilleurs éléments. Les meilleures références, les meilleures performances. Nous évaluons constamment les internes pour l'attribution des bourses. Oh, nos motifs sont parfaitement égoïstes. Nous cherchons à former de futurs membres de l'équipe. » Il marqua une pause. « Et nous nous demandions si vous seriez intéressée par la chirurgie de transplantation. »

Abby jeta à Mark un regard stupéfait. Il hocha la tête.

« Vous n'êtes pas obligée de prendre une décision immédiate, dit Archer. Mais nous aimerions que vous y réfléchissiez. Nous avons quelques années pour apprendre à nous connaître. Ensuite, vous n'aurez peut-être plus envie d'une bourse. Vous pourrez aussi vous apercevoir que la chirurgie de transplantation ne vous intéresse que vaguement.

— Mais au contraire... » Elle se pencha en avant, le visage empourpré sous l'effet de l'émotion. « Je suis seulement... étonnée. Et flattée. Il y a beaucoup d'excellents internes résidants dans ce programme. Vivian Chao, pour ne citer qu'elle.

— En effet, Vivian est excellente.

— Je crois qu'elle compte faire une demande de bourse l'année prochaine. »

Mohandas dit : « Il ne fait aucun doute que la technique chirurgicale du docteur Chao est remarquable. Je pense également à plusieurs internes qui ont de grandes capacités. Mais vous connaissez le dicton ? : "On peut apprendre à un singe à opérer. La difficulté est de savoir *quand* opérer."

— Raj veut dire que nous sommes à la recherche d'un bon jugement clinique, dit Archer. Et d'un esprit d'équipe. Nous pensons que vous saurez travailler dans un groupe. Sans intérêts conflictuels. C'est quelque chose de primordial à nos yeux, Abby, le travail en équipe. Lorsque vous vous défoncez en salle d'op', tout peut arriver. Le matériel tomber en panne. Le scalpel vous échapper. Le cœur s'égarer pendant le transport. Il est essentiel alors que nous agissions tous de concert, dans n'importe quelle circonstance. Et c'est ce que nous faisons.

— Nous nous aidons aussi mutuellement, ajouta Frank Zwik. Au bloc comme à l'extérieur.

— Absolument », dit Archer. Il jeta un coup d'œil en direction d'Aaron. « N'êtes-vous pas d'accord ? »

Aaron se racla la gorge. « Oui, nous nous aidons

tous. C'est l'un des avantages de faire partie de cette équipe.

— Un des nombreux avantages », renchérit Mohandas.

Ils restèrent un moment silencieux. On entendait toujours le concerto brandebourgeois en fond sonore. « J'aime particulièrement ce mouvement », dit Archer en augmentant le volume. Tandis que le son des violons jaillissait des haut-parleurs, Abby sentit à nouveau son regard attiré vers le combat entre la Mort et le Médecin. La bataille pour la vie d'un patient, pour l'âme d'un patient.

« Vous avez parlé... d'autres avantages, dit-elle.

— Par exemple, expliqua Mohandas, j'avais un certain nombre de prêts d'étudiant à rembourser à la fin de mes études de chirurgie. Bayside m'a aidé à le faire. C'était une des clauses de mon contrat lorsqu'ils m'ont recruté.

— C'est une chose dont nous pourrions discuter, Abby, dit Archer. Faire en sorte que cette proposition soit intéressante pour vous. À notre époque, les jeunes chirurgiens ont trente ans quand se termine leur internat. La plupart sont déjà mariés avec parfois un enfant ou deux. Et ils doivent — combien ? Cent mille dollars d'emprunt ? Ils ne sont même pas propriétaires d'une maison ! Il leur faudra dix ans au minimum pour rembourser leurs dettes. Ils ont quarante ans alors, et doivent payer les études de leurs rejetons. » Il secoua la tête. « Je m'étonne que l'on choisisse encore de pratiquer la médecine de nos jours. Ce n'est sûrement pas le moyen de s'enrichir.

— Ce serait plutôt le contraire, admit Abby.

— Il devrait en être autrement. C'est là où Bayside peut intervenir. Mark nous a indiqué que vous aviez bénéficié d'aides financières tout au long de vos études de médecine.

— Une combinaison de bourses et de prêts. Principalement des prêts.

— Aïe ! L'addition doit être douloureuse. »

46

Abby hocha la tête d'un air chagrin. « Je commence seulement à m'en apercevoir.

— Des prêts étudiants également ?

— Oui. Ma famille avait des ennuis financiers, avoua Abby.

— Vous dites cela comme si vous en aviez honte.

— Ce fut davantage une question de... malchance. Mon plus jeune frère a été hospitalisé pendant plusieurs mois et nous n'étions pas assurés. À cette époque, dans la ville où j'ai grandi, beaucoup de gens ne l'étaient pas.

— Ce qui confirme que vous avez dû travailler pour forcer la chance. Chacun ici sait ce que cela représente. Raj était un immigrant qui n'a pas prononcé un mot d'anglais jusqu'à l'âge de dix ans. Moi-même, j'ai été le premier dans ma famille à suivre des études universitaires. Croyez-moi, les grandes familles de Boston ne sont pas représentées dans cette pièce. Pas de papas riches ni d'utiles fonds de placement. Pour arriver, nous avons tous dû nous battre. C'est cette énergie que nous recherchons au sein de notre équipe. »

La musique s'amplifia dans le mouvement final. Puis le dernier accord de trompettes et de cordes se tut. Archer éteignit l'appareil et regarda Abby.

« De toute façon, vous avez le temps de réfléchir, dit-il. Il ne s'agit pas de vous faire une proposition ferme immédiatement. Mettons plutôt qu'il s'agit d'un... » Il fit un clin d'œil à Mark. « Premier rendez-vous.

— Je comprends, dit Abby.

— Je veux pourtant que vous sachiez une chose. Vous êtes le seul interne que nous ayons approché. Le seul qui nous intéresse réellement. Il serait préférable de taire cette conversation au reste du personnel médical. Inutile de susciter des jalousies.

— Naturellement.

— Très bien. » Archer parcourut la pièce du regard. « Je suppose que nous sommes tous d'accord sur ce point, n'est-ce pas, messieurs ? »

Tous hochèrent la tête.

« Il y a unanimité », dit Archer. Et, souriant, il s'empara à nouveau du carafon de cognac. « Voilà ce que j'appelle une équipe soudée. »

« Alors qu'en penses-tu ? » lui demanda Mark dans la voiture sur le trajet du retour.

Abby rejeta la tête en arrière et s'écria d'un air transporté : « Je rêve ! Seigneur, quelle soirée !

— Tu es heureuse, hein ?

— Tu plaisantes ? Je suis terrifiée !

— Terrifiée ? De quoi ?

— De tout rater. De tout faire capoter. »

Il rit et lui pressa le genou. « Dis donc, tu oublies que nous avons travaillé avec tous les autres internes résidant à l'hôpital ! Tu es la meilleure, nous en sommes convaincus.

— Et quel est exactement le degré de votre intervention dans cette affaire, cher docteur Hodell ?

— Oh, j'ai seulement ajouté mon grain de sel. Il se trouve que les autres étaient pleinement d'accord avec moi.

— Bien.

— C'est vrai. Crois-moi, Abby, tu es notre choix numéro un. Et je suis convaincu que cette coopération sera formidable pour toi aussi. »

Elle se renfonça dans son siège, souriant. Laissant vagabonder son imagination. Jusqu'à ce soir, elle n'avait qu'une vague notion de l'endroit où elle travaillerait dans trois ou quatre ans. Elle pensait qu'elle se crèverait probablement dans un dispensaire. La clientèle privée vivait ses derniers jours ; elle ne voyait pas d'avenir de ce côté-là, du moins, pas dans la ville de Boston. Et elle voulait rester à Boston.

Là où vivait Mark.

« J'en meurs d'envie, dit-elle. J'espère seulement que je ne vous décevrai pas.

— Impossible. L'équipe sait ce qu'elle veut. Nous sommes tous unis dans ce projet. »

Elle resta silencieuse un moment. « Même Aaron Levi ? demanda-t-elle.

— Aaron ? Pourquoi ne le serait-il pas ?

— Je l'ignore. Je me suis entretenue avec Elaine, sa femme, ce soir. J'ai eu l'impression qu'Aaron n'était pas très heureux. Savais-tu qu'il envisageait de partir ?

— Quoi ? » Mark la regarda d'un air ébahi.

« D'aller s'établir dans une petite ville. »

Mark éclata de rire. « Ça ne risque pas. Elaine est une enfant de Boston.

— Il ne s'agit pas d'Elaine. C'est Aaron qui en a envie. »

Pendant un moment, Mark conduisit en silence. « Tu as dû mal comprendre », dit-il enfin.

Elle haussa les épaules. « Peut-être. »

« Lumière, je vous prie », ordonna Abby.

Une infirmière leva le bras et ajusta le projecteur, concentrant la lumière sur la poitrine du patient. Le champ opératoire avait été délimité sur la peau au marqueur noir, deux petits X reliés par une ligne qui courait le long de la cinquième côte. C'était une poitrine menue, d'une petite femme. Mary Allen, une veuve de quatre-vingt-quatre ans, admise à Bayside une semaine plus tôt, souffrant de perte de poids et de forts maux de tête. Une radiographie de routine avait révélé un état inquiétant : de multiples nodules dans les deux poumons. Pendant six jours elle avait subi des examens, scanner et radios. On lui avait fait une bronchoscopie, une ponction intrathoracique, et malgré tout le diagnostic était peu clair.

Aujourd'hui, ils allaient connaître la réponse.

Le docteur Wettig s'empara du scalpel et resta la main en suspens au-dessus du champ. Abby attendit de le voir pratiquer l'incision. Il n'en fit rien. Il leva la tête vers Abby, fixa sur elle son regard bleu métallique au-dessus du masque.

« Combien de fois avez-vous assisté quelqu'un pour une biopsie pulmonaire, DiMatteo ?

— Cinq, je crois.

— Vous connaissez les antécédents de la patiente, n'est-ce pas ? Vous avez vu les radios du thorax ?

— Oui monsieur. »

Wettig lui tendit son scalpel. « Elle est à vous, docteur. »

Abby regarda avec stupéfaction le scalpel étincelant. Le Major confiait rarement la lame, même à ses internes de dernière année.

Elle se saisit du scalpel, sentit le poids de l'acier bien réparti dans sa main. D'un geste ferme, elle pratiqua l'incision, étirant la peau pendant qu'elle traçait un trait en haut de la côte. La patiente était maigre, presque décharnée ; il y avait peu de graisse masquant les repères anatomiques. Une deuxième incision, un peu plus profonde, sépara les muscles intercostaux.

Elle avait atteint la cavité pleurale.

Elle glissa un doigt à l'intérieur de l'incision et sentit la surface du poumon. Mou, spongieux. « Tout va bien ? demanda-t-elle à l'anesthésiste.

— Ça va.

— Bon, on écarte. »

Les côtes furent écartées, élargissant l'incision. Le respirateur insuffla une autre bouffée d'air, et une partie du poumon ballonna hors de l'incision. Abby le clampa, encore gonflé.

Elle regarda à nouveau l'anesthésiste. « OK ?

— Pas de problème. »

Abby se concentra sur le segment de tissu pulmonaire exposé. Un coup d'œil lui suffit pour repérer un des nodules. Elle y passa le doigt. « Il est très dur, dit-elle. C'est mauvais signe.

— Rien de surprenant, dit Wettig. À la radio, ça ressemblait à ce qu'on pourrait trouver après une chimio. Nous allons simplement confirmer le type de cellule.

— Les maux de tête ? Des métastases dans le cerveau ? »

Wettig acquiesça. « Il est atteint. Il y a huit mois, ses

radios étaient normales. Aujourd'hui elle a un cancer généralisé.

— Elle a quatre-vingt-quatre ans, dit une des infirmières. Au moins a-t-elle eu une longue vie. »

Mais quelle sorte de vie ? se demanda Abby en réséquant le fragment de poumon qui contenait le nodule. Elle avait vu Mary Allen pour la première fois la veille. Elle l'avait trouvée calme et silencieuse dans sa chambre d'hôpital. Les rideaux étaient tirés, le lit plongé dans la pénombre. À cause des migraines, avait dit Mary. *Le soleil me fait mal aux yeux. C'est seulement lorsque je dors que la douleur se dissipe. Je souffre tellement. Je vous en prie, docteur, ne pourrais-je avoir un somnifère plus puissant ?*

Abby termina la résection et sutura l'incision du poumon. Wettig ne fit aucun commentaire. Il se borna à l'observer, le regard toujours aussi froid. Son silence était un compliment en soi ; elle avait appris que l'absence de critique de la part du Major représentait un triomphe.

À la fin, le thorax refermé, le drain mis en place, Abby ôta ses gants ensanglantés et les déposa dans le baquet portant l'étiquette : CONTAMINÉ.

« Le plus dur reste à faire », dit-elle, tandis que les infirmières emportaient la patiente hors de la salle. « Lui annoncer la mauvaise nouvelle.

— Elle sait, dit Wettig. Ils savent toujours. »

Ils suivirent le grincement du brancard qui s'éloignait vers la salle de réanimation. Quatre patients en postop' occupaient les boxes séparés par des rideaux. Mary Allen, dans le dernier, commençait à peine à remuer. Elle bougea un pied. Gémit. Voulut dégager sa main du bracelet de contention.

Armée de son stéthoscope Abby ausculta rapidement les poumons. « Donnez-lui cinq milligrammes de morphine, en IV. »

L'infirmière injecta un bolus de sulfate de morphine. Suffisant pour atténuer la douleur tout en permettant un retour progressif de la conscience. Les gémissements de Mary cessèrent. Le tracé sur l'écran du moniteur cardiaque était stable et régulier.

« Les instructions postopératoires, docteur Wettig ? » demanda l'infirmière.

Il y eut un moment de silence. Abby jeta un coup d'œil à Wettig, qui répondit : « C'est le docteur DiMatteo qui est responsable. » Et il quitta la pièce.

Les infirmières se regardèrent. Wettig rédigeait toujours ses instructions. C'était une marque de confiance supplémentaire à l'égard d'Abby.

Elle apporta la feuille de la malade jusqu'au bureau et inscrivit : *Transférer au 5 Est, en chirurgie thoracique. Diagnostic : Biopsie pulmonaire pour multiples nodules. État : stationnaire.* Elle écrivait d'une main ferme, prescrivant le régime, les médicaments, l'activité. Elle arriva à la ligne réservée au code qui représentait l'état du patient. Machinalement, elle inscrivit : *Cancer généralisé.*

Puis son regard se porta sur Mary Allen, immobile sur le brancard. À quoi cela ressemblait-il d'avoir quatre-vingt-quatre ans et d'être atteinte d'un cancer généralisé, de savoir ses jours comptés, chargés d'une souffrance quotidienne ? Sa malade aurait-elle préféré une mort plus rapide, plus douce ? Abby ignorait la réponse.

« Docteur DiMatteo ?

— Oui ?

— On vous a appelé du 4 Est, il y a dix minutes. Ils vous demandent de passer les voir.

— En neurochirurgie ? Ont-ils dit à quel sujet ?

— Au sujet d'une patiente dénommée Terrio. Ils voudraient que vous parliez au mari.

— Karen Terrio n'est plus ma patiente.

— Je ne fais que transmettre le message, docteur.

— Entendu, merci. »

Avec un soupir, Abby se leva et s'approcha du brancard de Mary Allen pour une dernière vérification du moniteur cardiaque et des signes vitaux. Le pouls était un peu trop rapide et la patiente s'agitait, gémissant à nouveau. Toujours en proie à la douleur.

Abby se tourna vers l'infirmière. « Ajoutez deux milligrammes de morphine. »

Le traceur sur l'écran de l'ECG se déplaçait à un rythme lent et régulier.

« Son cœur est si solide, dit Joe Terrio. Il refuse de cesser de battre. Elle ne veut pas abandonner. »

Assis au chevet de sa femme, serrant ses mains dans les siennes, il regardait la ligne verte qui parcourait l'oscilloscope en sautillant. Il contemplait d'un air étonné les appareils qui encombraient la pièce. Les tubes, les écrans de contrôle, l'aspiration. Étonné et effrayé. Mais il concentrait toute son attention sur l'électrocardiographe, comme s'il voulait maîtriser les secrets de cette boîte mystérieuse pour parvenir ensuite à dominer tout le reste. Comprendre pourquoi et comment il se trouvait là au chevet de la femme qu'il aimait, de la femme dont le cœur ne voulait pas s'arrêter de battre.

Il était trois heures de l'après-midi, et soixante-deux heures s'étaient écoulées depuis qu'un chauffard en état d'ivresse avait percuté la voiture de Karen Terrio. Elle avait trente-quatre ans, était séronégative, n'avait ni cancer ni autre maladie. Et elle était décérébrée. En clair, un supermarché vivant d'organes de transplantation. Cœur. Poumons. Reins. Pancréas. Foie. Os. Cornée. Peau. Avec une récolte aussi formidable, l'on pourrait sauver ou améliorer une demi-douzaine de vies.

Abby approcha un tabouret et s'assit en face de lui. Elle était le seul médecin à s'être entretenue avec Joe, et c'était pour cette raison que l'infirmière l'avait appelée. Pour le convaincre de signer les formulaires et de laisser sa femme mourir. Elle resta en silence avec lui pendant un moment. Karen Terrio reposait entre eux, sa poitrine se soulevant et s'abaissant au rythme prédéterminé de vingt respirations à la minute.

« Vous avez raison, Joe, dit Abby. Son cœur est solide. Il pourrait continuer à battre pendant encore un certain temps. Mais pas indéfiniment. Le corps finit par se rendre compte. Par comprendre. »

Joe la regarda, les yeux rougis par les larmes et le manque de sommeil. « Comprendre quoi ?

— Que le cerveau est mort. Que le cœur, lui, n'a plus de raison de continuer à battre.

— Comment peut-il le savoir ?

— Nous avons besoin de notre cerveau. Pas seulement pour penser et sentir, mais aussi pour donner à notre organisme une raison d'être. Quand cette dernière disparaît, le cœur, les poumons, tout flanche. » Abby tourna les yeux vers le respirateur. « Cette machine respire à la place de Karen.

— Je sais. » Joe se frotta le visage. « Je sais, je sais. Je sais... »

Abby se tut. Joe à présent se balançait d'avant en arrière sur sa chaise, la tête dans les mains, des grognements étouffés s'échappant de sa gorge, à peine des sanglots, seules manifestations de chagrin qu'un homme puisse décemment se permettre. Lorsqu'il releva la tête, il avait des mèches de cheveux mouillées de larmes.

Ses yeux se portèrent à nouveau sur l'écran du moniteur. La seule chose qu'il pût regarder sans crainte dans la pièce. « C'est trop tôt.

— Malheureusement pas. Le temps est limité avant que les organes ne commencent à se détériorer. Ils sont alors inutilisables. Et ne profitent à personne, Joe. »

Il leva la tête vers elle. « Avez-vous apporté les formulaires ?

— Je les ai là. »

Il regarda à peine les imprimés. Apposa simplement sa signature au bas des feuilles et les lui rendit. Abby et une infirmière du service certifièrent la signature. L'ensemble prendrait place dans le dossier de Karen Terrio, irait chez le coordinateur des transplantations de Bayside et à la banque d'organes de Nouvelle-Angleterre. Ensuite les organes seraient prélevés.

Longtemps après que Karen Terrio aura été mise en terre, des fragments de son être continueront à vivre. Le cœur qu'elle avait senti battre dans sa poitrine lorsqu'elle était enfant, quand elle s'était mariée à l'âge de vingt ans, lorsqu'elle avait accouché un an plus tard, ce même cœur continuerait à battre dans la poitrine d'un étranger. C'était peut-être ce qui vous rapprochait le plus de l'immortalité.

Mais ce n'était guère une consolation pour Joseph Terrio, qui poursuivait sa veille silencieuse au chevet de sa femme.

Abby trouva Vivian Chao en train de se changer dans le vestiaire du bloc. Vivian sortait d'une intervention d'urgence de quatre heures, et cependant pas une seule tache de transpiration n'apparaissait sur le pyjama chirurgical déposé sur le banc à côté d'elle.

Abby annonça : « Nous avons le consentement pour le prélèvement.

— Les papiers sont signés ? demanda Vivian.

— Oui.

— Bon. Je vais demander une épreuve de compatibilité lymphocitaire. » Vivian prit une blouse propre. Elle ne portait que son soutien-gorge et sa culotte, et chacune de ses côtes saillait de sa poitrine frêle et plate. La virilité « honoraire » songea Abby, est une affaire d'esprit et non de physique. « Et les signes vitaux ?

— Stables pour le moment.

— Il faut maintenir une pression sanguine normale. Perfuser les reins. Ce n'est pas tous les jours que l'on a sous la main une belle paire de reins AB positifs. » Vivian enfila un pyjama stérile et y rentra sa blouse. Chacun de ses mouvements était précis. Gracieux.

« Allez-vous effectuer le prélèvement ? demanda Abby.

— Si le cœur convient à mon patient, oui. Le prélèvement est la partie facile de l'opération. C'est quand il faut remettre la tuyauterie en marche que ça devient intéressant. » Vivian referma la porte du vestiaire et fit claquer le cadenas. « Avez-vous une minute ? Je voudrais vous présenter à Josh.

— Josh ?

— Mon patient du programme chirurgical. Il est en soins intensifs. »

Elles sortirent du vestiaire et parcoururent le couloir jusqu'à l'ascenseur. Vivian compensait la petitesse de ses jambes par un pas vif, presque agressif. « On ne peut juger du succès d'une transplantation cardiaque qu'en voyant l'avant et l'après, dit Vivian. Je vais donc vous montrer l'avant. Les choses vous paraîtront peut-être plus faciles par la suite.

— Que voulez-vous dire ?

— Votre patiente a un cœur mais plus de cerveau. Ce garçon a un cerveau mais pratiquement plus de cœur. » La porte de l'ascenseur s'ouvrit. Vivian pénétra dans la cabine. « Une fois la tragédie dépassée, tout prend un sens. »

Elles gardèrent le silence pendant que l'ascenseur montait.

Bien sûr que tout a un sens, songea Abby. *Un sens parfait. Vivian n'en doute pas. Mais je ne peux pour ma part oublier ces deux petites filles à côté du lit de leur mère. Craignant de la toucher...*

Vivian la précéda jusqu'aux soins intensifs.

Josuah O'Day dormait dans le lit numéro quatre.

« Il dort beaucoup ces derniers temps », murmura l'infirmière, une blonde au doux visage dont le nom, HANNAH LOVE, R.N., était indiqué sur son badge.

« Des variations dans les médicaments ?

— Je crois que c'est de la dépression. » Hannah secoua la tête et soupira. « Je suis son infirmière depuis des semaines. Depuis son admission. C'est un garçon merveilleux, vous savez. Vraiment gentil. Un peu farfelu. Mais depuis peu, il passe son temps à dormir ou à contempler ses trophées. » Elle désigna une étagère près du lit, où avait été disposée avec amour une panoplie de prix et de diplômes variés. L'un d'eux remontait à l'époque où il était à l'école primaire — une mention honorable au Pinewood Derby des louveteaux. Abby connaissait les Pinewood Derbies. Son frère avait été louveteau.

Elle s'approcha du lit. Le garçon paraissait beaucoup plus jeune qu'elle ne l'avait imaginé. Dix-sept ans, d'après sa date de naissance inscrite sur la pancarte d'Hannah. On lui en donnait quatorze. Un enchevêtrement de tuyaux de plastique entourait son lit, sondes intraveineuses, intra-artérielles, Swan-Ganz. Cette dernière servait à contrôler la pression dans l'oreillette et l'artère pulmonaire droites. Sur l'écran au-dessus de sa tête s'inscrivait la pression auriculaire : elle était élevée. Le cœur était trop faible pour pomper suffisamment, et le sang avait reflué dans le système veineux. Abby n'eut pas besoin de regarder le moniteur pour arriver à cette conclusion ; il lui suffisait de regarder les veines de son cou. Elles étaient terriblement gonflées.

« Vous avez devant vous un ex-champion de l'équipe de base-ball du lycée de Redding, dit Vivian. N'y connaissant rien, je ne suis pas en mesure d'apprécier son niveau. Mais son père semble très fier de lui.

— Oh, vous pouvez le dire, confirma Hannah. Il est venu l'autre jour avec une balle et un gant. J'ai dû le mettre dehors quand ils se sont mis à s'envoyer la balle. » Hannah rit. « Le père est aussi cinglé que le fils.

— Depuis combien de temps est-il malade ? demanda Abby.

— Il ne va plus en classe depuis un an, répondit Vivian. Le virus s'est manifesté il y a environ deux ans. Virus coxsackie B. Six mois après, une insuffisance cardiaque s'est révélée. Il est en soins intensifs depuis un mois à présent, il attend qu'un cœur soit disponible. » Vivian se tut et sourit. « N'est-ce pas, Josh ? »

Les yeux de l'adolescent étaient ouverts. Il regardait

les deux femmes comme à travers un voile de gaze. Il cligna plusieurs fois des paupières, puis sourit à Vivian. « Salut, docteur Chao.

— Je vois qu'on a exposé quelques nouvelles décorations, fit remarquer Vivian.

— Oh, celles-là. » Josh roula des yeux blancs. « Je ne sais pas où maman les déniche. Elle garde tout, vous savez. Elle a même un sac en plastique avec toutes mes dents de lait. Je trouve ça plutôt dégoûtant, non ?

— Josh, j'ai amené quelqu'un qui veut faire ta connaissance. Le docteur DiMatteo, un de nos internes en chirurgie.

— Hello, Josh », dit Abby.

Le garçon mit un certain temps à centrer à nouveau son regard. Il resta sans rien dire.

« Vois-tu un inconvénient à ce que le docteur DiMatteo t'examine ? demanda Vivian.

— Pourquoi ?

— Lorsque tu auras reçu ton nouveau cœur, tu seras comme ce dingue de Crazy Runner à la télévision. On ne pourra plus te tenir pour t'examiner. »

Abby s'approcha du lit. Déjà, Josh avait relevé sa chemise et dénudé sa poitrine. Elle était blanche et glabre, une poitrine d'enfant plutôt que d'adolescent. Elle posa la main sur son cœur et le sentit battre irrégulièrement, comme les ailes d'un oiseau contre la cage de ses côtes. Elle appliqua son stéthoscope et en écouta les battements, consciente du regard du garçon, attentif et méfiant. Abby avait vu ce regard chez des enfants qui étaient depuis trop longtemps hospitalisés dans des services de pédiatrie, des enfants qui avaient appris que chaque nouvelle paire de mains apporte une nouvelle sorte de douleur. Quand enfin elle se redressa et rangea son stéthoscope dans sa poche, elle vit apparaître une expression de soulagement sur le visage du garçon.

« C'est tout ? demanda-t-il.

— C'est tout. » Abby défripa sa blouse. « Alors. Quelle est ton équipe favorite, Josh ?

— Devinez.

— Les Red Sox.

— Mon père a enregistré tous leurs matchs. On allait toujours au stade ensemble, lui et moi. Dès que je rentrerai à la maison, je pourrai tous les regarder. Toutes les bandes. Trois jours entiers de base-ball... » Il prit une longue aspiration de mélange oxygéné et regarda le plafond. Il dit doucement : « Je voudrais rentrer à la maison, docteur Chao.

— Je sais, dit Vivian.

— Je voudrais revoir ma chambre. Elle me manque. » Il avala sa salive, mais ne put retenir un sanglot. « Je veux revoir ma chambre. Rien d'autre. Je veux seulement revoir ma chambre. »

Hannah s'approcha immédiatement de lui. Elle le serra dans ses bras et le berça. Il s'efforçait de ne pas pleurer, les poings serrés, le visage enfoui dans les cheveux de la jeune femme. « Tout va bien, murmurat-elle. Laisse-toi aller et pleure un bon coup, mon petit. Je suis près de toi. Je vais rester ici, Josh. Aussi longtemps que tu en auras besoin. Tout va bien. » Abby rencontra le regard d'Hannah par-dessus l'épaule du garçon. Les larmes qui humectaient les joues de l'infirmière n'étaient pas uniquement celles de Josh.

En silence, Vivian et Abby quittèrent la pièce.

Dans le PC des infirmières de l'unité des soins intensifs, Abby attendit que Vivian eût signé la demande de compatibilité lymphocitaire entre le sang de Josh O'Day et celui de Karen Terrio.

« Dans combien de temps peut-il être opéré ? demanda Abby.

— Nous pourrions être prêts dès demain matin. Le plus tôt sera le mieux. Le gosse a eu trois crises de tachycardie ventriculaire hier. Avec un rythme cardiaque aussi instable, le temps est compté. » Vivian se retourna pour faire face à Abby. « J'aimerais vraiment que cet enfant puisse voir un autre match des Red Sox. Pas vous ? »

L'expression de Vivian était aussi calme et indéchiffrable qu'à l'accoutumée. Même si elle avait le cœur déchiré, songea Abby, elle ne le montrerait jamais.

« Docteur Chao ? appela la secrétaire du service.

— Oui ?

— Je viens d'appeler les soins intensifs au sujet de l'épreuve de compatibilité. Ils procèdent déjà à l'analyse du sang de Karen Terrio.

— Bravo. Pour une fois mon interne n'a pas traîné.

— Mais, docteur, la compatibilité ne concerne pas Josh O'Day. »

Vivian tourna un regard stupéfait vers la secrétaire. « Qu'est-ce que vous dites ?

— Ils disent qu'elle concerne quelqu'un d'autre. Une patiente privée du nom de Nina Voss.

— Mais Josh est dans un état critique ! Il est en tête de liste.

— Ils ont seulement dit que le cœur était destiné à un autre cas. »

Vivian se leva d'un bond. En trois enjambées elle atteignit le téléphone, composa un numéro. Un instant plus tard, Abby l'entendit dire :

« Ici le docteur Chao. Je voudrais savoir qui a demandé le test de compatibilité concernant Karen Terrio. » Elle écouta. Puis, fronçant les sourcils, elle raccrocha.

« On vous a dit de qui il s'agissait ? demanda Abby.

— Oui.

— Qui ?

— Mark Hodell. »

4

Abby et Mark avaient réservé une table au Casablanca, un restaurant au coin de leur rue à Cambridge. Malgré leur intention de fêter l'anniversaire de leurs premiers six mois de vie commune, l'atmosphère n'avait rien de joyeux.

« Tout ce que je veux savoir, dit Abby, c'est qui est cette Nina Voss ?

— Je te l'ai dit, je n'en sais rien, dit Mark. Maintenant, pourrions-nous parler d'autre chose ?

— Ce gosse est dans un état critique, Mark. Il fait pratiquement deux arrêts par jour. Il est sur la liste d'attente depuis un an. Arrive enfin un cœur positif AB, et vous ne tenez pas compte de l'ordre des inscriptions ? Vous donnez l'organe à un patient privé qui peut encore vivre chez lui ?

— Nous ne *donnons* pas, d'accord ? Il s'agit d'une décision clinique.

— Qui a pris la décision ?

— Aaron Levi. Il m'a appelé cet après-midi. M'a dit que Nina Voss serait hospitalisée demain. Il m'a demandé de commander les examens du labo concernant le donneur.

— C'est tout ce qu'il t'a dit ?

— Pour l'essentiel. » Mark tendit la main vers la bouteille de vin et remplit son verre, répandant un peu de bourgogne sur la nappe. « Pouvons-nous à présent changer de sujet ? »

Elle le regarda boire. Il évitait de rencontrer ses yeux.

« Qui est cette patiente ? insista-t-elle. Quel âge a-t-elle ?

— Je n'ai pas envie d'en parler.

— C'est toi qui l'opères. Tu ne peux pas ignorer son âge.

— Quarante-six ans.

— Originaire de l'État ?

— Boston.

— J'ai entendu dire qu'elle arrivait en avion de Rhode Island. C'est ce que m'ont rapporté les infirmières.

— Son mari et elle vivent à Newport pendant l'été.

— Qui est son mari ?

— Un dénommé Victor Voss. C'est tout ce que je sais de lui : son nom. »

Elle resta silencieuse un instant. « D'où tire-t-il son fric ?

— Ai-je parlé de fric ?

— Une résidence d'été à Newport ? Ne me prends pas pour une gourde, Mark. »

Il refusait obstinément la discussion, ne levait pas les yeux de son verre. Elle s'était si souvent assise à table en face de lui, retrouvant à chaque fois ce qui l'avait immédiatement séduite chez lui. Son regard franc. Les rides de la quarantaine. Le sourire chaleureux. Mais ce soir il ne voulait même pas la regarder.

« J'ignorais qu'il était aussi facile d'acheter un cœur.

— Tu tires des conclusions hâtives.

— Deux patients ont besoin d'un cœur. L'un est un pauvre gosse sans assurance admis dans le programme d'enseignement. L'autre possède une maison de vacances à Newport. Lequel gagne à la loterie ? C'est clair, il me semble. »

Il saisit à nouveau la bouteille de vin et se versa un autre verre — le troisième. Pour un homme qui vantait volontiers sa modération, il buvait comme un trou. « Écoute, dit-il, j'ai passé toute la journée à l'hôpital. Je n'ai franchement pas envie d'en parler. Finissons-en avec ce sujet. »

Ils demeurèrent tous deux silencieux. La question du cœur de Karen Terrio resta en suspens entre eux, comme une couverture étouffant la moindre étincelle de conversation. *Peut-être nous sommes-nous dit tout ce qu'il y avait à dire,* pensa-t-elle. Peut-être avaient-ils atteint cette étape délicate dans une relation où ils savaient déjà tout de leur histoire et avaient besoin de découvrir autre chose. *Nous vivons ensemble depuis à peine six mois, et les silences commencent à s'installer.*

Elle dit : « Ce garçon me rappelle Pete. Lui aussi était un fan des Red Sox.

— Qui ?

— Mon frère. »

Mark ne dit rien. Immobile, les épaules voûtées, visiblement gêné. Il n'avait jamais su aborder le sujet de Pete. Il faut avouer que la mort n'était pas un sujet facile pour les médecins. Quotidiennement nous jouons au chat et à la souris avec ce mot, pensa-t-elle. Nous disons « expiré » ou « rendu l'âme » ou encore « évolution fatale ». Mais nous utilisons rarement le mot : *mort*.

« Il adorait les Red Sox, dit-elle. Il avait toutes les cartes de base-ball. Il économisait l'argent de son déjeuner pour les acheter. Et dépensait ensuite une petite fortune en pochettes de plastique pour les conserver. Une enveloppe à cinq cents pour un bout de carton d'un cent. Je présume que c'est une logique enfantine pour toi. »

Mark avala une gorgée de vin. Il restait figé dans son embarras, insensible aux efforts de conversation d'Abby.

Le dîner d'anniversaire fut un désastre. Ils mangèrent sans presque prononcer une parole.

De retour à la maison, Mark se retrancha derrière sa pile de journaux médicaux. C'était toujours ainsi qu'il réagissait à leurs différends — en se retirant. Pour sa part, Abby n'avait rien contre une bonne prise de bec. La famille DiMatteo, avec ses trois filles déterminées et le petit Pete, avait été le théâtre de bien des conflits d'adolescents et de rivalités, mais ni les uns ni les autres n'avaient jamais douté de leur amour réciproque. Oui, Abby pouvait affronter une bonne et franche dispute.

C'était le silence qu'elle ne supportait pas !

Frustrée, elle alla dans la cuisine et se mit à frotter l'évier. Je deviens comme ma mère, pensa-t-elle horrifiée. Je me mets en colère et qu'est-ce que je fais ? Je nettoie la cuisine. Elle essuya le dessus de la cuisinière, démonta les brûleurs et les récura à leur tour. La pièce était reluisante quand elle entendit finalement Mark monter dans leur chambre.

Elle le suivit.

Ils étaient étendus côte à côte dans le noir, sans se toucher. Son silence l'avait gagnée et elle ne savait comment le rompre sans paraître céder, faire preuve de faiblesse. Mais elle fut incapable d'endurer plus long-temps la situation.

« J'ai horreur de te voir comme ça, dit-elle.

— S'il te plaît, Abby, je suis crevé.

— Moi aussi. Nous sommes tous les deux crevés. On dirait que nous le sommes en permanence. Mais je ne peux pas m'endormir ainsi. Et toi non plus.

— Très bien. Que veux-tu que je te dise ?

— N'importe quoi ! Je veux simplement que tu continues à me parler.

— Je ne vois pas l'utilité de parler indéfiniment de certains sujets.

— Il y a des sujets dont j'ai besoin de parler.

— Bon. Je t'écoute.

— Mais tu es aussi réceptif qu'un mur. J'ai l'impression de me confesser. De parler à travers une grille à un type que je ne vois pas. » Elle poussa un soupir et fixa l'obscurité. Elle eut l'impression soudaine, ver-tigineuse, de flotter dans le vide, sans attache. Décon-nectée. « Le garçon est en soins intensifs, dit-elle. Il n'a que dix-sept ans. »

Mark ne dit rien.

« Il me rappelle tellement mon frère. Pete était beau-coup plus jeune. Mais il a cette sorte de faux courage qu'affichent tous les adolescents. Qu'avait Pete.

— Je n'ai pas pris seul la décision, dit-il. Les autres sont aussi concernés. Aaron Levi, Bill Archer. Même Jeremiah Parr.

— Pourquoi le président de l'hôpital ?

— Parr veut que nos statistiques donnent une impression favorable. Et toutes les études montrent que les patients extérieurs ont davantage de chance de sur-vie dans le cas d'une transplantation.

— Sans transplantation, Josh O'Day ne survivra pas du tout.

— Je sais que c'est une tragédie. Mais c'est la vie. »

Elle resta coite, stupéfaite par son ton détaché.

Il tendit le bras et toucha sa main. Elle s'écarta.

« Tu pourrais les amener à changer d'avis, dit-elle. Tu pourrais les persuader de...

— Trop tard. L'équipe a déjà décidé.

— L'équipe, vraiment ? Qui est cette foutue équipe ? Dieu le Père ? »

Il y eut un long silence. Mark dit doucement : « Fais attention à ce que tu dis, Abby.

— Tu veux parler de la sainte équipe ?

— L'autre soir, chez Archer, nous parlions sérieusement. En vérité, Archer m'a confié par la suite que tu étais la meilleure candidate qu'il ait rencontrée en trois ans. Toutefois Archer fait très attention aux gens qu'il recrute, et je ne l'en blâme pas. Nous avons besoin de personnes qui travaillent avec nous. Pas contre nous.

— Même si je suis en désaccord avec certains d'entre vous ?

— Cela fait partie du travail en équipe, Abby. Nous avons chacun notre point de vue. Cependant nous décidons ensemble. Et nous nous tenons à nos décisions. » Il chercha à nouveau sa main. Cette fois elle ne la retira pas, mais ne répondit pas à sa pression. « Allons, Abby, dit-il en baissant la voix. Il y a des internes qui tueraient père et mère pour obtenir une bourse au service de transplantation de Bayside. On t'en propose pratiquement une sur un plateau. C'est vraiment ce que tu veux, n'est-ce pas ?

— Bien sûr que oui. Je le veux à un point qui m'effraye moi-même. Le plus insensé de l'histoire, c'est que je ne m'en rendais pas compte avant d'entendre Archer en parler. » Elle poussa un long soupir. « J'ai horreur de ce désir d'en vouloir davantage. Toujours davantage. Quelque chose me pousse en avant et me pousse sans cesse. D'abord le collège, puis la faculté de médecine. L'internat. Et maintenant, cette bourse. Je suis arrivée si loin de mon point de départ. Alors que mon rêve à l'origine était simplement d'être médecin.

— Et ça ne te suffit plus. N'est-ce pas ?

— Non. J'aimerais m'en contenter. Mais ce n'est pas le cas.

— Alors ne gâche pas tout, Abby. Je t'en prie. Pour nous deux.

— On dirait que c'est toi qui as tout à perdre.

— C'est moi qui ai proposé ton nom. Je leur ai dit qu'ils ne pouvaient pas faire un meilleur choix. » Il la regarda. « Je le pense toujours. »

Pendant un moment ils restèrent étendus sans ajouter un mot, se tenant seulement par la main. Puis il tendit le bras et caressa sa hanche. Pas une véritable étreinte, non, juste une invite.

Ce fut suffisant. Elle se laissa glisser dans ses bras.

Le signal simultané d'une demi-douzaine de bips portables fut suivi par un appel bref lancé par le haut-parleur de l'hôpital.

Code bleu, réa, code bleu, réa.

Abby se joignit aux internes qui se ruaient vers l'escalier. Au moment où elle arrivait au service de réanimation, le personnel médical rassemblé encombrait déjà la place. Il lui suffit d'un coup d'œil pour constater qu'il y avait plus de monde que ne le justifiait un code bleu. La plupart des internes sortaient lentement de la salle. Abby s'apprêta à en faire autant.

Mais elle s'aperçut que le code concernait le lit numéro quatre. Le box de Joshua O'Day.

Elle se fraya un chemin à travers les blouses blanches et les casaques chirurgicales. Au centre se trouvait Joshua, son corps frêle exposé à l'éclat des projecteurs. Hannah Love lui faisait un massage cardiaque, ses cheveux blonds lui retombant sur le visage à chaque poussée. Une autre infirmière fouillait frénétiquement dans les tiroirs du chariot, en sortait des flacons et des seringues qu'elle passait aux internes. Abby jeta un regard vers l'écran du moniteur cardiaque.

Fibrillation ventriculaire. Le signe d'un cœur en train de lâcher.

« Canule d'intubation numéro sept et demi », cria une voix.

C'est alors seulement qu'elle aperçut Vivian Chao penchée derrière la tête de Josh. Le laryngoscope à la main.

L'infirmière arracha le couvercle de plastique d'une canule d'intubation et la passa à Vivian.

« Continuez à le monitorer », ordonna Vivian.

Appliquant un masque d'anesthésie sur le visage de Joshua, le technicien de la respiration continua à presser sur le ballon à plusieurs reprises, pompant manuellement de l'oxygène dans les poumons du garçon.

« OK, dit Vivian. On intube. »

Le technicien retira le masque. En quelques secondes, Vivian mit en place la canule, brancha l'oxygène.

« Lidocaïne envoyée », annonça une infirmière.

L'interne en médecine jeta un coup d'œil au moniteur. « Merde. Toujours en fibrillation. Essayons encore les électrodes. Deux cents joules. » Une infirmière lui passa les électrodes de défibrillation. Il les plaqua sur la poitrine. L'emplacement était déjà marqué par des pastilles de gel conducteur. Une électrode près du sternum, l'autre à côté du sein. « Tout le monde en arrière. »

La décharge électrique traversa le corps de Joshua, contractant chacun de ses muscles dans un spasme simultané. Il fut animé d'un soubresaut grotesque puis retomba inerte.

Tous les regards se portèrent sur l'écran.

« Toujours en fibrillation ventriculaire, dit quelqu'un. Bretylium, deux cinquante. »

Hannah, automatiquement, reprit le massage cardiaque. Elle était écarlate, transpirait, avait les traits figés par la peur.

« Je peux vous relayer », dit Abby.

Avec un signe d'acquiescement, Hannah s'écarta.

Abby monta sur le tabouret et plaça ses mains sur le thorax du garçon, la paume appuyée sur le tiers inférieur du sternum. La poitrine paraissait mince et fragile, prête à craquer sous des pressions vigoureuses ; elle craignait presque d'appuyer trop fort.

Elle commença à pomper. C'était une tâche qui ne demandait aucun effort mental, simplement un mouvement répétitif : se pencher en avant, relâcher, se pencher en avant, relâcher.

Le rythme alpha de réanimation cardio-respiratoire. Elle participait au chaos et en était pourtant absente ; son esprit s'évadait. Elle ne pouvait se résoudre à regarder le visage du jeune patient, à regarder Vivian en train de mettre en place la canule. Elle était seulement capable de se concentrer sur la poitrine de Joshua, sur ce point de contact entre ses mains jointes et le sternum. Un sternum était anonyme. Il pouvait s'agir de la poitrine de n'importe qui. Celle d'un vieillard. D'un étranger. *Appuyer, relâcher.* Elle se concentra. *Appuyer, relâcher.*

« Écartez-vous ! »

Abby se recula. Une seconde secousse des électrodes, un second spasme.

Fibrillation ventriculaire. Le cœur qui refuse de continuer.

Abby croisa les mains et les plaça à nouveau sur la poitrine du garçon. Se pencher, relâcher. *Reviens, Joshua,* disaient ses mains. *Reviens-nous.*

Une voix nouvelle s'éleva dans le tumulte. « Essayons un bolus de chlorure de calcium, cent milligrammes. » C'était Aaron Levi. Il se tenait au pied du lit, le regard fixé sur le moniteur.

« Mais il est sous Digoxine, fit remarquer l'interne en médecine.

— Au point où nous en sommes, il n'y a rien à perdre. »

Une infirmière remplit une seringue et la tendit à l'interne. « Cent milligrammes de chlorure de calcium. »

Le bolus fut injecté dans la perfusion intraveineuse

comme on lance une pièce dans une fontaine en guise de porte-bonheur.

« Bon, tentons à nouveau les électrodes, dit Aaron. Quatre cents joules cette fois.

— En arrière. »

Abby s'écarta. Les membres du garçon tressautèrent, puis retombèrent immobiles.

Encore une secousse. Le tracé sur l'écran monta verticalement. En retombant sur la ligne de base, il y eut un unique top — le pic irrégulier d'un complexe QRS. Qui se transforma immédiatement en fibrillation ventriculaire.

« Chargez encore une fois ! » ordonna Aaron.

Les électrodes plaquées sur la poitrine. Le corps se convulsant sous la décharge de quatre cents joules. Tous les regards convergeaient vers le moniteur.

Un QRS apparut sur l'écran. Puis un autre. Et un autre.

« Nous sommes en rythme sinusal, dit Aaron.

— J'ai une impulsion, s'écria une infirmière. Je sens une impulsion !

— Tension sept-quatre... montant à neuf-cinq. »

Un soulagement général envahit la pièce. Au pied du lit, Hannah Love pleurait sans retenue. *Bienvenue parmi nous, Josh,* pensa Abby, le regard brouillé de larmes.

Progressivement, les autres internes s'éclipsèrent, mais Abby ne pouvait se résoudre à partir ; faire un seul pas lui paraissait un effort insurmontable. Sans dire un mot, elle aida les infirmières à rassembler les seringues et les flacons usagés, les bouts de verre et de plastique, éparpillés à la fin de chaque code bleu. S'affairant à côté d'elle, Hannah Love reniflait en essuyant le gel des électrodes, caressant affectueusement la poitrine de Josh.

Ce fut Vivian qui rompit le silence.

« On aurait pu lui greffer ce cœur immédiatement », dit-elle. Elle se tenait près de la table où Joshua avait exposé ses trophées. Elle prit l'insigne des louveteaux.

Le Derby de Pinewood. « On aurait pu l'emmener au bloc dès ce matin. À dix heures, la transplantation aurait été faite. Si nous le perdons, vous en serez responsable, Aaron. » Vivian regarda Aaron Levi, dont le stylo s'était immobilisé tandis qu'il signait la feuille du code.

« Docteur Chao, fit-il calmement. Auriez-vous l'amabilité de parler de cela en privé ?

— Peu m'importe qui nous écoute ! La compatibilité est parfaite. Je voulais que Josh soit opéré ce matin. Mais vous n'avez pas pris de décision. Vous vous êtes contenté de faire traîner. De retarder. Retarder au maximum. » Elle respira longuement et baissa les yeux vers l'insigne qu'elle tenait à la main. « Je me demande si vous savez ce que vous faites. Tous tant que vous êtes.

— Tant que vous n'aurez pas retrouvé votre calme, je refuse d'avoir une discussion avec vous », déclara Aaron. Il fit demi-tour et sortit de la pièce.

« Vous en aurez une, dit Vivian en le suivant hors du box. Que vous le vouliez ou non. »

Par la porte ouverte, Abby entendit Vivian poursuivre Aaron à travers le service de réanimation. Ses questions furieuses. Son insistance à obtenir une explication.

Abby se pencha et ramassa l'insigne du Pinewood Derby que Vivian avait laissé tomber sur le sol. C'était un ruban vert — non pas l'insigne du vainqueur, mais une mention honorable en récompense des heures passées à travailler des petits blocs de bois, à les poncer, les peindre, à graisser les axes, y marteler des plombs de pêche pour le faire culbuter plus rapidement. Tous ces efforts doivent être récompensés. Les petits garçons ont besoin que l'on flatte leur tendre ego.

Vivian réapparut dans le box. Le visage blême, silencieuse. Elle se tint au pied du lit de Josh, le regard rivé sur lui, regardant sa poitrine s'élever et s'abaisser à chaque soupir du respirateur.

« Je vais le faire transférer, dit-elle.

— Que dites-vous ? » Abby la regarda d'un air incrédule. « Où ?

— À Massachusetts General. Service de transplantation. Préparez Josh pour l'ambulance. Je vais téléphoner. »

Les deux infirmières ne bougèrent pas. Elles fixèrent Vivian.

Hannah protesta. « Il n'est pas en état d'être transporté.

— S'il reste ici, nous allons le perdre, dit Vivian. *Nous allons le perdre !* C'est ce que vous voulez ? »

Hannah regarda la frêle poitrine qu'elle était en train de nettoyer. « Non, dit-elle. Je veux qu'il vive.

— Ivan Tarasoff a été mon professeur à l'école de médecine de Harvard, dit Vivian. Il dirige leur équipe de transplantation. Puisque la nôtre refuse de le faire, Tarasoff l'opérera.

— Même si Josh survit au transport, fit remarquer Abby, il aura besoin d'un cœur.

— Eh bien, nous lui en trouverons un. » Vivian fixa Abby droit dans les yeux. « Celui de Karen Terrio. »

Abby comprit alors ce qu'elle avait à faire. Elle hocha la tête. « Je vais parler à Joe Terrio, tout de suite.

— Il faut une autorisation écrite. Assurez-vous qu'il la signe.

— Et pour le prélèvement ? Nous ne pouvons utiliser l'équipe de Bayside.

— Tarasoff envoie toujours quelqu'un de son service. Nous l'assisterons. Nous pourrons même livrer à domicile. Nous ne pouvons plus attendre. Il faut agir vite, avant qu'on ne nous mette des bâtons dans les roues.

— Une minute, intervint l'autre infirmière. Vous n'êtes pas habilitée à demander un transfert à Mass Gen.

— Si, répliqua Vivian. Josh O'Day est hospitalisé en enseignement. C'est donc le chef de clinique qui en assume la responsabilité. Je prends tout sous mon bonnet. Suivez mes instructions et tenez-le prêt pour l'ambulance.

— Entendu, docteur Chao, dit Hannah. Je vais moi-même l'accompagner.

— Parfait. » Vivian se tourna vers Abby. « Allez, DiMatteo. Obtenez-nous ce cœur. »

Une heure et demie plus tard, Abby se préparait à entrer en salle d'op'. Elle se lava une dernière fois les mains, et, les coudes repliés, pénétra à reculons par la porte battante dans le bloc numéro trois.

La donneuse était étendue sur la table, son corps pâle baigné d'une lumière fluorescente. Une infirmière anesthésiste ôtait les flacons d'IV. La patiente n'en avait pas besoin ; Karen Terrio ne pouvait ressentir aucune douleur.

Vivian, en blouse et gants chirurgicaux, se tenait d'un côté de la table. En face d'elle se trouvait le docteur Lim, chirurgien du rein. Abby avait déjà travaillé avec Lim. Un homme taciturne, connu pour opérer vite et en silence.

« Tout est signé ? demanda Vivian.

— En triple exemplaire. Je les ai rangés dans le dossier. » Elle avait tapé elle-même l'autorisation de don à personne désignée, une déclaration spécifiant que le cœur de Karen Terrio devait être attribué à Josh O'Day, âgé de dix-sept ans.

C'était l'âge du garçon qui avait décidé Joe Terrio. Assis au chevet de sa femme, serrant une de ses mains entre les siennes, il avait écouté silencieusement Abby lui raconter l'histoire de ce garçon de dix-sept ans qui aimait tellement le base-ball. Sans dire un mot, Joe avait signé le formulaire.

Puis il avait donné un baiser d'adieu à sa femme.

On enfila à Abby une blouse stérile et des gants de taille six et demi. « Qui procède au prélèvement ? demanda-t-elle.

— Le docteur Frobisher, de l'équipe de Tarasoff.

72

J'ai déjà travaillé avec lui, répondit Vivian. Il est en route.

— Des nouvelles de Josh ?

— Tarasoff a appelé il y a dix minutes. Ils ont déterminé le groupe sanguin, vérifié la compatibilité, et réservé une salle d'op'. Ils sont prêts. » Elle regarda avec impatience Karen Terrio. « Mon Dieu, je pourrais m'occuper du cœur moi-même. Où est donc passé Frobisher ? »

Elles attendirent. Dix minutes, un quart d'heure. L'interphone retentit ; un appel de Tarasoff depuis Mass General. Le prélèvement était-il en cours ?

« Pas encore, dit Vivian. C'est incessant. »

L'interphone se fit entendre une seconde fois. « Le docteur Frobisher est arrivé, dit l'infirmière. Il s'habille. »

Cinq minutes plus tard, la porte de la salle d'opération s'ouvrit sous la poussée de Frobisher qui entra d'un pas rapide, ses bras robustes encore ruisselants d'eau. « Gants taille neuf », lança-t-il.

L'atmosphère se tendit immédiatement dans la salle. Hormis Vivian, personne n'avait travaillé avec le docteur Frobisher auparavant, et son air sévère n'incitait pas à la conversation. Avec une efficacité silencieuse, les infirmières l'aidèrent à enfiler sa casaque et ses gants.

Il s'approcha de la table et considéra l'organisation du champ opératoire d'un œil critique. « À nouveau quelques ennuis en perspective, docteur Chao ? dit-il.

— Comme d'habitude », répondit Vivian. Elle désigna les autres participants autour de la table. « Le docteur Lim va se charger des reins, le docteur DiMatteo et moi-même vous assisterons si besoin est.

— Historique ?

— Trauma crânien. Coma dépassé, formulaires de don en règle. Elle a trente-quatre ans, précédemment en bonne santé, et les tests de sang ont été effectués. »

Il saisit un scalpel et le tint un instant en suspens

au-dessus de la poitrine. « Rien d'autre à porter à ma connaissance ?

— Rien d'autre. La banque d'organes de la Nouvelle-Angleterre, notre chère BONA, confirme que la compatibilité est parfaite. Faites-moi confiance.

— J'ai horreur qu'on me dise ça, marmonna Frobisher. Bon, jetons un coup d'œil à ce cœur, pour s'assurer qu'il se présente bien. Puis nous laisserons le docteur Lim intervenir le premier. » Il approcha le scalpel de la poitrine de Karen Terrio. D'un trait rapide il l'incisa en son centre, mettant à nu le sternum. « Scie sternale. »

L'instrumentiste lui tendit la scie électrique. Abby s'empara de l'écarteur. Au moment où Frobisher sciait le sternum, elle ne put s'empêcher de détourner les yeux. Le grincement de la lame, l'odeur de poudre d'os, lui donnaient la nausée alors que rien ne semblait troubler Frobisher, dont les mains agiles maniaient les instruments avec dextérité. Il atteignit bientôt la cavité thoracique, son scalpel prêt à attaquer le sac péricardique.

Si la résection du sternum pouvait paraître brutale, le reste de l'opération représentait une tâche beaucoup plus délicate. Frobisher fendit la membrane.

Dès le premier coup d'œil au cœur, il laissa échapper un grognement de satisfaction. Jetant un bref regard à Vivian Chao par-dessus la table d'opération, il demanda : « Votre avis, docteur Chao ? »

Dans un silence presque religieux, Vivian plongea la main au fond de la cavité thoracique. Comme si elle caressait le cœur, ses doigts en palpèrent les parois, suivirent le cours de chaque artère coronaire. L'organe palpitait avec vigueur dans sa main. « Il est superbe », dit-elle doucement. Les yeux brillants, elle se tourna vers Abby. « Exactement le cœur dont Josh a besoin. »

L'interphone bourdonna. La voix d'une infirmière annonça : « Le docteur Tarasoff en ligne.

— Dites-lui que le cœur semble parfait, dit Frobisher. Nous commençons le prélèvement des reins.

— Il veut parler à l'un des docteurs. Il dit que c'est extrêmement urgent. »

Vivian jeta un regard à Abby. « Allez-y. Prenez l'appel. »

Abby ôta ses gants et décrocha le téléphone mural. « Allô, docteur Tarasoff ? Ici Abby DiMatteo, interne. Le cœur semble excellent. Nous devrions être chez vous dans une heure et demie.

— Cela risque d'être trop tard », répondit Tarasoff. Sur la ligne, Abby entendait des bruits divers : un échange de paroles précipitées, le cliquetis d'instruments métalliques. Tarasoff pour sa part paraissait tendu, bouleversé. Elle l'entendit s'écarter de l'appareil, parler à quelqu'un d'autre. Puis il revint en ligne. « Le garçon a fait deux accidents successifs dans les dix dernières minutes. Pour l'instant nous l'avons ramené en rythme sinusal. Mais on ne pourra pas attendre beaucoup plus longtemps. Soit nous le mettons en circulation extracorporelle, soit nous le perdons. Il est possible que nous le perdions quoi qu'il arrive. » À nouveau il s'écarta de l'appareil, cette fois pour écouter quelqu'un. Lorsqu'il reprit la communication, ce fut pour annoncer : « Nous allons inciser. Venez tout de suite. »

Abby raccrocha et dit à Vivian : « Ils mettent Josh en CEC. Il a eu deux arrêts. Il leur faut le cœur immédiatement. »

« J'ai besoin d'une heure pour extraire les reins, dit le docteur Lim.

— Laissez tomber les reins, ordonna sèchement Vivian. Commençons par le cœur.

— Mais...

— Elle a raison », dit Frobisher. Il s'adressa à l'infirmière. « Solution glacée ! Préparez la glacière. Et qu'on demande une ambulance pour le transport.

— Dois-je me laver à nouveau ? demanda Abby.

— Non. » Vivian prit l'écarteur. « Nous aurons terminé dans quelques minutes. Nous aurons besoin de vous pour la livraison.

— Et mes patients ?

— Je m'en occuperai. Laissez votre bip au bureau du bloc. »

Une infirmière commença à remplir l'appareil de glace. Une autre disposait des récipients de sérum froid près de la table d'opération. Frobisher n'eut pas à donner d'autres ordres ; il s'agissait d'infirmières de cardiologie. Elles savaient exactement ce qu'elles avaient à faire.

Le scalpel se déplaçait rapidement, libérant le cœur dans la phase préparatoire de dissection. L'organe continuait à pomper, chaque systole chassant le sang chargé d'oxygène dans les artères. A présent, le moment était venu de l'arrêter, d'étouffer le dernier sursaut de vie chez Karen Terrio.

Frobisher injecta cinq cents centimètres cubes de solution de potassium dans l'aorte. Le cœur eut un battement. Deux.

Puis il s'arrêta, devint flasque, le muscle paralysé par l'influx soudain de potassium. Abby regarda malgré elle le moniteur. Aucune activité sur l'écran. Karen Terrio était définitivement, et cliniquement, morte.

Une infirmière versa la solution glacée dans la cavité thoracique, refroidissant rapidement le cœur. Puis Frobisher se mit au travail, ligaturant, sectionnant.

Un moment plus tard, il sortit le cœur de la poitrine et le fit glisser doucement dans une cuvette. Le sang se répandit en tourbillonnant dans le sérum froid. Une infirmière s'avança, tendit un sac en plastique ouvert. Frobisher fit tourner une ou deux fois l'organe dans le liquide, puis le plaça délicatement dans le sac. Il ne restait plus qu'à rajouter du sérum, doubler le sac et le placer dans la glacière.

« Il est à vous, DiMatteo, dit Frobisher. Montez dans l'ambulance, je vous suis dans ma voiture. »

Abby saisit la glacière. Elle poussait la porte de la salle d'opération quand elle entendit Vivian lui crier : « Ne le faites pas tomber. »

5

Je tiens la vie de Josh O'Day entre mes mains, pensait Abby en serrant la glacière contre elle. Le trafic dans les rues de Boston, aussi dense qu'à l'accoutumée, s'écartait comme par magie devant les gyrophares de l'ambulance. Abby n'était jamais montée dans une ambulance. En d'autres circonstances, elle se serait peut-être amusée en voyant les conducteurs de Boston — les plus odieux du monde — céder malgré eux le passage. Mais en cet instant, elle était trop attentive au colis dont elle avait la charge, trop consciente que chaque seconde écoulée était une seconde qui s'enfuyait de la vie de Josh O'Day.

« Vous en avez un de vivant là-dedans, hein, docteur ? dit le chauffeur, un dénommé G. Furillo, d'après son badge.

— Un cœur, dit Abby. Un beau cœur.

— À qui est-il destiné ?

— À un garçon de dix-sept ans. »

Furillo manœuvra pour dépasser une colonne de voitures coincées dans un encombrement, ses bras souples tournant le volant avec un naturel presque gracieux. « Ça m'est arrivé de transporter des reins, depuis l'aéroport. Mais je vous avoue que c'est mon premier cœur.

— Moi aussi, dit Abby.

— Combien de temps reste-t-il en bon état ? Cinq heures ?

— Environ. »

Furillo la regarda et sourit. « Détendez-vous. Vous aurez quatre heures et demie d'avance.

— Ce n'est pas le cœur qui m'inquiète. C'est le garçon. Aux dernières nouvelles, il n'allait pas très bien. »

Furillo se concentra sur la route. « Nous sommes presque arrivés. Dans cinq minutes au plus. »

Une voix grésilla dans la radio. « Numéro vingt-trois, ici Bayside. Numéro vingt-trois, ici Bayside. »

Furillo décrocha le micro : « Numéro vingt-trois, Furillo.

— Furillo, veuillez revenir aux urgences de Bayside.

— Impossible. Je transporte un organe vivant à Mass General. Me recevez-vous ? Je suis en route pour Mass General.

— Vingt-trois, vos instructions sont de revenir immédiatement à Bayside.

— Bayside, essayez une autre voiture, d'accord ? Nous avons un organe vivant à bord...

— Cet ordre concerne spécifiquement le numéro vingt-trois. Faites demi-tour sur-le-champ.

— De qui émane l'ordre ?

— Directement du docteur Aaron Levi. Ne continuez pas vers Mass. Me recevez-vous ? »

Furillo jeta un regard à Abby. « Bon sang, que se passe-t-il ? »

Ils ont tout découvert, pensa Abby. *Seigneur, ils ont tout découvert. Et ils essayent de nous arrêter...*

Elle baissa les yeux vers la glacière renfermant le cœur de Karen Terrio. Songea à tous les mois, toutes les années de vie que pouvait espérer un gosse de dix-sept ans.

Elle ordonna : « Ne faites pas demi-tour. Continuez.

— Quoi ?

— J'ai dit, *continuez.*

— Mais ils m'ont...

— Numéro vingt-trois, ici Bayside, coupa la radio. Répondez s'il vous plaît.

— Conduisez-moi à Mass General, un point c'est tout ! dit Abby. *Allez-y !* »

Furillo se tourna vers la radio. « Écoutez, fit-il. Je ne sais pas si...

— Bon, laissez-moi descendre, décida Abby. Je ferai le reste du trajet à pied. »

La radio reprit : « Numéro vingt-trois, ici Bayside. Veuillez répondre.

— Oh, allez vous faire foutre ! » grommela Furillo en direction de la radio.

Et il appuya sur l'accélérateur.

Une infirmière en pyjama de bloc vert attendait à l'entrée des ambulances. Au moment où Abby mit le pied à terre, la glacière dans les bras, elle lui lança : « Vous venez de Bayside ?

— J'ai le cœur.

— Suivez-moi. »

Abby eut à peine le temps de faire un signe d'adieu à Furillo avant de pénétrer à la suite de l'infirmière dans le service des urgences, voyant défiler en accéléré des salles et des couloirs bondés. Elles prirent un ascenseur.

« Comment va Josh ? demanda Abby.

— Il est en CEC. Nous n'avons pas pu attendre plus longtemps.

— Il a fait un autre accident ?

— Il en fait tout le temps. » L'infirmière jeta un regard sur la glacière. « Vous tenez sa dernière chance entre vos mains. »

Elles sortirent de l'ascenseur, franchirent au pas de course une série de portes automatiques, pour arriver dans l'aile de chirurgie.

« Donnez. Je vais prendre le cœur », dit l'infirmière.

À travers la baie vitrée, Abby vit une douzaine de visages masqués se tourner et regarder la glacière passer entre les mains d'une infirmière du bloc. Le cœur fut immédiatement sorti de son lit de glace.

« Allez vous habiller si vous voulez entrer, dit l'infirmière. Le vestiaire des femmes se trouve au bout du couloir.

— Merci. »

Quand Abby eut enfilé blouse, bonnet et protège-chaussures, l'équipe chirurgicale dans la salle d'opération avait déjà retiré le cœur malade de Josh O'Day. Abby chercha à se glisser parmi eux, mais ne put rien voir par-dessus la barrière d'épaules. Elle entendait seulement les échanges entre les chirurgiens. Des propos détendus, voire affables. Toutes les salles d'opération offraient le même décor : acier inoxydable, rideaux bleu canard, lumières éclatantes. La seule différence pour le personnel chirurgical résidait dans l'atmosphère de la salle où ils travaillaient, et celle-ci était déterminée par la personnalité du chirurgien en chef.

À en juger par le ton décontracté de la conversation, Ivan Tarasoff était un chirurgien avec lequel il était agréable de travailler.

Abby se déplaça lentement vers la tête de la table d'opération et se tint près de l'anesthésiste. Au-dessus d'elle, le moniteur cardiaque montrait un tracé horizontal. Aucun cœur ne battait dans la poitrine de Josh ; la circulation extracorporelle faisait tout le travail. Du ruban adhésif maintenait les paupières du garçon fermées pour prévenir le dessèchement de la cornée, et ses cheveux étaient recouverts d'un bonnet de papier. Une mèche sombre s'en était échappée et se recourbait sur son front. *Toujours en vie*, pensa-t-elle. *Tu vas y arriver, petit.*

L'anesthésiste jeta un coup d'œil vers Abby. « Vous êtes de Bayside ? souffla-t-il.

— C'est moi qui ai apporté le cœur. Comment cela se passe-t-il jusqu'à présent ?

— On a frôlé la catastrophe. Mais le pire est passé. Tarasoff est un rapide. Il travaille déjà sur l'aorte. » Il fit un signe de tête vers le chirurgien en chef.

Avec ses sourcils neigeux et son regard doux, Tarasoff était l'image même du grand-père rêvé. Il demandait un nouveau fil de suture ou davantage d'aspiration du même ton calme et mesuré que l'on prendrait pour demander : « Pourrais-je avoir un peu plus de thé je vous prie ? » Pas d'esbroufe, pas d'ego exacerbé, simplement un technicien qui accomplissait bien son travail.

Abby regarda à nouveau le moniteur. Toujours plat. Toujours aucun signe de vie.

Les parents de Josh O'Day pleuraient dans la salle d'attente, des larmes mêlées de rires. Des sourires sur toutes les lèvres. Il était six heures du matin, et leur calvaire venait de prendre fin.

« Le nouveau cœur fonctionne parfaitement, annonça le docteur Tarasoff. À dire vrai, il s'est mis à battre plus tôt que nous ne l'attendions. C'est un bon cœur, solide, il devrait durer toute la vie de Josh.

— Nous ne nous y attendions pas, dit M. O'Day. Nous savions seulement qu'on l'avait transporté ici. En urgence. Nous avons cru — nous avons cru... » Il se détourna, prit sa femme dans ses bras. Ils restèrent serrés l'un contre l'autre, sans parler. Incapables de prononcer un mot de plus.

Une infirmière dit doucement : « Monsieur et madame O'Day ? Si vous désirez voir Josh, il commence à se réveiller. »

Tarasoff regarda en souriant les O'Day partir vers la salle de réveil. Puis il se tourna vers Abby, ses yeux bleus brillant derrière ses lunettes cerclées de métal. « Voilà pourquoi nous accomplissons ce travail, dit-il. Pour des moments comme celui-ci.

— C'était juste, dit Abby.

— Trop juste. » Il secoua la tête. « Et je deviens trop vieux pour ce genre d'émotion. »

Ils se rendirent dans la salle des chirurgiens, où il remplit deux tasses de café. Sans son bonnet, avec ses cheveux gris ébouriffés, il ressemblait plus à un professeur désordonné qu'à un expert de la chirurgie thoracique. Il tendit une tasse à Abby. « Demandez à Vivian de me prévenir un peu plus longtemps à l'avance la prochaine fois, dit-il. Elle m'a passé un coup de fil, et l'instant d'après le môme était à notre porte. C'est *moi* qui ai failli faire un arrêt cardiaque.

— Vivian savait ce qu'elle faisait en vous envoyant ce garçon. »

Il rit. « Vivian Chao sait toujours ce qu'elle fait. Elle n'a pas changé depuis l'époque où elle était étudiante en médecine.

— C'est une merveilleuse chef de clinique.

— Vous faites partie du programme de chirurgie de Bayside ? »

Abby hocha la tête et but son café chaud à petites gorgées. « En seconde année.

— Très bien. Il n'y a pas assez de femmes dans ce métier. Trop de scalpels machos. Qui ne s'intéressent qu'à découper.

— Vous ne tenez pas un langage de chirurgien. »

Tarasoff jeta un coup d'œil aux médecins rassemblés autour de la cafetière. « Un petit blasphème, murmura-t-il, ne fait de mal à personne. »

Abby termina son café et regarda l'heure. « Je dois retourner à Bayside. Je n'aurais probablement pas dû rester pour assister à l'opération. Mais je suis heureuse de l'avoir fait. » Elle lui sourit. « Merci, docteur Tarasoff. D'avoir sauvé la vie de cet enfant. »

Il lui serra la main. « Je ne suis que le plombier, DiMatteo. C'est vous qui avez apporté l'élément vital. »

Il était sept heures passées lorsque le taxi déposa Abby devant le hall d'entrée de Bayside. En franchissant la porte, la première chose qu'elle entendit fut son nom appelé par haut-parleur. Elle décrocha un téléphone intérieur.

« Docteur, cela fait des heures que nous cherchons à vous joindre, dit la standardiste.

— Vivian Chao était censée prendre mes communications. Elle avait mon bip.

— Votre bip est ici, au standard. C'est M. Parr qui vous demande.

— Jeremiah Parr ?

— Il est au 566. À l'administration.

— Il est sept heures. Croyez-vous qu'il y soit encore ?

— Il y était il y a cinq minutes. »

Abby raccrocha, l'estomac noué par une sensation d'inquiétude. Jeremiah Parr, le président de l'hôpital, était un administrateur, non un médecin. Elle ne lui

82

avait parlé qu'une seule fois, durant le pique-nique de bienvenue organisé pour les nouvelles recrues. Ils s'étaient serré la main, avaient échangé quelques mots aimables, et Parr s'était éloigné pour accueillir les autres internes. Cette brève rencontre lui avait laissé le souvenir d'un homme froid. Coûteusement vêtu.

Elle l'avait revu depuis le pique-nique, naturellement. Ils s'étaient souri, fait un signe de reconnaissance chaque fois qu'ils se trouvaient ensemble dans l'ascenseur ou se croisaient dans les couloirs, mais elle doutait qu'il se souvienne de son nom. Et voilà qu'il voulait la voir à sept heures du soir.

Ça ne présage rien de bon, pensa-t-elle. *Absolument rien de bon.*

Elle décrocha le téléphone et appela Vivian chez elle. Avant de parler à Parr, elle voulait savoir de quoi il retournait. Vivian était sûrement au courant.

Elle n'obtint pas de réponse.

Abby raccrocha, encore plus inquiète. *Voilà le moment d'affronter les conséquences. Nous avons pris une décision ; nous avons sauvé la vie d'un jeune garçon. Qui pourrait nous en blâmer ?*

Le cœur battant, elle prit l'ascenseur jusqu'au deuxième étage.

L'aile de l'administration était faiblement éclairée par une rangée de plafonniers. Abby s'avança sous la bande lumineuse, ses pas étouffés par le tapis. Les bureaux de part et d'autre du couloir étaient sombres, déserts. Mais tout au bout, une lumière filtrait sous une porte fermée. Il y avait quelqu'un dans la salle de conférences.

Elle s'avança jusqu'à la porte et frappa.

La porte s'ouvrit brusquement et elle se retrouva nez à nez avec Jeremiah Parr. Son visage se découpait dans la lumière, impénétrable. Derrière lui, à la table de conférences, étaient rassemblés une demi-douzaine d'hommes. Elle reconnut Bill Archer, Mark et Mohandas. L'équipe de transplantation.

« Docteur DiMatteo, dit Parr.

— Je suis navrée, j'ignorais que vous aviez cherché à me joindre, dit Abby. Je n'étais pas à l'hôpital.

— Nous savons où vous étiez. » Parr fit un pas hors de la salle, Mark vint le rejoindre et les deux hommes firent face à Abby dans la pénombre du couloir. Ils avaient laissé la porte entrouverte et Abby vit Archer se lever de son fauteuil pour la refermer.

« Venez dans mon bureau », dit Parr. À peine à l'intérieur, il claqua la porte derrière lui et s'écria : « Vous rendez-vous compte des dégâts que vous avez causés ? En avez-vous la moindre idée ? »

Abby se tourna vers Mark. Son visage ne trahissait rien et c'était ce qui l'effrayait le plus : de ne pouvoir transpercer le masque de l'homme qu'elle aimait.

« Josh O'Day est vivant, dit-elle. La greffe l'a sauvé. Je ne vois pas en quoi cela peut être une erreur.

— L'erreur réside dans la *manière* dont l'opération fut décidée, fit Parr.

— Nous étions près de son lit. Le regardant mourir. Un garçon si jeune n'aurait pas dû...

— Abby, la coupa Mark, ce n'est pas ton instinct que nous mettons en cause. Ton instinct était juste, bien sûr qu'il était juste.

— De quelle foutaise d'instinct parlez-vous, Hodell ? s'exclama Parr. Elles ont volé ce bon Dieu de cœur ! Elles savaient ce qu'elles faisaient, et elles se fichaient complètement de ceux qu'elles entraînaient avec elles ! Les infirmières, le chauffeur de l'ambulance. Même Lim s'est fait avoir !

— Abby est censée suivre les ordres du chef de clinique. Et c'est tout ce qu'elle a fait. Obéir aux ordres.

— Il y aura des suites. Le renvoi du chef de clinique ne suffit pas. »

Renvoyée ? Vivian ? Abby se tourna vers Mark pour chercher une confirmation.

« Vivian a tout admis, dit Mark. Elle a avoué t'avoir forcée à la suivre ainsi que les infirmières.

— J'ai peine à croire que l'on puisse contraindre aussi facilement le docteur DiMatteo, dit Parr.

— Et Lim ? Il était présent dans la salle d'opération lui aussi. Allez-vous également le rayer du personnel ?

— Lim n'avait pas la moindre idée de ce qui se tramait. Il était là uniquement pour prélever les reins. Tout ce qu'il savait c'était que Mass Gen avait un receveur sur la table. Et le dossier comportait un don à une personne désignée. » Parr se tourna vers Abby. « Rédigée et certifiée par *vous*.

— Joe Terrio l'a signée de son plein gré, dit Abby. Il a accepté que le cœur aille au jeune garçon.

— Ce qui signifie que personne ne peut être accusé de vol d'organe, souligna Mark. Tout était parfaitement légal, Parr. Vivian savait exactement quelles ficelles tirer et elle les a tirées. Y compris en ce qui concerne Abby. »

Abby voulut parler, défendre Vivian, mais le regard de Mark l'incitait à la prudence. *Prends garde. Ne va pas te fourrer dans le pétrin.*

« Nous avons une patiente qui vient d'arriver pour une transplantation. Et nous n'avons plus de cœur à lui donner. Que diable suis-je censé dire à son mari ? "Navré, monsieur Voss, mais le cœur a été *attribué par erreur à quelqu'un d'autre* ?" » Parr se tourna vers Abby, les traits déformés par la colère. « Vous n'êtes qu'une interne, docteur DiMatteo. Vous avez pris une décision de votre propre chef, une décision que vous n'étiez pas habilitée à prendre. Voss est déjà au courant. Maintenant Bayside va devoir payer le prix. Et cher.

— Allons, Parr, protesta Mark. On n'en est pas là.

— Vous croyez peut-être que Voss ne va *pas* faire appel à ses avocats ?

— Sur quelles bases ? Le don était individualisé. Le cœur *devait* aller à ce garçon.

— Uniquement parce qu'*elle* a convaincu le mari de signer ! dit Parr, désignant Abby d'un air furieux.

— Je n'ai fait qu'une seule chose, lui raconter l'histoire de Josh O'Day, dit Abby. Je lui ai dit qu'il n'avait que dix-sept ans...

— Cela seul suffirait à vous faire renvoyer, dit Parr. Il consulta sa montre. À partir de sept heures et demie — à cet instant même — vous ne faites plus partie du programme d'enseignement. »

Abby le regarda d'un air stupéfait. Elle voulut protester, mais les mots s'étranglèrent dans sa gorge et elle resta sans voix.

« Vous ne pouvez pas faire ça ! s'exclama Mark.

— Pourquoi pas ? demanda Parr.

— Primo, la décision appartient au directeur de programme. Connaissant le Major, je ne pense pas qu'il aimerait voir son autorité usurpée. Ensuite, le personnel de chirurgie est réduit à son extrême limite. Si nous perdons Abby, cela signifie que la chirurgie thoracique aura des relèves une nuit sur deux. Ils se fatigueront, Parr. Ils commettront des erreurs. Si vous voulez des avocats à votre porte, c'est le bon moyen d'y arriver. » Il jeta un coup d'œil à Abby. « Tu es de garde la nuit prochaine, n'est-ce pas ? »

Elle hocha la tête.

« Alors que faisons-nous maintenant, Parr ? demanda Mark. Vous connaissez un interne de deuxième année qui soit disponible et puisse prendre sa place ? »

Jeremiah lui jeta un regard furieux. « Ce n'est que partie remise, croyez-moi. » Il se tourna vers Abby. « Vous en saurez plus demain matin. En attendant, sortez d'ici. »

Les jambes flageolantes, Abby parvint à quitter le bureau de Parr. Elle était trop sonnée pour réfléchir. Elle parcourut la moitié du couloir et s'arrêta, sentant soudain l'hébétude faire place aux larmes. Elle se serait écroulée et aurait éclaté en sanglots si Mark n'était apparu à côté d'elle.

« Abby. » Il la fit pivoter vers lui. « Tu as semé une vraie pagaille ici, cet après-midi. Qu'est-ce que tu croyais faire, bon sang ?

— Je sauvais la vie d'un gosse. Voilà ce que je croyais faire ! » Sa voix s'étrangla, se brisa. « Nous l'avons sauvé, Mark. C'est exactement ce que nous *devions* faire. Je n'obéissais pas à des ordres. J'obéissais à mon instinct. *Le mien.* » Elle essuya ses larmes avec colère. « Si Parr veut m'attaquer à nouveau, laisse-le faire. J'exposerai les faits devant n'importe quel comité d'éthique. Un garçon de dix-sept ans contre la femme d'un homme riche. Je dévoilerai tout, Mark. Peut-être me renverra-t-on, mais je continuerai à me battre et à crier la vérité. » Elle fit demi-tour et reprit sa marche le long du couloir.

« Il y a une autre voie. Plus facile.

— Je n'en vois aucune.

— Écoute-moi. » Il la reprit par le bras. « Laisse Vivian servir de bouc émissaire ! C'est ce qui arrivera de toute façon.

— J'ai fait davantage que suivre ses instructions.

— Abby, ne refuse pas l'opportunité qui s'offre à toi ! Vivian a accepté de porter le chapeau. Elle l'a fait pour vous protéger, toi et les infirmières. Restes-en là.

— Et que va-t-il lui arriver ?

— Elle a déjà démissionné. C'est Peter Dayne qui prend sa place.

— Où ira-t-elle ?

— C'est son problème, pas celui de Bayside.

— Elle a fait exactement ce qu'elle devait faire. Elle a sauvé la vie de son patient. On ne renvoie pas quelqu'un pour cette raison !

— Elle a enfreint la règle numéro un de la maison. Elle a joué en solo. L'hôpital ne peut se permettre d'employer des éléments incontrôlés comme Vivian Chao. Un docteur est avec nous ou contre nous. » Il marqua une pause. « Qu'en conclus-tu ?

— Je ne sais pas. » Elle secoua la tête, au bord des larmes à nouveau. « Je ne sais plus.

— Réfléchis aux options qui s'offrent à toi, Abby. Ou qui ne s'offriront plus. Vivian a terminé ses cinq années d'internat. Elle peut faire partie de l'ordre des médecins. Elle peut trouver un job, ouvrir un cabinet. Pour ta part, tu n'as qu'une expérience de stagiaire. Si tu es renvoyée aujourd'hui, tu ne deviendras jamais chirurgien. Que feras-tu ? Des expertises pour une compagnie d'assurances ? Est-ce ce que tu désires ?

— Non. » Elle poussa un long soupir d'impuissance. « Non.

— Alors que désires-tu au juste ?

— Je sais exactement ce que je veux ! » Elle essuya son visage d'un revers de main rageur. Respira profondément. « Je l'ai su aujourd'hui. Cet après-midi même. En regardant Tarasoff dans la salle d'opération. Je l'ai vu prendre dans sa main le cœur du donneur, flasque comme un morceau de viande. Le garçon est là, étendu sur la table. Tarasoff réunit les deux et le cœur se met à battre. Et tout à coup, la vie repart... » Elle s'interrompit, refoulant à nouveau ses larmes. « C'est là que j'ai su ce que je voulais. Je veux faire ce que fait Tarasoff. » Elle regarda Mark. « Greffer un morceau de vie sur des gosses comme Josh O'Day. »

Mark hocha la tête. « C'est à toi d'y parvenir. Abby, tout est encore possible. Ton travail. La bourse. Le reste.

— Je ne vois pas comment.

— C'est moi qui ai proposé ton nom à l'équipe de transplantation. Tu es toujours mon choix numéro un. Je peux parler à Archer et aux autres. Si nous te soutenons tous, Parr sera obligé de reculer.

— C'est un grand "si".

— Tu peux faire en sorte que les choses s'arrangent. Primo, laisse Vivian jouer le bouc émissaire. C'était elle le chef du service. Elle a fait une erreur de jugement.

— Mais ce n'est pas vrai !

— Tu ne vois qu'un aspect du problème. Tu n'as pas vu l'autre cas.

— Quel autre cas ?

— Nina Voss. Elle a été admise aujourd'hui à midi. Peut-être devrais-tu aller la voir maintenant. Constater par toi-même que le choix n'était pas aussi simple. Que tu t'es peut-être trompée. »

Abby avala sa salive. « Où se trouve-t-elle ?

— Au quatrième étage. En réa. »

Du couloir, Abby entendit le brouhaha qui régnait dans le service de réanimation : la cacophonie des voix, le bourdonnement de l'appareil radio ambulatoire, deux téléphones qui sonnaient en même temps. Dès l'instant où elle franchit la porte, elle sentit un silence s'abattre dans la pièce. Même les téléphones, soudainement, se turent. Quelques rares infirmières la regardèrent. La plupart, ostensiblement, détournèrent la tête.

« Docteur DiMatteo », dit Aaron Levi. Il venait de sortir du box cinq et il s'immobilisa, la fixant avec une expression de rage contenue. « Peut-être serait-il bon que vous veniez jeter un coup d'œil par ici. »

La petite foule du personnel médical s'écarta pour laisser passer Abby. Elle s'approcha du box. À travers la vitre, elle vit une femme étendue sur le lit, une femme à l'aspect fragile avec des cheveux d'un blond très pâle et un visage aussi blanc que les draps. Un tube était inséré dans sa gorge, relié à un respirateur. Elle luttait contre la machine, sa poitrine se soulevant spasmodiquement dans un effort pour aspirer l'air. La machine n'était pas coopérante. L'alarme tintait tandis qu'elle continuait à pomper à son rythme prédéterminé, ignorant la détresse respiratoire de la patiente. La femme avait les deux mains attachées. Un interne était en train de brancher une voie artérielle dans un de ses poignets, l'enfonçait profondément sous la peau, enfilait un cathéter dans l'artère radiale. L'autre poignet, attaché au lit, n'était qu'une pelote de perfusions et de meurtrissures. Une infirmière murmurait quelque chose à la pauvre femme, s'efforçant en vain de la calmer. Pleinement consciente, la patiente levait vers elle des yeux où se lisait une expression de pure terreur. Elle avait le regard d'un animal torturé.

« C'est Nina Voss », fit Aaron.

Abby resta muette, atterrée par l'effroi qui se lisait dans les yeux de la femme.

« Elle est arrivée voilà déjà huit heures. Son état a immédiatement empiré. À cinq heures elle a fait un accident. Tachycardie ventriculaire. Il y a vingt minutes elle a recommencé. C'est pour cette raison qu'elle est intubée. L'opération était prévue pour ce soir. L'équipe était prête. Le bloc était prêt. La patiente archiprête. Et nous apprenons que le donneur a été opéré plusieurs heures avant le moment prévu. Et que le cœur qu'aurait dû recevoir Nina Voss a été volé. *Volé*, docteur DiMatteo. »

Abby ne disait toujours rien. Elle était pétrifiée par le supplice auquel elle assistait. À cet instant, les yeux de Nina Voss croisèrent les siens. Une rencontre fugitive entre deux regards, un appel à la pitié. La douleur que trahissaient ces yeux bouleversa Abby.

« Nous ne savions pas, murmura-t-elle. Nous ne savions pas que son état était tellement critique...

— Savez-vous ce qui va arriver maintenant ?

— Le garçon... » Elle se tourna vers Aaron. « Le garçon est en vie.

— Et la vie de cette femme ? »

Abby fut incapable de répondre. Quoi qu'elle dise, quelle que soit sa défense, elle ne pourrait jamais justifier la souffrance à laquelle elle assistait de l'autre côté de la vitre.

Elle remarqua à peine l'homme qui sortait du PC des infirmières et se dirigeait vers elle. « Est-ce le docteur DiMatteo ? » l'entendit-elle dire, et alors seulement elle le vit en face d'elle. La soixantaine, grand et vêtu avec élégance, le genre d'homme dont la seule présence retient l'attention.

D'une voix calme, elle répondit : « Je suis Abby DiMatteo. » Et à cet instant elle prit conscience du sentiment qu'exprimait le regard de cet homme. Une haine, farouche, venimeuse. Elle eut un mouvement de recul en le voyant s'approcher d'elle, le visage assombri par la rage.

« C'est donc vous, dit-il. Vous et ce docteur chinetoque.

— Monsieur Voss, je vous en prie, protesta Aaron.

— Vous croyez que vous pouvez vous foutre de moi ? hurla Voss de plus belle. De ma femme ? Vous aurez de mes nouvelles, docteur. Bon Dieu, je vais m'en charger moi-même ! » Les poings serrés, il s'avança d'un pas vers Abby.

« Monsieur Voss, dit Aaron. Croyez-moi, nous réglerons à notre manière le cas du docteur DiMatteo.

— Je ne veux plus la voir dans cet hôpital ! Je ne veux plus jamais la voir devant moi !

— Monsieur Voss, dit Abby, je suis navrée. Je ne peux vous dire à quel point je suis navrée...

— Foutez le camp ! » rugit Voss.

Aaron s'interposa vivement entre eux. Il saisit Abby fermement par le bras et l'éloigna du box. « Vous feriez mieux de partir, dit-il.

— Si je pouvais seulement lui parler, lui expliquer...

— Le mieux que vous puissiez faire pour l'instant, c'est de quitter la réa. »

Elle jeta un regard vers Voss, qui barrait l'entrée du box comme s'il voulait protéger sa femme d'une agression. Jamais de toute sa vie Abby n'avait vu une telle expression de haine. Aucun mot, aucune explication ne traverserait cette barrière.

Elle baissa docilement la tête. « Entendu, dit-elle doucement, je m'en vais. »

Elle fit demi-tour et sortit.

Trois heures plus tard, Stewart Sussman s'arrêta le long du trottoir de Tanner Avenue, et observa depuis sa voiture le numéro 1451. La maison était de proportions modestes avec des volets de couleur sombre et une véranda en façade. Une barrière blanche entourait la propriété. Bien que l'obscurité l'empêchât de voir le jardin, il devina d'instinct que la pelouse était bien tondue et les massifs de fleurs dépourvus de la moindre mauvaise herbe. Un léger parfum de rose flottait dans l'air.

Sussman quitta sa voiture, franchit la barrière et gravit les marches de la véranda. Il y avait du monde à l'intérieur. Les lumières étaient allumées, et il percevait du mouvement à travers les rideaux tirés.

Il sonna à la porte.

Une femme lui ouvrit. Le visage fatigué, les yeux cernés, les épaules voûtées, ployées sous le poids d'un terrible fardeau. « Oui ? dit-elle.

— Je regrette de vous déranger. Je m'appelle Stewart Sussman. J'aurais aimé m'entretenir avec Joseph Terrio.

— Il préfère ne parler à personne en ce moment. Voyez-vous, nous venons d'avoir un... deuil dans la famille.

— Je comprends, madame...

— Terrio. Je suis la mère de Joe.

— Je sais ce qui est arrivé à votre belle-fille, madame Terrio. Et je suis très sincèrement désolé. Mais il est important que je puisse parler à votre fils. Cela a un rapport avec la mort de Karen. »

La femme hésita un court instant. Puis elle dit : « Excusez-moi » et referma la porte. Il l'entendit appeler : « Joe ? »

Un moment plus tard, la porte s'ouvrit à nouveau et un homme apparut, les yeux rougis, les gestes ralentis par le chagrin. « Joe Terrio », dit-il.

Sussman tendit la main. « Monsieur Terrio, je suis envoyé par une personne qui s'inquiète des circonstances entourant la mort de votre femme.

— Quelles circonstances ?

— Elle était hospitalisée au Bayside Medical Center, n'est-ce pas ?

— Écoutez, je ne comprends pas de quoi vous voulez parler.

— Il s'agit des soins qui ont été dispensés à votre femme, monsieur Terrio. De savoir si des erreurs ont été commises. Des erreurs qui pourraient lui avoir été fatales.

— Qui êtes-vous ?

— Je suis avocat, du cabinet Hawkes, Craig & Sussman. Je m'occupe particulièrement des fautes professionnelles d'ordre médical.

— Je n'ai pas besoin d'avocat. Je ne veux pas qu'un foutu pisteur d'ambulances vienne m'embêter ce soir.

— Monsieur Terrio...

— Fichez le camp d'ici. » Joe s'apprêtait à fermer la porte, mais Sussman l'arrêta d'un geste.

« Monsieur Terrio », dit-il doucement. Calmement. « J'ai des raisons de croire que l'un des médecins de Karen a commis une erreur. Une erreur tragique. Votre femme aurait peut-être survécu. Je n'en suis pas encore certain, mais avec votre autorisation, je peux consulter son dossier. Découvrir la vérité. Toute la vérité. »

Lentement, Joe ouvrit à nouveau la porte. « Qui vous envoie ? Vous avez dit qu'une personne vous avait envoyé. Qui ? »

Sussman le regarda avec bienveillance. « Un ami. »

6

Abby s'était toujours rendue sans appréhension à son travail, pourtant en pénétrant ce matin-là dans l'hôpital, elle eut la sensation de monter au bûcher. La veille, Jeremiah Parr s'était montré menaçant, parlant de suites graves ; aujourd'hui elle allait devoir les affronter. Mais jusqu'à ce que Wettig la démette de ses responsabilités, elle était déterminée à remplir ses fonctions habituelles. Elle avait des patients à visiter et des cas prévus en salle d'opération. Elle était de garde cette nuit. Bon sang, elle ferait son travail et le ferait bien. Elle le devait à ses malades — et à Vivian. Moins d'une heure plus tôt, elle s'était entretenue au téléphone avec elle ; les derniers mots de Vivian avaient été : « Quelqu'un à l'hôpital doit prendre le parti de tous les Josh O'Day. Tenez le coup, DiMatteo, pour nous deux. »

Dès l'instant où Abby pénétra dans le bureau des soins intensifs, le ton des conversations diminua. À cette heure, tout le monde était au courant des faits concernant Josh O'Day. Bien que personne ne lui adressât la parole, elle entendit les murmures étouffés des infirmières, observa leurs mines gênées. Elle s'approcha du planning et y prit les pancartes de ses patients. Elle eut besoin de toute sa concentration pour accomplir cette simple tâche. Elle déposa les pancartes sur une table roulante et la poussa hors du bureau, jusqu'au premier patient de sa liste. Une fois à l'intérieur du box, enfin à l'abri des regards, elle referma les rideaux et s'approcha de sa malade.

Mary Allen était étendue sur le lit, les yeux fermés, bras et jambes repliés dans la position fœtale. Une biopsie pulmonaire, pratiquée deux jours plus tôt, avait été suivie par deux brèves crises d'hypotension, raison pour laquelle on l'avait gardée en observation en réanimation. D'après les notes de l'infirmière, la pression sanguine était restée stable pendant les dernières vingt-quatre heures, et aucune anomalie du rythme cardiaque n'avait été relevée. On pourrait peut-être transférer Mary ce jour même aux soins intensifs.

Abby s'approcha du lit : « Madame Allen ? »

La femme remua. « Docteur DiMatteo, murmura-t-elle.

— Comment vous sentez-vous aujourd'hui ?

— Pas très bien. J'ai toujours mal, vous savez.

— Où ?

— À la poitrine. À la tête. Et maintenant dans le dos. J'ai mal partout. »

Abby lut sur la fiche que les infirmières lui avaient donné de la morphine sans discontinuer. Manifestement, ce n'était pas suffisant ; il lui faudrait prescrire une dose plus forte.

« Nous allons augmenter les calmants, dit-elle. Vous donner la quantité nécessaire pour vous soulager.

— Pour m'aider à dormir également. Je n'arrive pas à dormir. » Mary poussa un profond soupir et ferma les yeux. « Je voudrais seulement dormir, docteur. Et ne plus me réveiller...

— Madame Allen ? Mary ?

— Ne pouvez-vous faire ça pour moi ? C'est vous qui me soignez. Tout pourrait être si facile. Si simple.

— Nous pouvons faire disparaître la douleur, dit Abby.

— Mais pas le cancer, n'est-ce pas ? » Ses yeux s'ouvrirent à nouveau et fixèrent sur Abby un regard qui exigeait une honnêteté sans détour.

« Non, répondit Abby. Nous ne pouvons pas le faire disparaître. Le cancer s'est propagé dans trop d'endroits. Nous pouvons vous traiter par la chimiothérapie, afin de ralentir le processus. Gagner du temps.

— Du temps ? » Mary eut un petit rire résigné. « Du temps pour quoi faire ? Pour rester allongée ici une semaine de plus, un mois de plus ? Je préférerais que tout soit fini. »

Abby lui prit la main. On eût dit un paquet d'os enveloppé de parchemin, sans une once de chair. « Occupons-nous de la douleur en premier. Ensuite le reste paraîtra peut-être différent. »

Pour toute réponse, Mary se retourna sur le côté, offrant son dos à Abby. Elle se repliait sur elle-même. « Je suppose que vous voulez écouter mes poumons. » Elle n'en dit pas plus.

L'une et l'autre savaient que l'examen était une simple formalité. Un rituel sans objet, le stéthoscope appuyé sur la poitrine, sur le cœur. Abby l'accomplit malgré tout. Elle n'avait rien d'autre à offrir à Mary Allen que cette imposition des mains. Quand elle eut terminé, sa patiente resta le dos tourné.

« Nous allons vous transférer hors du service de réanimation, dit Abby. Vous installer en soins intensifs. Ce sera plus calme là-bas. Moins d'allées et venues. »

Aucune réponse. Juste une profonde inspiration suivie d'un long soupir.

Abby sortit du box, plus abattue, plus désarmée que jamais. Elle se sentait tellement impuissante. Capable seulement de calmer la douleur. Et de laisser la nature suivre son cours.

Elle prit la fiche de Mary et inscrivit : *La patiente exprime le désir de mourir. Augmenter la dose de morphine pour contrôler la douleur. Ne Pas Réanimer.* Elle rédigea l'ordre de transfert et le tendit à Cecily, l'infirmière de Mary.

« Je veux qu'elle souffre le moins possible. Augmentez la dose en fonction de l'intensité de la douleur. Autant qu'il est besoin pour qu'elle dorme.

— Quelle est votre limite supérieure ? »

Abby réfléchit, considérant la frontière incertaine entre bien-être et inconscience, entre sommeil et coma. Elle dit : « Pas de limite supérieure. Elle est en train de mourir, Cecily. Elle veut mourir. Si la morphine peut l'aider, nous devons la lui prescrire. Au risque que la mort survienne un peu plus tôt. »

Cecily hocha la tête, une expression de compréhension dans le regard.

Comme Abby se dirigeait vers le box suivant, elle entendit Cecily l'appeler : « Docteur DiMatteo ? »

Abby se retourna. « Oui ?

— Je... je voulais seulement vous dire. Il faut que vous sachiez que, eh bien... »

Cecily jeta un regard anxieux autour d'elle. Elle vit que d'autres infirmières l'observaient. Attendaient. Elle s'éclaircit la voix. « Je voulais vous dire que nous pensons que le docteur Chao et vous-même avez agi comme il le fallait. En donnant le cœur à Josh O'Day. »

Abby retint une montée subite de larmes. Elle murmura : « Merci, merci beaucoup. »

Regardant autour d'elle, elle s'aperçut alors que toutes hochaient la tête en signe d'approbation.

« Vous êtes l'un des meilleurs internes avec qui nous ayons jamais travaillé, docteur DiMatteo, ajouta Cecily. Nous voulions que vous le sachiez aussi. »

Dans le silence qui suivit, deux mains applaudirent. D'autres les accompagnèrent, puis d'autres encore. Abby resta muette, la pancarte serrée contre sa poitrine, tandis que le groupe au complet témoignait bruyamment son approbation. On l'applaudissait *elle*. Une ovation générale.

« Je ne veux plus la voir ni dans votre service ni dans cet établissement, dit Victor Voss. Et je ferai ce qu'il faudra pour ça. »

Jeremiah Parr avait connu de nombreuses crises durant les huit années de sa présidence au Centre médical de Bayside. Il avait affronté deux grèves d'infirmières, plusieurs procès pour faute professionnelle pouvant représenter des millions de dollars d'indemnités, et des commandos « Laissez-les vivre » qui avaient saccagé le hall d'entrée, mais il n'avait jamais été confronté à une fureur pareille à celle qui ravageait le visage de Victor Voss. À dix heures du matin, flanqué de ses deux avocats, Voss avait déboulé dans son bureau et exigé la tenue d'une réunion. Il était maintenant près de midi et le groupe s'était augmenté de la présence du directeur de l'internat de chirurgie, Colin Wettig, et de Susan Casado, l'avocate qui représentait Bayside. C'était Parr qui avait eu l'idée de convoquer Susan. Personne pour l'instant n'avait mentionné l'éventualité d'une action légale, mais on n'était jamais trop prudent. Spécialement lorsque vous aviez en face de vous un homme aussi puissant que Victor Voss.

« Ma femme est mourante, dit Voss. Comprenez-vous ? *Mourante*. Elle ne survivra peut-être pas une nuit de plus. J'en rejette complètement la responsabilité sur vos deux internes.

— Le docteur DiMatteo n'est qu'en deuxième année, dit Wettig. Ce n'est pas elle qui a pris la décision. C'est le chef de clinique. Le docteur Chao ne fait plus désormais partie de notre établissement.

— J'exige aussi la démission du docteur DiMatteo.

— Elle ne l'a pas présentée.

— Dans ce cas, trouvez un motif pour la renvoyer.

— Docteur Wettig, dit Parr de son ton le plus calme, prêchant la raison. Nous devons trouver un motif valable pour interrompre cette collaboration.

— Je n'en vois pas un seul, dit Wettig, ne lâchant pas un pouce de terrain. Ses notes ont toujours été exceptionnelles et elles sont toutes au dossier. Monsieur Voss, je comprends que cette situation soit extrêmement douloureuse pour vous. Je sais qu'il est normal de vouloir chercher un responsable. Mais je crois que votre colère est mal dirigée. Le véritable problème provient du manque d'organes. Des milliers de gens ont besoin de nouveaux cœurs et il y en a peu de disponibles. Réfléchissez aux conséquences si nous acceptions de renvoyer le docteur DiMatteo. Elle pourrait faire appel. L'affaire serait examinée en haut lieu. On pourrait s'intéresser à ce cas et poser des questions. Chercher à savoir pourquoi ce cœur n'a pas été immédiatement destiné à un garçon de dix-sept ans. »

Il y eut un silence. « Mon Dieu », murmura Parr.

« Vous comprenez ce que je veux dire ? insista Wettig. L'effet serait déplorable. La réputation de l'hôpital en souffrirait. Ce n'est pas le genre d'affaire que l'on souhaite voir étalée dans la presse. On parlerait de lutte des classes. Les pauvres, ces éternelles victimes. Voilà ce qui sera immédiatement mis en avant. Que ce soit vrai ou non. » Wettig jeta un regard autour de la table. Personne ne dit mot.

Notre silence est sacrément éloquent, pensa Parr.

« Bien entendu nous ne pouvons laisser se répandre dans le public une mauvaise impression de l'hôpital, dit Susan. Aussi monstrueux que cela puisse paraître,

98

le moindre soupçon d'un trafic d'organes signerait notre arrêt de mort.

— Je vous expose seulement la façon dont les choses se présentent, dit Wettig.

— Je m'en fiche, dit Voss. Elles ont volé ce cœur, un point c'est tout.

— Il s'agissait d'un don à une personne désignée. M. Terrio avait parfaitement le droit de stipuler le nom d'un récepteur.

— On avait garanti ce cœur à ma femme.

— Garanti ? » Wettig fronça les sourcils en se tournant vers Parr. « Y a-t-il quelque chose que j'ignore ?

— L'attribution avait été décidée avant l'hospitalisation de Mme Voss. La compatibilité était parfaite.

— Elle l'était aussi pour le garçon », rétorqua Wettig.

Voss se leva brusquement. « Laissez-moi vous expliquer une chose, tous tant que vous êtes. Ma femme est en train de mourir à cause d'Abby DiMatteo. Je ne crois pas que vous sachiez vraiment qui je suis. Mais apprenez que personne ne se moque de moi ou de ma famille sans...

— Monsieur Voss, l'interrompit un des avocats, nous devrions discuter de tout ça en...

— Nom de Dieu ! Laissez-moi finir !

— Je vous en prie, monsieur Voss. Cette attitude ne sert pas vos intérêts. »

Voss jeta un regard furieux à son avocat. Dans un effort manifeste, il mit fin à sa diatribe et se rassit. « Je ne veux pas que le docteur DiMatteo s'en tire comme ça », gronda-t-il. Et il regarda Parr droit dans les yeux.

Parr était en nage. Seigneur, il serait tellement plus facile de virer cette interne. Malheureusement, le Major ne leur facilitait pas la tâche. Au diable ces chirurgiens et leur maudit ego ; ils ne supportaient pas qu'on décide à leur place. Pourquoi Wettig se montrait-il aussi entêté dans cette histoire ?

« Monsieur Voss », dit Susan Casado de sa voix la plus suave. Sa voix de dompteur de bêtes fauves.

« Puis-je suggérer que nous nous accordions tous un peu de temps pour la réflexion ? Intenter une action judiciaire dans la précipitation est rarement la meilleure voie à suivre. Dans quelques jours, nous serons peut-être à même de répondre à votre souci. » Susan se tourna ouvertement vers Wettig.

Le Major évita tout aussi ouvertement de lui rendre son regard.

« Dans quelques jours, dit Voss, ma femme sera peut-être morte. » Il se leva et fixa Parr d'un air méprisant. « Je n'ai pas besoin de réfléchir plus longtemps. Je veux que des mesures soient prises concernant le docteur DiMatteo. Et je veux qu'elles soient prises sans tarder. »

« Je distingue la balle », dit Abby.

Mark ramena le faisceau de la lampe en arrière, éclairant la face postérieure de la cavité thoracique. Un objet métallique renvoya un éclat lumineux, puis disparut derrière le poumon qui se gonflait d'air.

« Tu as de bons yeux, Abby. Puique tu l'as repérée, à toi l'honneur. »

Abby saisit une paire de pinces fines dans le plateau d'instruments. Les poumons s'étaient à nouveau dilatés, masquant l'intérieur de la cavité. « J'ai besoin d'une pression négative. Pas plus d'une seconde.

— OK », dit l'anesthésiste.

Abby plongea la main profondément à l'intérieur du thorax, suivant la courbe intérieure des côtes. Pendant que Mark rétractait doucement le poumon droit, elle serra les pointes du forceps autour du fragment de métal et le retira avec précaution de la cavité.

La balle, de calibre 22, déformée par l'impact, tinta dans la cuvette.

« Pas de saignement. On peut refermer, dit Abby.

— En voilà un qui l'a échappé belle », fit remarquer Mark, examinant la trajectoire probable. « La balle est entrée à droite du sternum. Sans doute déviée par une côte ou autre chose. Elle a longé tranquillement la cavité pleurale. Et il se retrouve avec un simple pneumothorax.

— J'espère que ça lui servira de leçon, dit Abby.

— Quelle leçon ?

— Ne jamais emmerder sa femme.

— C'est elle qui a tiré ?

— Eh oui ! On a fait du chemin, hein ? »

Ils refermaient la poitrine à présent, travaillant avec l'aisance de deux personnes habituées l'une à l'autre. Il était quatre heures de l'après-midi. Abby était de garde depuis sept heures du matin. Elle avait les jambes douloureuses à force d'être restée debout, et elle avait encore vingt-quatre heures de garde à accomplir. Mais elle se sentait euphorique, portée par le succès de l'intervention — et la chance d'avoir pu opérer avec Mark. C'était ainsi qu'elle imaginait son avenir avec lui : travailler la main dans la main, avec la même confiance réciproque. Mark était un merveilleux chirurgien, rapide et méticuleux. Dès le premier jour où elle l'avait vu à l'œuvre, Abby avait été impressionnée par l'atmosphère détendue qui régnait avec lui en salle d'opération. Mark ne perdait jamais son sang-froid, ne s'emportait jamais contre une infirmière, n'élevait pratiquement jamais la voix. Elle avait décidé alors que si *elle* devait un jour passer sur le billard, c'était au scalpel de Mark Hodell qu'elle ferait appel.

Aujourd'hui elle travaillait à ses côtés, sa main gantée effleurant la sienne, leurs têtes penchées l'une contre l'autre. C'était l'homme qu'elle aimait, c'était le travail qu'elle aimait. Pendant un instant, elle oublia Victor Voss et la menace qui planait sur elle. La crise était peut-être passée. Aucun couperet n'était encore tombé, aucun message inquiétant ne lui était parvenu du bureau de Jeremiah Parr. Mieux, Colin Wettig l'avait prise à part ce matin même pour lui annoncer, de son ton bourru habituel, qu'elle avait obtenu des notes exceptionnelles en traumatologie.

Tout va s'arranger, se dit-elle en regardant son patient partir sur un brancard en salle de réveil. *Au*

bout du compte, cette histoire finira pour le mieux.
« Excellent boulot, DiMatteo, dit Mark en se débarrassant de sa blouse.

— Je parie que tu dis ça à tous les internes.

— Voilà quelque chose que je ne dis jamais aux autres internes. » Il se pencha vers elle et murmura : « Viens me retrouver dans la salle de repos.

— Euh... docteur DiMatteo ? »

Abby et Mark se retournèrent et aperçurent la surveillante qui passait la tête par l'encadrement de la porte.

« Un appel pour vous du secrétariat de M. Parr. Ils vous demandent à l'administration.

— Tout de suite ?

— Ils vous attendent », dit l'infirmière, et elle sortit.

Abby jeta à Mark un regard d'appréhension. « Oh mon Dieu. De quoi s'agit-il maintenant ?

— Ne te laisse pas impressionner. Je suis sûr que tout se passera bien. Veux-tu que je t'accompagne ? »

Elle réfléchit un instant, secoua la tête. « Je suis une grande fille. Je devrais être capable de m'en tirer.

— S'il y a un problème, appelle-moi sur mon bip. Je serai dans les parages. » Il lui pressa la main. « Promis. »

Elle parvint à lui rendre un petit sourire. Puis elle poussa la porte du bloc et se dirigea résolument vers l'ascenseur.

En proie à la même anxiété qui s'était saisie d'elle la veille, elle sortit au deuxième étage et longea le couloir moquetté qui menait aux bureaux de Jeremiah Parr. La secrétaire lui indiqua la salle de réunion. Abby frappa à la porte.

« Entrez », cria la voix de Parr.

Retenant son souffle, elle entra.

Parr se leva de son fauteuil. Avec lui se trouvaient assis à la table de conférences Colin Wettig et une femme qu'Abby ne reconnut pas, une brune d'une quarantaine d'années vêtue d'un tailleur de bonne coupe. Rien sur ces visages n'indiquait à Abby quel était l'objet de cette réunion, mais son instinct l'avertit qu'elle n'aurait rien d'agréable.

« Docteur DiMatteo, dit Parr, permettez-moi de vous présenter maître Susan Casado, chargée de défendre les intérêts de l'hôpital. »

Un avocat ? Ça commence mal.

Les deux femmes se serrèrent la main. Celle de Mme Casado sembla à Abby anormalement chaude contre sa peau glacée.

Abby prit un siège à côté de Wettig. Suivit un bref silence, ponctué par le froissement des papiers que l'avocate mettait en ordre, et les raclements de gorge de Wettig.

Enfin Parr commença : « Docteur DiMatteo, peut-être pourriez-vous nous rappeler quel a été votre rôle durant l'hospitalisation de Mme Karen Terrio. »

Abby fronça les sourcils. Ce n'était pas du tout le genre de question auquel elle s'attendait. « J'ai procédé à un premier bilan, répondit-elle. Ensuite je l'ai fait transférer en neurochirurgie qui l'a prise en charge.

— Combien de temps est-elle restée dans votre service ?

— Officiellement ? Environ deux heures, plus ou moins.

— Et durant ces deux heures, qu'avez-vous fait exactement ?

— Je l'ai stabilisée. J'ai ordonné les examens nécessaires. C'est certainement dans le compte rendu médical.

— Exact, nous en avons une copie », dit Susan Casado. Elle tapota le dossier posé devant elle.

« Vous y trouverez tous les éléments, dit Abby. Mes notes d'admission et les instructions.

— Tout ce que vous avez fait ? demanda Susan.

— Oui. Absolument tout.

— Vous n'avez rien décidé qui aurait pu aggraver l'état de la patiente ?

— Non.

— Rien que vous *auriez* négligé de faire, rétrospectivement ?

— Non.

— J'ai appris que la patiente était décédée.

— Elle souffrait d'un traumatisme crânien massif. Un accident de voiture. Elle est entrée en coma dépassé.

— Après que vous l'avez soignée. »

Consternée, Abby jeta un regard autour de la table. « Quelqu'un pourrait-il me dire ce qu'il se passe ?

— Il se passe, dit Parr, que notre compagnie d'assurances, Vanguard Mutual — qui est également la vôtre — vient de recevoir une notification écrite. Transmise par porteur et signée d'un avocat du cabinet Hawkes, Craig & Sussman. Je regrette d'avoir à vous l'annoncer, docteur DiMatteo, mais il semblerait que vous — et Bayside par la même occasion — allez être poursuivie pour faute professionnelle. »

Abby crut que sa respiration s'arrêtait. Elle se raccrocha à la table, luttant contre une nausée soudaine qui lui contractait l'estomac. Ils attendaient une réponse de sa part, elle le savait, mais elle resta muette, l'air horrifié, à peine capable de faire un geste de dénégation.

« J'imagine que vous ne vous y attendiez pas, dit Susan Casado.

— Je... » Abby s'étrangla. « Non. Non.

— Ce n'est qu'une notification préliminaire. Vous comprenez, bien entendu, qu'un certain nombre de formalités sont nécessaires avant le procès proprement dit. En premier lieu, le cas doit être soumis à une commission d'experts chargés de déterminer s'il y a eu ou non faute professionnelle. S'ils décident qu'aucune faute n'a été commise, toute la procédure peut s'arrêter là. Mais le plaignant a néanmoins le droit de poursuivre jusqu'au procès.

— Le plaignant, murmura Abby. Qui est le plaignant ?

— Le mari. Joseph Terrio.

104

— Il doit y avoir une erreur. Un malentendu...

— Foutre oui, il y a une erreur », la coupa Wettig. Tous les regards se tournèrent vers le Major, qui jusque-là était resté de marbre. « J'ai moi-même étudié le dossier. Une page après l'autre. Il n'y a pas la moindre trace de faute professionnelle. Le docteur DiMatteo a fait tout ce qu'elle devait faire.

— Alors pourquoi est-elle le seul médecin cité dans la plainte ? demanda Parr.

— La seule ? » Abby regarda l'avocate. « Et en neurochirurgie ? Aux urgences ? Personne d'autre n'est cité ?

— Vous seule, docteur, dit Susan. Et votre employeur, Bayside. »

Abby se tassa sur sa chaise, stupéfaite. « Je ne peux pas croire...

— Moi non plus, dit Wettig. Ce n'est pas la procédure habituelle et nous le savons tous. Ces foutus avocats préfèrent généralement arroser large, citer chacun des médecins qui s'est approché à un kilomètre du patient. Cette affaire n'est pas normale. Il y a quelque chose d'autre là-dessous.

— Victor Voss, murmura Abby.

— Voss ? » Wettig écarta l'idée d'un geste. « Il n'a aucun intérêt là-dedans.

— Il veut ma perte. C'est là son intérêt. » Elle les regarda l'un après l'autre. « Pourquoi croyez-vous que je suis le seul médecin cité ? D'une façon ou d'une autre Voss est entré en contact avec Joe Terrio. L'a convaincu que j'avais fait une erreur. Si je pouvais seulement lui parler...

— Sûrement pas, l'interrompit Susan. Ce serait un signe d'affolement. L'indication pour le plaignant que vous êtes en difficulté.

— Je *suis* en difficulté.

— Non. Pas encore. S'il n'y a pas eu de faute professionnelle, toute l'histoire cessera d'elle-même, tôt ou tard. Dès que la commission vous aura donné raison, il y a des chances que l'autre partie renonce aux poursuites.

— Et s'ils décident d'aller jusqu'au procès ?

— Cela n'aurait aucun sens. Les frais judiciaires à eux seuls seraient...

— Ne comprenez-vous pas que c'est Voss qui couvre les dépenses ? Il se fiche éperdument de gagner ou de perdre ! Il peut s'offrir une armée d'avocats, uniquement pour me terroriser. Joe Terrio n'est peut-être que le premier de toute une liste de plaignants. Victor Voss peut retrouver la trace de tous mes anciens patients. Convaincre chacun d'eux de déposer une plainte contre moi.

— Étant donné que nous sommes l'employeur, ils attaqueront en même temps Bayside », dit Parr. Il avait l'air décomposé. Aussi défait que l'était Abby.

« Il doit y avoir un moyen de désamorcer la crise, dit Susan. Un moyen d'approcher Voss et de calmer le jeu. »

Personne ne dit rien. Mais le visage de Parr reflétait ses pensées. *Le moyen le plus rapide de calmer le jeu, c'est de la virer.*

Elle attendit que le coup tombât, certaine qu'il ne tarderait pas. Non. Parr et Susan se contentèrent d'échanger un regard.

Puis Susan dit : « Nous n'en sommes qu'au début. Nous avons des mois pour nous retourner. Des mois pour organiser notre défense. Entre-temps... » Elle s'adressa à Abby. « Vanguard Mutual se chargera de vous conseiller sur le plan juridique. Je vous suggère de rencontrer leur avocat le plus tôt possible. Vous pouvez aussi envisager d'engager votre propre défenseur.

— Pensez-vous que j'en aie besoin ?

— Oui. »

Abby avala sa salive. « Je ne sais pas si j'aurai les moyens...

— Dans votre situation, docteur DiMatteo, dit Susan, vous n'avez pas le choix. »

Abby se réjouit d'être de garde cette nuit-là. Une foule de visites et d'appels la tint en alerte toute la soirée, l'obligeant à passer d'un cas à un autre, d'un pneumothorax en réanimation à une fièvre postopératoire en chirurgie. Elle n'eut guère le temps de s'appesantir sur les poursuites de Joe Terrio. Par instants toutefois, lorsque les appels diminuaient, elle sentait les larmes lui monter aux yeux. De tous les époux qu'elle avait consolés et réconfortés, Joe Terrio était le dernier qu'elle eût cru capable de lui intenter un procès. *Qu'ai-je omis de faire ?* se demandait-elle. *Aurais-je dû lui montrer plus de compassion ? Plus de chaleur ?*

Bon Dieu, Joe, qu'attendiez-vous de moi ?

De toute façon, elle savait qu'elle n'aurait pu lui offrir davantage. Elle avait fourni le meilleur d'elle-même. Et en guise de remerciement, pour tous ces moments d'angoisse au chevet de Karen Terrio, elle recevait cette gifle en pleine figure.

Elle était furieuse à présent, contre les avocats, contre Victor Voss, contre Joe aussi. Elle le plaignait, certes, mais se sentait néanmoins trahie par lui. Par cet homme dont elle avait partagé si intensément la douleur.

À dix heures, elle put enfin se retirer dans la salle de repos des internes. Trop bouleversée pour lire les journaux, trop démoralisée pour parler à quiconque, même à Mark, elle s'étendit sur le lit et contempla le plafond. Elle avait les jambes en plomb, le corps inerte. *Comment vais-je arriver au bout de cette nuit,* se demanda-t-elle, *quand je n'arrive même pas à bouger de ce lit ?*

Elle y parvint pourtant lorsque sur le coup de dix heures trente, le téléphone sonna. Se redressant, elle décrocha le récepteur. « DiMatteo.

— Ici le bloc opératoire. Les docteurs Archer et Hodell vous demandent.

— Tout de suite ?

— Le plus vite possible. Une urgence.

« — J'arrive. » Abby raccrocha. Avec un soupir, elle passa ses mains dans ses cheveux. En d'autres circonstances, un autre jour, elle aurait déjà bondi, aurait déjà enfilé ses vêtements. Ce soir elle aurait tout donné pour ne pas se retrouver face à Mark et à Archer, de l'autre côté d'une table d'opération.

Nom de Dieu, tu es un chirurgien, DiMatteo. Conduis-toi comme tel !

Ce fut le dégoût d'elle-même qui la poussa à se lever et à sortir de la salle de repos.

Elle trouva Mark et Archer dans la salle des chirurgiens. Debout près du four à micro-ondes, ils s'entretenaient à voix basse. Elle comprit à la façon dont ils levèrent brusquement la tête à son arrivée que leur conversation était d'ordre privé. Mais à l'instant où ils l'aperçurent un sourire éclaira leurs visages.

« Ah, vous voilà, dit Archer. Tout est calme sur le front ?

— Pour le moment, répondit Abby. J'ai entendu dire que vous étiez sur le point d'opérer.

— Une transplantation, dit Mark. L'équipe se prépare. Mais impossible de mettre la main sur Mohandas. Un interne de cinquième année va le remplacer, toutefois nous aurons peut-être besoin de ton assistance. Ça te dit de participer à l'opération ?

— Pour une transplantation cardiaque ? » La décharge d'adrénaline qui suivit était exactement ce qu'il fallait pour dissiper la morosité d'Abby. Elle fit un signe de tête enthousiaste à l'adresse de Mark. « Tu parles !

— Il n'y a qu'un petit problème, dit Archer. La patiente est Nina Voss. »

Abby le regarda d'un air stupéfait. « Ils ont déjà trouvé un cœur ?

— Nous avons eu de la chance. Le cœur arrive de Burlington. Victor Voss aurait probablement une attaque s'il était au courant de votre participation. Mais nous sommes les seuls à décider pour le moment. Et deux mains supplémentaires peuvent nous être utiles dans ces circonstances. À court terme, vous êtes le choix qui s'impose.

— Toujours partante ? » demanda Mark.

Abby n'hésita pas une seconde. « Absolument.

— Parfait, fit Archer. Nous avons donc notre assistante. » Il fit un signe à Mark. « Je vous retrouve tous les deux au bloc trois. Dans vingt minutes. »

À onze heures trente, ils reçurent un appel du chirurgien thoracique du Wilcox Memorial Hospital de Burlington, dans le Vermont. Le prélèvement était terminé ; l'organe en parfait état allait être transporté en urgence à l'aéroport. Conservé à une température de quatre degrés, ses battements temporairement arrêtés par une solution concentrée de potassium, le cœur pouvait rester vivant pendant quatre à cinq heures. Sans l'apport sanguin des artères coronaires, chaque minute qui passait — le temps ischémique — pouvait entraîner la mort de quelques cellules supplémentaires du myocarde. Plus ce temps se prolongeait, moins le cœur avait de chances de fonctionner dans la poitrine de Nina Voss.

Le vol, en avion spécialement affrété, prendrait au maximum une heure et demie.

À minuit, l'équipe de transplantation de Bayside était prête. Entourant Bill Archer, Mark et l'anesthésiste Frank Zwick, une petite armée d'assistants médicaux : des infirmières, un perfusionniste, plus le cardiologue Aaron Levi et Abby.

On amena Nina Voss au bloc trois.

À une heure trente, un appel leur parvint de l'aéroport de Logan : l'avion avait atterri.

Aussitôt les chirurgiens se dirigèrent vers la salle de lavage chirurgical. Tout en se préparant, Abby regarda par la vitre l'intérieur du bloc opératoire où le reste de l'équipe s'activait. Les infirmières disposaient les plateaux d'instruments, ouvraient les paquets de champs stériles. La perfusionniste recalibrait la circulation extracorporelle. Un résidant de cinquième année, déjà en pyjama de bloc, s'apprêtait à préparer le champ opératoire.

Sur la table d'opération, au milieu des fils de l'électrocardiographe et des cathéters, gisait Nina Voss. Apparemment indifférente à l'activité déployée autour d'elle. Penché au-dessus de sa tête, le docteur Zwick lui parlait doucement tout en injectant un bolus de pentobarbital dans la canule. Elle battit des paupières, les referma. Zwick lui appliqua le masque sur la bouche et le nez. Avec le respirateur manuel il insuffla rapidement quelques bouffées d'oxygène, puis retira le masque.

La phase suivante devait être exécutée rapidement. La patiente était maintenant inconsciente, incapable de respirer par ses propres moyens. Lui renversant la tête en arrière, Zwick lui glissa un laryngoscope dans la gorge, repéra les cordes vocales, et introduisit la sonde endotrachéale. Un ballonnet gonflé d'air maintiendrait la sonde en place dans la trachée. Zwick connecta la sonde au respirateur et la poitrine se mit à se soulever et à s'abaisser au rythme du soufflet. L'intubation avait pris moins de trente secondes.

Les projecteurs scialytiques furent allumés et orientés vers la table. Baignée de cette lumière éclatante, Nina avait un aspect irréel. Spectral. Une infirmière tira le drap qui recouvrait son corps et exposa son torse, les côtes apparentes sous la peau pâle, les seins petits, presque rétrécis. L'interne entreprit de désinfecter le champ opératoire, traçant de larges marques de teinture d'iode sur la peau.

Les portes de la salle d'opération s'ouvrirent brutalement et Mark, Archer et Abby entrèrent, les mains levées, les coudes dégoulinant d'eau. Prêts à recevoir les serviettes, casaques et gants stériles appropriés. Nina Voss était déjà préparée et recouverte de champs stériles.

Archer s'avança vers la table d'opération. « Est-il arrivé ? demanda-t-il.

— Nous l'attendons, répondit une infirmière.

— Le trajet prend à peine vingt-cinq minutes depuis Logan.

— Peut-être ont-ils été coincés dans des encombrements.

— À deux heures du matin ?

— Bon Dieu ! dit Mark. Il ne manquerait plus que ça, maintenant. Un accident. »

Archer jeta un coup d'œil aux moniteurs. « C'est arrivé à Mayo. Un rein était envoyé par avion depuis le fin fond du Texas. Juste à la sortie de l'aéroport, l'ambulance a embouti un camion. L'organe a été écrabouillé. Une compatibilité parfaite.

— Vous plaisantez, dit Zwick.

— Allons, est-ce que j'ai une tête à plaisanter à propos d'un rein ? »

L'interne regarda la pendule au mur. « Bientôt trois heures que le prélèvement a été fait.

— Attendons. Il n'y a qu'à attendre », dit Archer.

Le téléphone sonna. Tous les regards se tournèrent vers l'infirmière qui allait répondre. Quelques secondes plus tard, elle raccrocha et annonça : « Il est en bas. Le porteur est passé aux urgences. Il monte.

— Bon, fit sèchement Archer. On incise. »

De sa place Abby entrevoyait le champ opératoire de biais et par intermittence, car l'épaule de Mark lui masquait la vue. Archer et Mark travaillaient rapidement et de concert, effectuaient une incision sternotomique, découvraient le fascia, puis l'os.

L'interphone mural retentit. « Le docteur Mapes de l'équipe de prélèvement vient d'arriver avec une livraison spéciale, annonça le secrétariat.

— On dérive, dit Mark. Qu'il vienne prendre part à la fête. »

Abby surveillait la porte de la salle. De l'autre côté de la vitre, un homme attendait. Près de lui, sur un chariot, se dressait une petite glacière. En tout point semblable à celle dans laquelle Abby avait transporté le cœur de Karen Terrio.

« Il sera là dans une minute, dit une infirmière. Le temps de se changer. »

Un instant plus tard, le docteur Mapes entra, un petit homme au front bas et au nez crochu sous le masque chirurgical.

« Bienvenue à Boston, dit Archer, levant les yeux sur le visiteur. Bill Archer. Voici Mark Hodell.

— Leonard Mapes. J'ai opéré avec le docteur Nicholls à Wilcox.

— Le vol était agréable, Len ?

— Ils auraient pu servir quelque chose à boire. »

Un sourire apparut sur le visage d'Archer, visible même sous son masque. « Alors quel cadeau nous apportez-vous pour Noël ?

— Joli. Je pense qu'il vous plaira.

— Laissez-moi finir de dériver avant que j'y jette un coup d'œil. »

La dérivation de l'aorte ascendante était la première phase du branchement du patient avec la circulation extra-corporelle. La boîte carrée, sous le contrôle du perfusionniste, remplirait temporairement le rôle des poumons et du cœur, recueillant le sang veineux, le rechargeant en oxygène avant de le refouler dans l'aorte.

Archer, utilisant des sutures de soie, fit deux points en bourse dans la paroi de l'aorte ascendante. Avec l'extrémité du scalpel il incisa légèrement le vaisseau. Du sang écarlate en jaillit. Rapidement, il inséra la canule artérielle dans l'ouverture et serra les points. Le saignement ralentit, se transforma en suintement puis cessa quand il cousit le bout de la canule. L'autre extrémité était reliée à l'appareil de circulation extra-corporelle.

Mark, aidé d'Abby qui écartait, commençait la dérivation veineuse.

« Très bien, dit Archer, s'éloignant de la table. Ouvrons le cadeau à présent. »

Une infirmière déballa la glacière et en sortit l'organe, enveloppé de deux sacs de plastique ordinaires.

Elle défit les liens et le fit glisser dans une cuvette remplie de solution saline stérile.

Archer souleva doucement le cœur refroidi. « Superbe excision, nota-t-il. Du beau boulot.

— Merci », dit Mapes.

Archer fit courir son doigt ganté sur la surface de l'organe. « Les artères sont souples et douces. Propre comme un sou neuf.

— Il paraît plutôt petit, vous ne trouvez pas ? fit remarquer Abby. Quel était le poids du donneur ?

— Quarante-quatre kilos », dit Mapes.

Abby fronça les sourcils. « Adulte ?

— Un adolescent, précédemment en bonne santé. Un garçon. »

Abby vit un éclair de détresse traverser les yeux d'Archer. Elle se souvint qu'il avait deux jeunes garçons. Lentement, il replaça l'organe dans son bain de solution froide.

« Celui-ci ne sera pas perdu », dit-il. Et il tourna son attention vers Nina.

Mark et Abby terminaient la dérivation veineuse. Deux cathéters Tygon furent introduits dans l'incision de l'atria droite, et maintenus en place par des points en bourse. Le sang veineux collecté par ces cathéters serait ensuite dirigé vers l'oxygénation extracorporelle.

Travaillant en tandem à présent, Mark et Archer ligaturèrent les veines caves supérieure et inférieure, interrompant le retour du sang vers le cœur.

« Aorte clampée », annonça Mark en pratiquant l'occlusion de l'aorte ascendante.

Privé de l'afflux veineux et du reflux artériel, le cœur n'était plus qu'un sac inutile. La circulation sanguine de Nina était entièrement régulée par la perfusionniste et sa machine magique. Sa température aussi était sous contrôle. En refroidissant les fluides, l'organisme serait lentement ramené à une température de vingt-cinq degrés — une hypothermie profonde. Ce qui permettrait de préserver les cellules myocardiques nouvellement implantées et de diminuer la consommation d'oxygène.

Zwick arrêta le respirateur. Le sifflement des soufflets cessa. Il était inutile d'insuffler de l'air dans les poumons quand la circulation extracorporelle s'en chargeait.

À présent, la transplantation pouvait avoir lieu.

Archer sectionna l'aorte et les artères pulmonaires. Le sang jaillit à l'intérieur de la poitrine, se répandit sur le sol. Immédiatement une infirmière jeta une serviette par terre. Archer poursuivit son travail, sans se soucier de la sueur qui perlait à son front, de la chaleur des projecteurs. Ensuite il sectionna l'atria. Davantage de sang, plus sombre, éclaboussa sa blouse. Il plongea le bras jusqu'au coude dans la cavité thoracique. En retira le cœur malade de Nina Voss, pâle et flasque, pour le déposer dans une cuvette. À sa place apparut une ouverture béante.

Abby leva les yeux vers l'écran du moniteur et éprouva l'habituelle bouffée d'inquiétude devant la ligne plate de l'électro. L'absence de tracé était naturelle, puisqu'il n'y avait pas de cœur. En réalité, toutes les manifestations habituelles de la vie s'étaient arrêtées. Les poumons étaient immobiles. Le cœur avait disparu. Et pourtant la patiente était encore en vie.

Mark prit le cœur du donneur dans la cuvette et le déposa dans la poitrine. « Il y a des gens qui appellent ça de la plomberie de luxe, dit-il, tournant le cœur pour faire coïncider les cavités atriales gauches. Pour eux, ce n'est pas plus compliqué que d'empailler un animal. Mais laissez votre attention faiblir une seconde, et vous vous apercevez que vous avez cousu le cœur à l'envers. »

L'interne éclata de rire.

« Ce n'est pas drôle. C'est déjà arrivé.

— Sérum », demanda Archer, et une infirmière versa la solution saline glacée sur le cœur, l'empêchant de se réchauffer sous les lampes.

« Tout peut arriver, continua Mark, enfonçant son

aiguille profondément, presque sauvagement, dans l'oreillette gauche. Réaction aux médicaments. Une anesthésie qui foire. Et merde, c'est le chirurgien qui est tenu pour responsable.

— J'ai trop de sang, ici, dit Archer. Aspiration, Abby. »

Le sifflement de la pompe fut suivi d'un silence tendu tandis que les chirurgiens accéléraient la cadence. On n'entendait plus que le va-et-vient du respirateur et le clic du porte-aiguilles à chaque nouvelle suture. Malgré les aspirations répétées d'Abby, le sang imbibait les champs et dégouttait sur le sol. Les serviettes sur le sol étaient trempées. Les chirurgiens les écartaient du pied, d'autres les remplaçaient.

Archer retira son aiguille à suture. « Anastomose atriale droite terminée.

— Cathéter de perfusion », demanda Mark.

Une infirmière lui tendit le cathéter. Il l'introduisit dans l'oreillette gauche et injecta du sérum à quatre degrés. L'apport de liquide glacé refroidit le ventricule et expulsa les poches d'air.

« C'est bon », dit Archer en replaçant le cœur pour suturer l'anastomose aortique. « On branche les tuyaux. »

Mark jeta un regard vers la pendule murale. « Visez-moi ça. Nous sommes en avance, les amis. Quelle équipe ! »

L'interphone résonna. C'était l'infirmière du bureau de la salle d'opération. « M. Voss veut avoir des nouvelles de sa femme.

— Tout va bien, cria Archer. Aucun problème.

— Encore combien de temps vous faut-il ?

— Une heure. Dites-lui d'attendre ici. »

La communication fut coupée. Archer regarda Mark de l'autre côté de la table d'opération. « Il me hérisse le poil.

— Voss ?

— Il veut tout diriger.

— Sans blague ? »

L'aiguille à suture d'Archer allait et venait dans la paroi aortique. « Il est vrai que si je possédais sa fortune, je voudrais aussi tout diriger.

— D'où tient-il son argent ? » demanda l'interne.

Archer le regarda d'un air surpris. « Vous n'avez pas entendu parler de Victor Voss ? VMI International ? Ils fabriquent de tout, depuis les produits chimiques jusqu'à la robotique.

— C'est lui qui représente le V dans VMI ?

— Exact. » Archer lia et coupa la dernière suture. « Aorte terminée. Clampage retiré.

— On ôte le cathéter de perfusion, annonça Mark, et se tournant vers Abby : Deux fils de stimulation prêts pour l'insertion. »

Archer prit une aiguille à suture neuve dans le plateau et commença l'anastomose pulmonaire. Il était en train de ligaturer lorsqu'il remarqua que l'organe se dilatait. « Regardez ! Encore gelé et déjà une contraction spontanée. Ce petit ne demande qu'à démarrer.

— Fils de stimulation en place, dit Mark.

— Isuprel en cours, dit Zwick. Deux milligrammes. »

Ils attendirent que l'Isuprel fît son effet et que le cœur eût une nouvelle contraction.

Il demeura inerte comme un sac vide.

« Allons, dit Archer. Un effort, petit.

— Défibrillateur ? demanda l'infirmière.

— Non, donnez-lui sa chance. »

Lentement le cœur se contracta en un nœud gros comme le poing, puis redevint flasque.

Zwick annonça : « Je monte l'Isuprel à trois milligrammes. »

Une autre contraction. Puis rien.

« Continuez, dit Archer. Titillez-le encore un peu.

— Quatre milligrammes », dit Zwick, en augmentant le débit de la perfusion.

Le cœur se contracta, se relâcha. Se contracta, se relâcha.

Zwick consulta le moniteur. Les pointes ECG se

déplaçaient à présent sur l'écran. « Les pulsations montent à cinquante. Soixante-quatre. Soixante-dix...

— Augmentez à cent, dit Mark.

— OK. » Zwick ajusta l'Isuprel.

Archer s'adressa à la surveillante. « Annoncez au réveil que nous allons refermer.

— Cent, dit Zwick.

— Très bien, dit Mark. On la débranche. Retirez les canules. »

Zwick mit en route le respirateur. Chacun dans la salle laissa échapper un même soupir de soulagement.

« Espérons qu'ils s'entendront bien tous les deux, dit Mark.

— Connaît-on le degré de compatibilité HL-A ? » demanda Archer. Il se tourna, chercha du regard le docteur Mapes.

Il n'y avait personne derrière lui.

Concentrée sur l'opération, Abby n'avait pas remarqué son départ.

« Il est sorti du bloc il y a une vingtaine de minutes, dit une infirmière.

— Sans prévenir ?

— Peut-être avait-il un avion à prendre.

— Je n'ai même pas pu lui serrer la main, dit Archer. » Il se retourna vers la patiente allongée sur la table. « Bon, on referme. »

7

Nadiya en avait assez. Toutes ces récriminations, ces exigences, toute cette énergie contenue qui explosait régulièrement en invectives et en bagarres entre les garçons avaient épuisé son énergie. Et maintenant voilà qu'ils avaient le mal de mer. Gregor, ce grand gorille, était malade lui aussi, comme les autres. Les jours de mauvais temps, lorsque le navire cognait comme un marteau sur l'enclume de la mer du Nord, ils restaient tous à geindre dans leurs couchettes, des bruits et des odeurs de vomi montant jusqu'au pont au-dessus d'eux. Ces jours-là, la salle à manger en bas était sombre et pratiquement vide, les coursives désertes, et le bateau ressemblait à un grand vaisseau fantôme gémissant, guidé par un équipage de spectres.

Yakov ne s'était jamais autant amusé.

Insensible au mal de mer, il se promenait librement d'un bout à l'autre du bateau. Il n'y avait personne pour l'en empêcher. Au contraire, l'équipage semblait apprécier sa présence. Il allait voir Koubichev à la salle des machines, et dans cet enfer assourdissant de pistons et de fumée, tous deux jouaient aux échecs. Il arrivait même que Yakov gagnât. Lorsqu'il avait faim, il se rendait à la cuisine où Lubi, le cuisinier, lui donnait du thé, du bortsch et du medivnyk, ce gâteau au miel et aux épices qui était une spécialité de sa native Ukraine. Lubi n'était pas bavard. Sa conversation se bornait à demander : « Encore ? » ou « Tu en as assez ? » La cuisine qu'il préparait lui tenait lieu d'éloquence. Ensuite, il y avait la cale sombre et poussiéreuse à explorer, la chambre de la radio avec ses cadrans et ses boutons, le pont et les chaloupes recouvertes de leurs tauds qui faisaient d'excellentes cachettes. Le seul endroit qu'il n'avait pas visité était l'arrière du bateau. Il ne savait pas par où passer pour y accéder.

Son endroit préféré était la timonerie. Le capitaine Dibrov et le navigateur l'accueillaient avec des sourires indulgents et lui permettaient de s'asseoir à la table à cartes. Là, il traçait avec l'index de son unique main la route qu'ils avaient déjà parcourue. Depuis le port de Riga sur la Baltique, franchissant le détroit en passant devant Malmö et Copenhague, contournant la pointe du Danemark, pour arriver dans la mer du Nord, avec sa chaussée de plates-formes de forage, des noms tels que Montrose, Forties et Piper. La mer du Nord était plus grande qu'il ne l'avait imaginé. Ce n'était pas seulement la petite mare bleue que figurait la carte. C'étaient deux jours sur l'eau. Et bientôt, lui confia le navigateur, ils traverseraient une mer encore plus grande, l'océan Atlantique.

« Ils ne vivront pas aussi longtemps, prédit Yakov.

— Qui ça ?

— Nadiya et les autres garçons.

— Bien sûr que si, dit le navigateur. Tout le monde a le mal de mer en mer du Nord. Au bout d'un certain temps l'estomac s'y habitue. C'est une histoire d'oreille interne.

— Qu'est-ce que l'oreille a à voir avec l'estomac ?

— Elle est sensible au mouvement. Trop de mouvement la déséquilibre.

— Comment ?

— Je ne sais pas exactement. Mais c'est comme ça.

— Puisque je ne suis pas malade, tu crois que j'ai quelque chose de différent dans l'oreille interne ?

— Tu es sans doute un marin-né. »

Yakov jeta un regard à son moignon et secoua la tête. « Je ne crois pas. »

Le navigateur sourit. « Tu as quelque chose dans le ciboulot. C'est bien plus important. Tu en auras besoin, là où tu vas.

— Pourquoi ?

— En Amérique, si tu es malin, tu peux devenir riche. Tu as envie d'être riche, j'imagine ?

— Je ne sais pas. »

Le navigateur et le capitaine éclatèrent de rire.

« Ce garçon n'a peut-être rien dans le ciboulot, après tout », dit le capitaine.

Yakov les regarda sans sourire.

« C'était une blague, dit le navigateur.

— Je sais.

— Alors pourquoi ne ris-tu jamais, petit ? Je ne t'ai jamais vu rire.

— Je n'en ai jamais envie. »

Le capitaine bougonna. « Ce bougre de veinard va

vivre dans une famille riche en Amérique. Et il n'a pas envie de rire ? Qu'est-ce qu'il a dans la tête ? »

Yakov haussa les épaules et regarda la carte à nouveau. « Je ne pleure pas non plus. »

Aleksei était recroquevillé sur la couchette inférieure, Chouchou serré contre sa poitrine. Il se réveilla en sursaut quand Yakov s'assit sur le matelas.

« Est-ce que tu vas te lever un jour ? » demanda Yakov.

Aleksei ferma les yeux. « Je suis malade.

— Lubi a fait des boulettes d'agneau pour le dîner. J'en ai mangé neuf.

— Ne parle pas de ça.

— Tu n'as pas faim ?

— Bien sûr que j'ai faim. Mais je suis trop malade pour manger. »

Yakov soupira et parcourut la cabine du regard. Elle contenait huit couchettes, et six d'entre elles étaient occupées par des garçons trop malades pour jouer. Yakov avait déjà exploré les cabines voisines et découvert que les autres garçons étaient également incapables de remuer le petit doigt. Est-ce que ce serait comme ça pendant toute la traversée de l'Atlantique ?

« C'est à cause de ton oreille interne, dit-il.

— De quoi parles-tu ? gémit Aleksei.

— De ton oreille. C'est à cause d'elle que ton estomac est malade.

— Mes oreilles vont très bien.

— Tu es malade depuis quatre jours. Il faut que tu te lèves et que tu manges.

— Oh, fiche-moi la paix. »

Yakov attrapa Chouchou et le brandit en l'air.

« Rends-le-moi ! glapit Aleksei.

— Viens le chercher.

— Rends-le-moi tout de suite.

— Lève-toi d'abord. Allez. » Yakov s'écarta d'un bond de la couchette, échappant à Aleksei qui levait désespérément une main pour reprendre son chien en peluche. « Tu te sentiras drôlement mieux si tu ne restes pas couché. »

Aleksei s'assit. Pendant un moment il resta ramassé sur lui-même au pied de sa paillasse, la tête dodelinant à chaque mouvement du navire. Soudain il porta une main à sa bouche, bondit hors de son lit et traversa en courant la cabine. Il vomit dans le lavabo. Gémissant, il se traîna jusqu'à sa couchette.

Solennellement, Yakov lui rendit Chouchou.

Aleksei serra l'animal en peluche contre lui. « Je t'avais dit que j'étais malade. Va-t'en maintenant. »

Yakov sortit de la cabine et marcha sans but dans la coursive. Arrivé à la porte de la cabine de Nadiya, il frappa. Pas de réponse. Il continua jusqu'à la porte de Gregor et frappa à nouveau.

« Qui est là ? grogna une voix.

— C'est moi. Yakov. Vous êtes malade, vous aussi ?

— Fous le camp d'ici. »

Yakov obéit. Il erra dans le bateau pendant un moment, mais Lubi était parti se coucher. Le capitaine et le navigateur étaient trop occupés pour lui parler. Comme toujours, Yakov se retrouvait seul.

Il descendit rendre visite à Koubichev dans la salle des machines.

Ils disposèrent l'échiquier. Yakov gagna le premier point.

« Es-tu déjà allé en Amérique ? demanda Yakov, élevant la voix pour dominer le ronflement des pistons.

— Deux fois, répondit Koubichev, avançant le pion de sa reine.

— Ça t'a plu ?

— Peux pas te dire. On est toujours consigné à bord dès qu'on arrive au port. J'ai jamais rien vu de ce foutu pays.

— Pourquoi le capitaine ne vous permet pas de descendre ?

— C'est pas le capitaine. C'est les gens de la cabine arrière.

— Quels gens ? Je les ai jamais vus.

— Personne les voit jamais.

— Alors comment tu sais qu'ils sont là ?

— Demande à Lubi. Il leur fait la cuisine. Quelqu'un mange les plats qu'il envoie là-haut. Maintenant tu vas te décider à jouer, oui ou non ? »

Se concentrant, Yakov avança un autre pion. « Tu pourrais quitter le bateau quand nous arriverons là-bas, dit-il.

— Pourquoi le ferais-je ?

— Pour rester en Amérique et devenir riche. »

Koubichev grommela. « Ils me paient bien. Je me plains pas.

— Combien te paient-ils ?

— Tu es trop curieux.

— Beaucoup ?

— Plus que ce que j'avais l'habitude de gagner. Plus que beaucoup d'hommes ne gagnent. Et ça seulement pour aller d'un côté à l'autre et encore d'un côté à l'autre de l'Atlantique. »

Yakov déplaça sa reine. « Donc c'est un bon travail d'être mécanicien sur un bateau ?

— C'est un coup stupide de dégager ta reine. Pourquoi fais-tu un truc pareil ?

— J'essaie des nouveaux coups. Tu crois que je devrais être mécanicien sur un bateau un jour ?

— Non.

— Mais tu es bien payé.

— Seulement parce que je travaille pour la société Sigayev. Ils paient très bien.

— Pourquoi ?

— Parce que je la boucle.

— Pourquoi ?

— Comment veux-tu que je le sache ? » Koubichev tendit la main en travers de l'échiquier.

« Mon cavalier prend ta reine. Tu vois, je t'ai dit que c'était un coup stupide.

— C'était un coup d'essai, dit Yakov.

— Bon, j'espère que ça t'a appris quelque chose. »

Quelques jours plus tard, dans la timonerie, Yakov demanda au navigateur. « C'est quoi la compagnie Sigayev ? »

Le navigateur lui lança un regard surpris. « Comment as-tu appris ce nom ?

— Koubichev me l'a dit.

— Il n'aurait pas dû.

— Alors tu n'en parles pas toi non plus.

— Exactement. »

Pendant un moment Yakov resta silencieux. Il regarda le navigateur s'affairer autour de son matériel électronique. Il y avait un petit écran où des chiffres clignotaient en permanence, et le marin reportait les chiffres dans un cahier, puis consultait la carte.

« Où sommes-nous ? demanda Yakov.

— Ici. » L'homme indiqua un petit X sur la carte. Situé en plein milieu de l'océan.

« Comment le sais-tu ?

— À cause des chiffres. Je les lis sur l'écran. La latitude et la longitude. Tu vois ?

— Il faut être très intelligent pour devenir navigateur, hein ?

— Pas tellement, en réalité. » L'homme déplaçait deux règles de plastique en travers de la carte. Elles étaient reliées par des charnières, et il les faisait claquer l'une contre l'autre en les glissant jusqu'à la rose des vents imprimée sur la marge de la carte.

« Est-ce que tu fais quelque chose d'illégal ? demanda Yakov.

— Quoi ?

— Est-ce pour ça que tu ne dois pas en parler ? »

Le navigateur poussa un soupir. « Ma seule responsabilité est de mener ce bateau de Riga à Boston et de Boston à Riga.

— Vous prenez souvent des orphelins à bord ?

— Non. D'habitude nous chargeons des marchandises. Des caisses. Je ne demande pas ce qu'il y a dedans. Je ne pose pas de questions, un point c'est tout.

« — Alors, il se peut que tu fasses quelque chose d'illégal. »

Le marin ne put s'empêcher de rire. « Tu es un vrai diable, hein ? » Il se remit à écrire dans son cahier, consignant les chiffres en colonnes bien alignées.

L'enfant l'observa pendant quelques minutes en silence avant de demander : « Tu crois que quelqu'un va m'adopter ?

— Bien sûr.

— Même avec ça ? » Il leva son moignon.

Le navigateur le regarda, et Yakov vit un éclair de pitié traverser ses yeux. « Je suis sûr et certain que quelqu'un t'adoptera, dit-il.

— Comment le sais-tu ?

— Quelqu'un a payé ton passage, non ? S'est arrangé pour obtenir tes papiers.

— Je n'ai jamais vu mes papiers, et toi ?

— C'est pas mes oignons. Ma seule responsabilité, c'est d'amener ce bateau à Boston. » Il fit signe à Yakov de s'éloigner. « Tu devrais aller retrouver les autres garçons. Va.

— Ils sont encore malades.

— Eh bien, va jouer ailleurs. »

À regret, Yakov quitta la timonerie et sortit sur le pont. Il était seul. Il se tint près du bastingage et regarda en contrebas l'eau qui s'écartait devant l'étrave en deux gerbes d'écume. Il songea aux poissons qui nageaient là-dessous dans leur monde gris et agité, et soudain il lui fut impossible de respirer ; la vue de l'eau tourbillonnante l'oppressait, le faisait suffoquer. Il resta figé sur place, cramponné à la rambarde, attendant que les images terrifiantes d'eau glacée et de profondeurs insondables se dissipent peu à peu. Il y avait très très longtemps qu'il n'avait pas éprouvé une impression de peur.

Et c'était ce qu'il ressentait à ce moment précis.

8

Elle avait fait le même rêve deux nuits de suite. Les infirmières lui avaient dit que c'était à cause de tous les médicaments qu'elle prenait. La Méthylprednisolone, la Cyclosporine et les antalgiques. Les drogues lui brouillaient le cerveau. Elle était hospitalisée depuis si longtemps ; il était normal qu'elle fît des cauchemars. Tout le monde en faisait. Cela n'avait rien d'inquiétant. Les rêves finiraient par disparaître.

Mais, ce matin, dans son lit du service de réanimation, les yeux gonflés de larmes, Nina Voss savait que ce rêve-là ne s'en irait pas, ne s'en irait jamais. Il faisait partie d'elle désormais. De même que ce cœur faisait partie d'elle.

Doucement, elle porta sa main au bandage qui comprimait sa poitrine. On l'avait opérée deux jours avant, et bien que la douleur diminuât peu à peu, elle la réveillait encore la nuit, lui rappelant ce cadeau qu'elle avait reçu. C'était un bon cœur, solide. Elle l'avait senti dès le lendemain de l'intervention. Pendant les longs mois de sa maladie, Nina avait oublié à quoi ressemblait la sensation d'avoir un cœur vaillant. De marcher sans s'essouffler. De sentir son sang, chaud et bien vivant, irriguer ses muscles. De regarder ses doigts et de s'émerveiller à la vue de leur teinte rosée. Elle avait vécu si longtemps en attendant la mort, en l'acceptant, que la vie en soi lui était devenue étrangère. Aujourd'hui, elle la sentait dans ses mains. Au bout de ses doigts.

Elle la sentait dans les battements de son cœur tout neuf.

Il ne semblait pas lui appartenir. Peut-être ne lui appartiendrait-il jamais ?

Enfant, elle héritait souvent des vêtements de sa sœur aînée. Les pulls encore en bon état de Caroline, ses robes habillées à peine portées. Bien que ces effets soient devenus indiscutablement sa propriété, Nina les avait toujours considérés comme appartenant à sa sœur. Dans son esprit, il s'agissait des *robes* de Caroline, des *jupes* de Caroline.

Et toi, de qui es-tu le cœur ? pensait-elle, effleurant sa poitrine de ses doigts.

À midi, Victor vint s'asseoir près de son lit.

« J'ai encore fait ce même rêve, lui dit-elle. Celui du garçon. Il était si précis ! Je me suis réveillée en larmes.

— Ce sont les stéroïdes, ma chérie, la calma Victor. On t'a prévenue des effets secondaires.

— Je suis sûre qu'il a une signification. Ne comprends-tu pas ? J'ai en moi cette partie de lui. Une partie qui est toujours vivante. Je peux le sentir...

— Cette infirmière n'aurait jamais dû te dire que c'était un garçon.

— C'est moi qui le lui ai demandé.

— Malgré tout, elle n'aurait jamais dû te le dire. Ce genre d'information ne peut faire de bien à personne. Ni à toi ni au garçon.

— Non, dit-elle doucement. Elle ne sert à rien pour le garçon. Mais pour la famille... s'il a une famille...

— Je suis certain qu'ils ne souhaitent pas qu'on leur rappelle ces souvenirs. Réfléchis, Nina. C'est une procédure strictement confidentielle. Il y a une raison à cela.

— Ne pourrait-on adresser à la famille une lettre de remerciement ? Complètement anonyme. Une simple...

— Non, Nina. C'est hors de question. »

Nina se laissa aller dans ses oreillers. Elle se montrait ridicule une fois de plus. Victor avait toujours raison.

« Tu as l'air en forme aujourd'hui, chérie, dit-il. T'es-tu assise ?

— Deux fois », répondit Nina. Soudain la pièce lui sembla terriblement froide. Elle détourna le regard, parcourue d'un frisson.

Pete était assis dans un fauteuil près d'Abby et la

regardait. Il portait son uniforme bleu de louveteau, celui qui avait des pièces cousues aux coudes et des perles de plastique accrochées à la poche de poitrine, une perle pour chaque prouesse. Il ne portait pas sa casquette. Où est sa casquette ? se demanda-t-elle. Et elle se souvint qu'il l'avait perdue, que ses sœurs et elle avaient cherché et cherché au bord de la route sans arriver à la retrouver près des restes disloqués de sa bicyclette.

Il n'était pas venu la voir depuis longtemps, pas depuis le soir où elle était partie pour l'université. Lorsqu'il venait, c'était toujours la même chose. Il s'asseyait et la regardait, sans parler.

Elle disait : « Où étais-tu, Pete ? Pourquoi es-tu là si tu ne veux rien dire ? »

Il restait à l'observer, les yeux fixes, les lèvres immobiles. Le col de sa chemise bleue était amidonné et raide, exactement comme sa mère l'avait repassé pour l'enterrement. Il se détourna et regarda ailleurs, vers une autre pièce. Une note de musique semblait l'attirer ; il tressaillait, comme une eau agitée de frémissements.

Elle disait : « Qu'es-tu venu me dire ? »

L'eau bouillonnait à présent, moussait sous l'effet de la musique. Une dernière note plus forte, semblable à une sonnerie de cloche, désintégra l'image. Il n'y eut plus que l'obscurité.

Et la sonnerie du téléphone.

Abby tendit le bras pour s'en emparer. « DiMatteo, dit-elle.

— Ici la réa. Je crois que vous devriez venir.

— Que se passe-t-il ?

— C'est Mme Voss, lit quinze. La transplantation. Elle a une poussée de fièvre, trente-huit six.

— Les autres constantes ?

— Tension dix/sept. Pouls quatre-vingt-dix.

— J'arrive. » Abby raccrocha et alluma la lampe. Il était deux heures du matin. La chaise près du lit de repos était vide. Pas de Pete. Pestant, elle sortit du lit et tituba à travers la pièce jusqu'au lavabo, où elle s'aspergea le visage d'eau froide. Elle n'en sentit même pas la fraîcheur. Elle avait la sensation d'être anesthésiée. Réveille-toi, réveille-toi, se répéta-t-elle. Tu as intérêt à savoir ce que tu fais. Une fièvre postopératoire. Une greffe de trois jours. Premier stade, vérifier la plaie. Examiner les poumons, l'abdomen. Demander une radio et des cultures.

Et garder son sang-froid.

Elle ne pouvait se permettre de faire la moindre erreur. Pas maintenant, sûrement pas avec cette patiente.

Chaque matin depuis trois jours elle était arrivée à Bayside sans savoir si elle faisait toujours partie de l'hôpital. Et tous les soirs, à cinq heures, elle poussait un soupir de soulagement à la pensée d'avoir survécu vingt-quatre heures de plus. Le temps passant, la crise se dissipait et les menaces de Parr semblaient plus lointaines. Elle savait que Wettig était de son côté, ainsi que Mark. Avec leur aide peut-être — seulement peut-être — elle pourrait garder son job. Elle ne voulait pas donner à Parr le moindre motif de douter de ses capacités, elle s'était montrée particulièrement attentive dans son travail, vérifiant à plusieurs reprises chaque résultat du labo, chaque conclusion clinique. Et elle avait évité avec soin de s'approcher de la chambre de Nina Voss. Elle voulait éviter à tout prix une autre confrontation avec Victor Voss.

Mais aujourd'hui Nina avait un accès de fièvre et Abby était l'interne de service. Elle ne pouvait se dérober, elle avait une tâche à exécuter.

Elle enfila ses tennis et quitta la salle de repos. Tard dans la nuit, un hôpital a un aspect presque surréaliste. Les couloirs s'étirent, déserts, les lumières sont trop brillantes, et pour des yeux fatigués ces murs blancs semblent des lignes qui s'incurvent et ondulent comme des tunnels en mouvement. Abby se frayait un chemin dans un de ces tunnels, les membres encore engourdis, son cerveau s'efforçant désespérément de se remettre en marche. Seul son cœur avait véritablement répondu à l'alarme ; il battait à coups redoublés.

Elle tourna dans le couloir, pénétra dans le service de réanimation.

Les lumières avaient été atténuées pour la nuit — concession de la technologie moderne au confort des patients. Dans la pénombre du PC des infirmières, les tracés ECG de seize patients s'affichaient sur seize écrans. Un regard sur le numéro quinze confirma que le pouls de Mme Voss était rapide. Il battait avec une fréquence de cent.

L'infirmière de la salle décrocha le téléphone : « Le docteur Levi à l'appareil. Il veut parler à l'interne de service.

— Je le prends », dit Abby, saisissant le récepteur. Allô, docteur Levi ? Abby DiMatteo à l'appareil. »

Il y eut un silence. « Vous êtes de garde ce soir ? » dit-il, et elle perçut clairement un accent de consternation dans sa voix. Elle en comprit immédiatement la raison. Abby était la dernière personne qu'il souhaitait voir auprès de Nina Voss. Mais ce soir il n'y avait pas d'autre choix ; elle était la principale interne de garde.

Elle dit : « Je m'apprêtais à aller voir Mme Voss. Elle a de la fièvre.

— Oui, on m'a prévenu. » À nouveau il y eut un silence.

Elle en profita, déterminée à donner un ton purement professionnel à leur conversation. « J'ai l'intention d'effectuer les contrôles habituels en cas de fièvre. Je vais l'examiner. Demander un hémogramme, des cultures, des analyses d'urine et des radios de la poitrine. Dès que j'aurai les résultats, je vous téléphonerai.

— Très bien, dit-il enfin. J'attends votre appel. »

Abby enfila une blouse et entra dans le box de Nina Voss. Une seule lampe était allumée, brillant faiblement au-dessus du lit. Sous ce cône de lumière tamisée, la chevelure de la malade ressemblait à une coulée d'argent sur l'oreiller. Ses paupières étaient fermées, ses mains croisées au-dessus de sa poitrine en une étrange attitude de piété. Une princesse dans son sépulcre, songea Abby.

Elle s'approcha du lit et appela à voix basse : « Madame Voss ? »

Nina ouvrit les yeux. Lentement son regard se fixa sur Abby. « Oui ?

— Je suis le docteur DiMatteo, dit Abby. L'un des internes en chirurgie. » Elle vit une lueur passer dans les yeux de Nina. *Elle connaît mon nom,* pensa Abby. *Elle sait qui je suis. La pilleuse de tombes. La voleuse de corps.*

Nina Voss ne dit rien, se bornant à la considérer d'un regard insondable.

« Vous avez de la fièvre, expliqua Abby. Il faut que nous sachions pourquoi. Comment vous sentez-vous, madame Voss ?

— Je suis... fatiguée. C'est tout, murmura Nina. Seulement fatiguée.

— Je dois examiner votre incision. » Abby alluma les lampes et ôta doucement les bandes qui recouvraient la plaie. L'incision paraissait saine, aucune rougeur, aucune boursouflure. Elle sortit son stéthoscope et pratiqua l'examen classique en cas de fièvre. Elle entendit le flux normal de l'air entrant et sortant des poumons. Palpa l'abdomen. Regarda l'intérieur des oreilles, du nez, de la gorge. Elle ne trouva rien d'alarmant, rien qui pût provoquer de la fièvre. Pendant tout ce temps, Nina resta silencieuse, suivant des yeux chaque mouvement d'Abby.

Enfin Abby se redressa et dit : « Tout semble parfait. Mais il y a certainement une raison à cette fièvre. Nous allons faire une radio et trois prélèvements de sang pour les cultures. » Elle eut un sourire d'excuse. « Je crains que vous ne dormiez pas beaucoup cette nuit. »

Nina secoua la tête. « Je dors peu de toute façon. Tous ces rêves. Toujours les mêmes...

— De mauvais rêves ? »

Nina poussa un long soupir. « À propos du garçon.

— Quel garçon, madame Voss ?

— Ce garçon. » Nina posa sa main sur sa poitrine. « On m'a dit que c'était un garçon. Je ne connais même pas son nom. Ni comment il est mort. Tout ce que je sais, c'est que c'était un garçon. » Elle regarda Abby. « C'en était un. N'est-ce pas ? »

Abby inclina la tête. « C'est ce que j'ai entendu dire en salle d'opération.

— Vous étiez présente ?

— J'assistais le docteur Hodell. »

Un léger sourire apparut sur les lèvres de Nina. « C'est étrange. Que vous ayez été là, après... » Sa voix s'éteignit.

Aucune des deux femmes ne prononça un mot pendant un moment. Abby oppressée par un sentiment de culpabilité, Nina Voss confondue par... par quoi ? L'ironie de cette rencontre ? Abby baissa la lumière. Le box retrouva sa pénombre sépulcrale.

« Madame Voss, murmura Abby, ce qui est arrivé il y a quelques jours. L'autre cœur, le premier cœur... » Elle détourna les yeux, incapable de soutenir le regard de l'autre femme. « Il y avait un jeune garçon. De dix-sept ans. Ce que souhaitent les garçons de cet âge en général, c'est une voiture ou une petite amie. Mais celui-là désirait seulement rentrer chez lui. Rien d'autre, juste rentrer chez lui. » Elle soupira. « Je ne l'ai pas supporté. Je ne vous connaissais pas, madame Voss. Ce n'était pas vous qui étiez dans ce lit. C'était lui. Et je devais faire un choix. » Elle cligna des yeux, sentit les larmes mouiller ses cils.

« Il est en vie ?

— Oui. Il est en vie. »

Nina fit un signe de tête. À nouveau, elle se toucha la poitrine. On aurait dit qu'elle parlait à son cœur. L'écoutait, communiquait avec lui. Elle dit : « Ce garçon-là. Lui aussi est vivant. Je sens son cœur. Chacun de ses battements. Pour certaines personnes, le cœur est le siège de l'âme. C'est peut-être ce que croient ses parents. Je pense à eux. À quel point ce doit être douloureux. Je n'ai jamais eu de fils. Jamais eu d'en-

131

fant. » Elle ferma la main, serra le poing, le pressa contre le bandage. « Ne trouvez-vous pas que ce serait une consolation, de savoir qu'une partie de leur fils est encore en vie ? S'il s'agissait de mon fils, je voudrais le savoir. Je voudrais le savoir. » Elle se mit à pleurer et les larmes roulèrent sur ses tempes, y laissant une traînée brillante.

Abby saisit la main de Nina, s'étonnant de la force de son étreinte, de la chaleur fiévreuse de sa peau, de ses doigts raidis par l'attente. Nina fixait sur elle des yeux au fond desquels brûlait un feu étrange. *Si je vous avais connue alors,* pensa Abby, *si je vous avais vue mourante dans un lit et Josh O'Day dans un autre, qui de vous deux aurais-je choisi ?*

Je n'en sais rien.

Au-dessus du lit, une ligne tressautait dans l'éclat verdâtre de l'oscilloscope. Le cœur d'un garçon inconnu, battant à cent pulsations par minute, pompant un sang fiévreux dans les veines d'une étrangère.

Abby, tenant Nina par la main, sentait battre un pouls. Un pouls lent, régulier.

Ce n'était pas celui de Nina, mais le sien.

Il fallut attendre vingt minutes avant que le radiologue n'arrive avec son appareil ambulatoire, et un quart d'heure de plus pour le développement des radios. Abby les accrocha sur le panneau lumineux de la salle de réanimation, et chercha des signes de pneumonie. Elle n'en vit aucun.

Il était trois heures du matin. Elle appela Aaron Levi à son domicile.

Sa femme répondit, la voix lourde de sommeil. « Allô ?

— Elaine, c'est Abby DiMatteo. Je suis désolée de vous déranger à cette heure. Puis-je parler à Aaron ?

— Il est parti pour l'hôpital.

— Il y a combien de temps ?

— Euh... juste après le deuxième coup de téléphone. Il n'est pas arrivé ?

— Je ne l'ai pas vu », dit Abby.

Il y eut un silence à l'autre bout de la ligne. « Il a quitté la maison il y a une heure, dit Elaine. Il devrait être là.

— Je vais le prévenir sur son bip. Ne vous inquiétez pas, Elaine. » Abby raccrocha, puis composa le numéro d'Aaron, et attendit son appel.

À trois heures quinze, il n'avait toujours pas rappelé.

« Docteur Di Matteo ? dit Sheila, l'infirmière de Nina. On a mis en culture le dernier prélèvement de sang. Avez-vous d'autres instructions ? »

Abby réfléchit. *Qu'est-ce que j'ai pu oublier ?* Elle s'appuya au bureau et se massa les tempes, luttant pour rester éveillée. Elle devait se concentrer. Une fièvre postopératoire. D'où l'infection pouvait-elle provenir ? Qu'avait-elle omis ?

« Et l'organe ? » dit Sheila.

Abby la regarda. « Le cœur ?

— Quelque chose m'est venu à l'esprit. Mais c'est peu problable...

— À quoi pensez-vous, Sheila ? »

L'infirmière hésita. « Je n'ai jamais vu cette réaction se produire ici. Mais avant de venir à Bayside, j'ai travaillé dans un service de transplantation rénale à Mayo. Je me souviens que nous avons eu un cas particulier. Le receveur d'un rein qui souffrait d'une fièvre postopératoire. Il est mort avant que nous n'ayons pu déterminer la cause de cette fièvre. Il s'avéra que l'origine était fongique. Plus tard on a recherché le dossier du donneur et découvert que les cultures sanguines étaient positives, mais les résultats avaient été transmis une semaine après le prélèvement du rein. Trop tard pour le receveur. Notre patient. »

Abby resta songeuse un moment, contemplant la rangée de moniteurs, le tracé du lit quinze qui dansait sur l'écran.

« Où conserve-t-on le dossier du donneur ? demanda-t-elle.

— Sans doute au bureau du coordinateur des transplantations, en bas. L'infirmière en chef a la clé.

— Pourriez-vous lui demander de me le communiquer ? »

Abby rouvrit le dossier de Nina. Elle examina les renseignements concernant le donneur communiqués par la banque d'organes — l'imprimé qui avait accompagné le cœur en provenance du Vermont. Étaient mentionnés le groupe sanguin ABO, le bilan HIV, la recherche d'anticorps syphilitiques, et toute une série de résultats d'analyses concernant diverses infections virales. Le donneur n'était pas identifié.

Un quart d'heure plus tard, le téléphone sonna. C'était l'infirmière en chef qui appelait Abby.

« Je n'arrive pas à trouver le dossier du donneur.

— N'est-il pas classé au nom de Nina Voss ?

— Les dossiers sont classés sous le numéro d'identification du receveur. Il n'y a rien sous celui de Mme Voss.

— Se pourrait-il qu'on l'ait mal placé ?

— J'ai examiné tous les dossiers concernant les transplantations de reins et de foies. Et j'ai vérifié une seconde fois le numéro d'identification. Êtes-vous certaine qu'il ne traîne pas quelque part en réa ?

— Je vais leur demander. Merci. » Abby raccrocha et soupira. Des papiers égarés. C'était bien la dernière chose à laquelle elle avait envie de s'attaquer à cette heure de la nuit ! Elle jeta un regard sur l'étagère où étaient rangés les documents du service ainsi que les dossiers des hospitalisations antérieures des patients actuels. Si le dossier manquant était enfoui *là-dedans,* il lui faudrait une heure pour le retrouver.

À moins qu'elle n'appelle directement l'hôpital du donneur. Ils pourraient sortir le dossier, lui communiquer l'historique médical de celui-ci et les résultats de ses analyses.

Les renseignements lui indiquèrent le numéro de Wilcox Memorial. Elle le composa et demanda la surveillante-chef.

Un moment plus tard une femme répondit : « Gail DeLeon à l'appareil.

— Ici le docteur DiMatteo de Bayside à Boston. Nous avons une greffe cardiaque qui fait un accès de fièvre postopératoire. Nous savons que le cœur vient d'un patient soigné chez vous. J'ai besoin d'informations supplémentaires sur les antécédents du donneur. Connaissez-vous le nom du patient ?

— Le prélèvement de l'organe a été fait ici ?

— Oui. Il y a trois jours. Le donneur était un jeune garçon. Un adolescent.

— Je vais consulter le registre de la salle d'op'. Je vous rappelle. »

Dix minutes plus tard, elle était de nouveau en ligne — non pas avec la réponse mais avec une question : « Êtes-vous sûre que vous ne vous êtes pas trompée d'hôpital, docteur ? »

Abby jeta un coup d'œil au dossier de Nina. « C'est ce que je vois inscrit. L'hôpital du donneur est le Wilcox Memorial, Burlington, Vermont.

— C'est bien nous. Mais je ne vois aucun prélèvement dans le registre.

— Pouvez-vous vérifier sur le planning de la salle d'op' ? La date devrait être... » Abby jeta un coup d'œil à l'imprimé. « Le vingt-quatre septembre. Le prélèvement a dû avoir lieu vers minuit.

— Ne quittez pas. »

Au bout du fil, Abby entendit un froissement de pages et des raclements de gorge. La voix reprit à nouveau : « Allô ?

— Je suis toujours là, dit Abby.

— J'ai vérifié le planning des journées du vingt-trois, vingt-quatre et vingt-cinq septembre. Nous avons eu deux appendicectomies, une cholécystectomie, et deux césariennes. Mais aucune trace d'un prélèvement quelconque.

— Il y en a pourtant eu un puisque nous avons reçu le cœur.

— Il ne venait pas de chez nous. »

Abby parcourut les notes des infirmières de la salle d'opération et lut : *0105 : Arrivée du docteur Leonard Marpes de Wilcox Memorial*. « L'un des chirurgiens qui a participé au prélèvement était le docteur Leonard Mapes, dit-elle. C'est lui-même qui l'a livré.

— Nous n'avons pas de docteur Mapes dans notre personnel.

— C'est un chirurgien thoracique...

— Écoutez, il n'y a pas de docteur Mapes ici. D'ailleurs, je ne connais aucun docteur Mapes exerçant à Burlington. J'ignore d'où vous tenez vos informations, docteur, mais il y a visiblement une erreur. Vous devriez vérifier.

— Mais...

— Essayez un autre hôpital. »

Abby raccrocha lentement.

Pendant un long moment, elle resta le regard rivé sur le téléphone. Elle pensait à Victor Voss et à sa fortune, à tout ce que l'argent peut acheter. À l'étonnant concours de circonstances grâce auquel Nina Voss avait obtenu un cœur. Un cœur compatible.

Elle souleva à nouveau le téléphone.

9

Ta réaction est exagérée, dit Mark, en feuilletant le dossier de Nina Voss. Il doit y avoir une explication logique à tout ça.

— J'aimerais la connaître, dit Abby.

— L'excision était parfaite, le cœur bien emballé, livré en bon état. Et les papiers concernant le donneur *étaient* joints.

— Des papiers qui aujourd'hui semblent avoir disparu.

— La coordinatrice des transplantations arrive à

neuf heures. Nous aurons alors plus de renseignements sur ces documents. Je suis convaincu qu'ils sont quelque part.

— Mark, il y a autre chose. J'ai appelé l'hôpital du donneur. Il n'y a pas de Leonard Mapes qui exerce chez eux. Qui plus est, il n'existe pas de chirurgien de ce nom à Burlington. » Elle se tut un instant, puis reprit doucement : « Savons-nous vraiment d'où vient ce cœur ? »

Mark ne répondit pas. Il semblait trop abasourdi, trop fatigué pour penser clairement. Il était quatre heures et quart du matin. Après le coup de téléphone d'Abby, il s'était péniblement levé et avait pris sa voiture jusqu'à Bayside. Les fièvres postopératoires requéraient une attention immédiate, et bien qu'il eût confiance dans les conclusions d'Abby, il avait voulu examiner la patiente par lui-même. Assis dans la pénombre du service de réanimation, il s'efforçait désespérément de trouver un sens aux informations contenues dans le dossier de Nina Voss. Une rangée de moniteurs cardiaques lui faisait face et trois lignes vertes se reflétaient dans ses lunettes. Dans la faible lumière, les infirmières se déplaçaient comme des ombres, parlant à voix basse.

Mark referma le dossier. Avec un soupir, il ôta ses lunettes et se frotta les yeux. « Cette fièvre. Quelle est donc la cause de cette foutue fièvre ? C'est ce qui m'inquiète vraiment.

— Une infection venant du donneur ?

— Peu probable. Ça n'arrive pratiquement jamais avec un cœur.

— Mais nous ne savons rien du donneur. Ni de son histoire médicale. Nous ne savons même pas de quel hôpital vient le cœur.

— Abby, ton imagination t'entraîne trop loin. Je sais qu'Archer s'est entretenu au téléphone avec le chirurgien qui a effectué le prélèvement. Je sais aussi qu'il y avait des papiers. Ils se trouvaient dans une enveloppe marron.

137

— Je me souviens de les avoir vus.

— Bon. Nous avons donc bien vu la même chose.

— Où est passée cette enveloppe maintenant ?

— Écoute, c'était moi qui opérais. D'accord ? Dans le sang jusqu'aux coudes. Je ne pouvais pas suivre à la trace cette enveloppe de malheur.

— Pourquoi tous ces secrets à propos du donneur, de toute façon ? Nous n'avons pas de documents. Nous ne connaissons même pas son nom.

— C'est la procédure habituelle. Les informations concernant le donneur restent confidentielles. Elles ne sont jamais portées au dossier du receveur. Sinon on verrait les familles prendre contact entre elles. Celle du donneur s'attendrait à une gratitude éternelle, les autres se montreraient soit choqués par cette démarche soit furieux. S'ensuivrait une formidable pagaille au plan émotionnel. » Il s'enfonça dans son fauteuil. « Nous perdons du temps avec cette histoire. Concentrons-nous plutôt sur la fièvre.

— Entendu. Mais en cas de doute, la banque d'organes veut en discuter avec toi.

— Comment se trouve-t-elle mêlée à ça ?

— Je les ai appelés. Ils ont un service téléphonique vingt-quatre heures sur vingt-quatre. Je leur ai dit que toi ou Archer les contacteriez.

— Archer s'en occupera. Il sera là d'une minute à l'autre.

— Il va venir ici ?

— Cette fièvre l'inquiète. Et nous n'arrivons pas à mettre la main sur Aaron. As-tu essayé de le joindre sur son bip ?

— À trois reprises. Sans résultat. Elaine m'a dit qu'il était en route pour l'hôpital.

— Je sais qu'il est arrivé. Je viens de voir sa voiture dans le parking. Peut-être s'est-il arrêté en médecine. » Mark chercha la feuille de prescriptions dans le dossier de Nina Voss. « Je vais commencer sans lui. »

Abby jeta un coup d'œil dans le box de Nina. Les

yeux de la patiente étaient fermés, sa poitrine se soulevait et s'abaissait régulièrement dans son sommeil.

« Je vais la mettre sous antibiotiques, dit Mark. Spectre large.

— Quelle infection traites-tu ?

— Je n'en sais rien. Ce n'est qu'une mesure temporaire jusqu'à ce que nous ayons les résultats des cultures. Bien qu'elle soit sous immunodépresseur, nous ne pouvons courir le risque d'une infection. » Impuissant, Mark se leva de sa chaise et alla jusqu'à la vitre du box. Il y resta un long moment, observant Nina Voss. La vue de cette dernière sembla le calmer. Abby vint le rejoindre. Ils étaient tout près l'un de l'autre, se touchant presque, et pourtant séparés par le gouffre que provoquait cette crise. De l'autre côté de la vitre, Nina Voss dormait paisiblement.

« Peut-être fait-elle simplement une réaction à un médicament, dit Abby. Elle en prend tellement. L'un d'eux peut provoquer de la fièvre.

— C'est une possibilité. Mais peu probable avec les stéroïdes et la Cyclosporine.

— Je n'ai pu déceler la moindre source d'infection. Nulle part.

— Elle est sous immunodépresseur. Si nous ne trouvons pas, elle mourra. » Il se retourna pour ramasser le dossier. « Commençons par le tueur de virus. »

À six heures la première dose d'Azactam se répandait dans les veines de Nina. Mark demanda une consultation immédiate du service des maladies infectieuses, et à sept heures quinze le médecin consultant, le docteur Moore, se présenta. Il approuva la décision de Mark. La fièvre chez un patient sous immunodépresseur était trop dangereuse pour rester sans traitement.

À huit heures, un deuxième antibiotique, de la Piperacilline, fut administré.

Abby faisait alors ses visites en salle de réanimation, poussant devant elle le chariot chargé des pancartes des patients. Cette nuit de garde avait été éprouvante

— une heure de sommeil, puis cet appel téléphonique reçu à deux heures du matin, et pas un instant de repos depuis. Dopée par deux tasses de café et la perspective d'être enfin libérée de ses tâches, elle poussa le chariot le long de la rangée des boxes en pensant : *Encore quatre heures et je pourrai m'en aller. Seulement quatre petites heures jusqu'à midi.* Elle passa devant le lit numéro quinze, regarda par la vitre du box. Nina était réveillée. Elle aperçut Abby et lui fit un petit signe de la main.

Abby laissa ses dossiers à la porte, enfila une blouse et pénétra dans le box.

« Bonjour, docteur DiMatteo, murmura Nina. J'ai bien peur de vous avoir empêchée de dormir, cette nuit. »

Abby sourit. « Ne vous inquiétez pas. J'ai dormi la semaine dernière. Comment vous sentez-vous ?

— Comme quelqu'un qui fait beaucoup d'histoires. » Nina leva les yeux vers le flacon de perfusion suspendu au-dessus de son lit. « C'est ce qui doit me soigner ?

— Nous l'espérons. Nous vous administrons une combinaison de Pipéracilline et d'Azactam. Des antibiotiques à spectre large. Si vous avez une infection, ce traitement devrait vous guérir.

— Et si ce n'est pas une infection ?

— Dans ce cas, les antibiotiques n'auront pas d'effet sur la fièvre. Et nous tenterons autre chose.

— Vous ignorez donc quelle en est véritablement la cause ? »

Abby resta un instant sans répondre. « Oui, admit-elle. Nous l'ignorons. Disons plutôt que nous procédons par tâtonnements.

— Je savais que vous me diriez la vérité. Le docteur Archer ne le fait pas, vous savez. Il était là ce matin, et il m'a répété de ne pas me tourmenter. Qu'ils avaient la situation en main. Il n'a jamais admis qu'il ignorait ce que j'avais. » Nina eut un petit rire, comme si la fièvre, les antibiotiques, tous ces tubes et ces machines faisaient partie d'une illusion saugrenue.

« Il ne voulait pas vous inquiéter, dit Abby.

— Mais la vérité ne m'inquiète pas. Franchement pas. Les médecins cachent trop souvent la vérité. » Elle regarda Abby dans les yeux. « Vous le savez comme moi. »

Abby tourna machinalement son regard vers les moniteurs. Elle constata que tous les tracés sur les écrans étaient normaux. Le pouls. La pression sanguine. La pression de l'oreillette droite. C'était par pure habitude qu'elle se concentrait sur les chiffres. Les machines ne posaient pas de questions difficiles, n'attendaient pas de réponses douloureuses.

Elle entendit Nina dire à voix basse : « Victor. »

Abby se retourna. Et à ce moment-là seulement, en faisant face à la porte, elle se rendit compte que Victor Voss venait d'entrer dans le box.

« Sortez, dit-il. Sortez de la chambre de ma femme.

— Je prenais seulement de ses nouvelles.

— J'ai dit, *sortez !* » Il fit un pas dans sa direction et l'attrapa par la manche de sa blouse.

Instinctivement Abby résista, se dégagea. Le box était si petit qu'elle n'avait pas la place de reculer ni de se rencogner.

Il se jeta sur elle et la saisit par le bras avec l'intention manifeste de lui faire mal.

« Victor, arrête ! » dit Nina.

Abby laissa échapper un cri de douleur. Voss la projeta à l'extérieur du box. La poussée l'envoya en arrière heurter le chariot qui se déroba sous elle, et elle perdit l'équilibre, atterrissant lourdement sur les fesses. Le chariot dans sa lancée alla heurter un comptoir et les pancartes tombèrent bruyamment sur le sol. Étourdie par le choc, Abby leva les yeux vers Victor Voss debout devant elle, la dominant de toute sa taille. Il haletait sous l'effet de la rage.

« N'approchez plus jamais de ma femme, vous m'entendez, docteur ? *Vous m'entendez ?* » Voss se tourna vers le personnel qui regardait la scène d'un air médusé. « Je ne veux plus que cette femme s'approche de mon épouse. Je veux que ce soit inscrit sur le tableau et affiché à la porte. Dès maintenant. » Il lança à Abby un dernier regard de mépris et rentra dans le box, fermant les rideaux qui masquaient la vitre.

Deux infirmières s'élancèrent pour aider Abby à se relever.

« Ce n'est rien, dit Abby, les écartant d'un geste. Tout va bien.

— Il est fou, murmura une des infirmières. Nous devrions le signaler à la sécurité.

— Non, surtout pas, s'écria Abby. Vous ne feriez qu'aggraver les choses.

— Mais c'était une agression ! Vous pourriez le poursuivre !

— Je veux seulement oublier toute cette histoire, d'accord ? » Abby se dirigea vers le chariot. Ses pancartes étaient par terre, les feuilles et les fiches de laboratoire éparpillées. Le visage en feu, elle les ramassa et les déposa sur le chariot, s'efforçant furieusement de retenir les larmes qui lui montaient aux yeux. *Je ne veux pas pleurer. Pas ici, je ne pleurerai pas.*

Tout le monde l'observait.

Elle laissa le chariot en plan et sortit du service de réanimation.

Mark la retrouva trois heures plus tard à la cafétéria. Elle était assise à une table d'angle, penchée au-dessus d'une tasse de thé et d'un muffin. Le muffin était à peine entamé, et le thé en sachet avait infusé si longtemps qu'il était noir comme du café.

Mark tira une chaise en face d'elle et s'assit. « C'est Voss qui a piqué cette crise de rage, Abby. Pas toi.

— C'est moi qui ai atterri sur les fesses devant tout le monde.

— Il t'a bousculée. Tu peux t'en servir. C'est un moyen de pression pour faire cesser toutes ces ridicules actions judiciaires.

142

— Tu voudrais que je le poursuive pour voie de fait ?

— Un truc de ce genre. »

Elle secoua la tête. « Je ne veux pas penser à Victor Voss. Je ne veux rien avoir à faire avec lui.

— Il y avait une demi-douzaine de témoins. Ils l'ont vu te pousser.

— Mark, oublions tout ça. » Elle mordit sans enthousiasme dans son muffin, le reposa et resta à le contempler, le regard fixe, désirant désespérément changer de sujet.

Elle finit par demander : « Aaron a-t-il été d'accord avec le traitement aux antibiotiques ?

— Je n'ai pas vu Aaron de la journée. »

Abby releva la tête, les sourcils froncés. « Je croyais qu'il était à l'hôpital.

— Je l'ai appelé à plusieurs reprises sur son bip, mais il n'a jamais répondu.

— As-tu essayé de le joindre chez lui ?

— J'ai eu la femme de ménage. Elaine est partie pour le week-end, chez leurs enfants à Dartmouth. » Mark haussa les épaules. « Nous sommes samedi. De toute façon, Aaron ne fait jamais ses visites en week-end. Il a probablement décidé de prendre un peu de vacances loin de nous tous.

— Des vacances, soupira Abby en se frottant le visage. Seigneur, c'est exactement ce que j'aimerais. Une plage, des palmiers et une piña colada.

— Le programme me paraît joliment séduisant, à moi aussi. » Tendant le bras, il lui prit la main. « Tu verrais un inconvénient à ce que je t'accompagne ?

— Tu as horreur des piñas coladas.

— Mais j'aime les plages et les palmiers. Et toi. » Il lui serra doucement la main. C'était exactement ce dont elle avait besoin en ce moment. Le contact de sa main. Aussi solide et rassurante que lui.

Il se pencha en travers de la table et l'embrassa sans façon. « Regarde. Nous sommes en train de nous donner en spectacle, murmura-t-il. Tu ferais mieux de rentrer à la maison, avant que tout le personnel de l'hôpital ne nous remarque. »

Elle regarda sa montre. Elle indiquait midi, et on était samedi. Le week-end, enfin, avait commencé.

Il la reconduisit hors de la cafétéria et ils traversèrent le hall de l'hôpital. Au moment de franchir la porte, il se tourna vers elle : « J'allais oublier de te prévenir. Archer a téléphoné au Wilcox Memorial et parlé à un chirurgien thoracique, un dénommé Tim Nicholls. Il se trouve que Nicholls a assisté au prélèvement. Il a confirmé qu'il s'agissait d'un de leurs patients. Et que c'était bien Mapes qui avait pratiqué l'excision.

— Alors pourquoi n'est-il pas sur la liste du personnel de Wilcox ?

— Parce qu'il est venu en avion privé depuis Houston. Nous n'en savions rien. Apparemment, Voss n'avait pas confiance en un quelconque chirurgien yankee. Il a fait venir un spécialiste.

— Depuis le Texas ?

— Avec ses moyens, Voss aurait pu faire venir par avion toute l'équipe de Baylor.

— Ainsi le prélèvement a bien été fait au Wilcox Memorial.

— Nicholls dit qu'il était sur place. L'infirmière à laquelle tu as parlé hier soir a sans doute consulté le mauvais planning. Si tu veux que je les appelle et leur demande de me confirmer...

— Non, n'y pensons plus. Tout ça me paraît tellement stupide maintenant. Je ne sais pas ce qui m'a pris. » Elle soupira et aperçut sa voiture, garée à sa place habituelle dans la partie la plus éloignée du parking. La Sibérie, ainsi que les internes appelaient la zone qui leur était réservée. Mais les forçats pouvaient s'estimer heureux d'avoir un parking, après tout. « Je t'attendrai à la maison, dit-elle. Si je suis encore réveillée. »

Il passa son bras autour de ses épaules, lui inclina la tête en arrière et l'embrassa, serrant son corps fatigué contre le sien. « Fais attention sur la route, murmura-t-il. Je t'aime. »

Elle franchit le parking dans un brouillard, hébétée par la fatigue et l'écho des trois derniers mots de Mark.

Je t'aime.

Elle s'arrêta et se retourna pour lui faire un signe de la main, mais il était déjà rentré.

Elle sortit ses clefs de son sac, s'avança vers sa voiture et alors seulement remarqua que le bouton de verrouillage était levé. Mon Dieu, quelle idiote. Elle avait laissé la voiture ouverte toute la nuit.

Elle ouvrit la porte.

À la première bouffée d'air vicié, elle eut un mouvement de recul, l'estomac soulevé par la puanteur. Et écœurée par ce qu'elle voyait sur le siège avant.

Des intestins pourris s'enroulaient autour du levier de vitesses, l'une des extrémités pendant du volant comme un serpentin grotesque. Une masse de tissus s'étalait sur le siège du passager. Et du côté du conducteur, appuyé contre le dossier, un organe sanglant.

Un cœur.

L'adresse était à Dorchester, un quartier déshérité du sud-est de Boston. Il gara sa voiture de l'autre côté de la rue et examina la maison sans élégance, la pelouse mal entretenue. Un gosse d'une douzaine d'années faisait rebondir un ballon de basket dans l'allée, le lançait en direction d'un cercle accroché au mur du garage qu'il manquait à chaque fois. Pas de bourse sportive pour celui-là. À en juger par la guimbarde qui stationnait dans le garage et par l'aspect délabré de la maison, une bourse aurait pourtant été la bienvenue.

Il sortit de sa voiture et traversa la rue. En le voyant remonter l'allée, le gosse s'arrêta brusquement de jouer. Serrant le ballon contre sa poitrine, il examina le visiteur avec une méfiance visible.

« Je cherche la maison de la famille Flynt.

— C'est ici, fit le garçon.

— Tes parents sont-ils à la maison ?

145

— Mon père. Pourquoi ?

— Peut-être pourrais-tu aller le prévenir qu'il a de la visite ?

— Qui êtes-vous ? »

Il tendit sa carte au garçon. Celui-ci la lut sans marquer beaucoup d'intérêt, puis voulut la lui rendre.

« Non, garde-la. Montre-la à ton père.

— Tout de suite ?

— S'il n'est pas occupé.

— Bon. D'accord. » Le garçon entra dans la maison. La porte extérieure se referma en claquant derrière lui.

Une minute plus tard, un homme apparut sur le seuil, le ventre proéminent, sans un sourire. « Vous me demandez ?

— Monsieur Flynt, je m'appelle Stewart Sussman. Du cabinet juridique Hawkes, Craig & Sussman.

— Ah ?

— Je crois savoir que vous avez été soigné au centre médical de Bayside il y a six mois.

— C'était un accident. La faute de l'autre type.

— Vous avez subi une ablation de la rate. Est-ce exact ?

— Comment savez-vous tout ça ?

— Je suis ici pour défendre vos intérêts, monsieur Flynt. Il s'agissait d'une opération importante, n'est-ce pas ?

— On m'a dit que j'aurais pu y rester. Je suppose que c'était important.

— L'un des médecins n'était-il pas une femme du nom d'Abigail DiMatteo ?

— Si. Elle venait me voir tous les jours. Une chic fille.

— Est-ce qu'elle ou un autre docteur vous ont mis au courant des conséquences de l'ablation de la rate ?

— Ils ont dit que je pourrais avoir des infections si je ne faisais pas attention.

— Des infections mortelles. C'est ce qu'ils vous ont dit ?

« — Euh... Peut-être.

— Vous ont-ils parlé d'une blessure accidentelle au cours de l'opération ?

— Quoi ?

— Un scalpel qui aurait glissé, coupant la rate. Provoquant des saignements importants.

— Non. » L'homme se penchait vers Sussman maintenant, avec un air sérieusement inquiet. « Est-ce qu'un truc de ce genre m'est arrivé ?

— Nous aimerions en avoir confirmation. Il nous faut seulement votre accord pour avoir accès à votre dossier médical.

— Pour quoi faire ?

— Ce serait dans votre intérêt, monsieur Flynt, de savoir si vous avez perdu votre rate par la faute du chirurgien. Si une erreur a été commise, alors vous avez subi un dommage injustifié. Et vous devriez en obtenir réparation. »

Flynt resta silencieux. Il regarda le garçon, qui écoutait leur conversation. Probablement sans rien comprendre. Puis contempla le stylo qui lui était tendu.

« Par réparation, monsieur Flynt, ajouta l'avocat, je fais allusion à de l'argent. »

L'homme saisit le stylo et signa.

De retour dans sa voiture, Sussman glissa l'imprimé signé dans sa serviette et reprit sa liste. Il lui restait encore quatre signatures à obtenir. Il ne devrait pas rencontrer de résistance. L'appât du gain et l'espérance d'obtenir des indemnités constituaient une puissante combinaison.

Il raya le nom *Flynt Harold* et mit le contact.

10

« C'était un cœur de porc. On l'a probablement placé dans ma voiture la veille au soir, et il a cuit toute la journée à la chaleur. Je ne suis toujours pas parvenue à me débarrasser de l'odeur.

— Ce type cherche à vous faire perdre les pédales, dit Vivian Chao. Vous devriez lui rendre la pareille. »

Abby et Vivian poussèrent les portes et traversèrent le hall en direction des ascenseurs. On était dimanche matin et les visiteurs se pressaient dans Massachussetts General, arborant des ballons « Bonne Santé » à bout de bras. Les portes se fermèrent et l'odeur d'œillet devint suffocante.

« Nous n'avons aucune preuve, murmura Abby. Rien ne certifie qu'il soit l'auteur de cet acte.

— Qui d'autre alors ? Réfléchissez à cc qu'il a déjà fait. Vous poursuivre en justice. Vous bousculer en public. Je vous le répète, DiMatteo, il est temps de l'attaquer à votre tour. Voies de fait. Menaces.

— Le problème est que je comprends ses motifs. Il est bouleversé. Sa femme traverse une période posto-pératoire difficile.

— Vous sentiriez-vous coupable, par hasard ? »

Abby soupira. « Il m'est difficile de ne pas me sentir coupable chaque fois que je passe devant son lit. »

Elles sortirent de l'ascenseur au quatrième étage et se dirigèrent vers l'aile de chirurgie cardiaque.

« Il a tout l'argent nécessaire pour faire de votre vie un enfer, et pendant très longtemps, dit Vivian. Il a déjà intenté une action jucidiciaire contre vous. Il y en aura probablement d'autres.

— Je crois savoir qu'elles sont déjà en cours. L'administration m'a prévenue qu'ils avaient reçu six demandes de dossier de la part de Hawkes, Craig & Sussman. C'est le cabinet juridique qui représente Joe Terrio. »

Vivian s'arrêta et la regarda. « Mon Dieu. Vous allez passer le restant de votre vie devant les tribunaux.

— À moins que je ne démissionne. Comme vous. »

Vivian se remit à marcher, d'un pas plus déterminé que jamais. La petite amazone asiatique, qui n'avait peur de rien.

« Et *vous*, pourquoi ne cherchez-vous pas à vous défendre ? demanda Abby.

— J'essaye. Le problème est que notre adversaire est Victor Voss. Le jour où j'ai mentionné son nom devant mon avocate, elle est devenue blanche comme un linge. Ce qui est le comble pour une Noire.

— Que vous conseille-t-elle ?

— De me tenir à carreau. Et de m'estimer heureuse d'être déjà chirurgien en titre. Au moins puis-je me recaser. Ou ouvrir mon propre cabinet.

— Elle a tellement peur de Voss ?

— Elle ne veut pas l'admettre, mais c'est le cas. Il fait peur à des tas de gens. Je ne suis pas en situation de me battre, de toute manière. J'étais responsable, il est normal que je subisse les conséquences. Nous avons volé un cœur, DiMatteo. Il n'y a aucune discussion possible. S'il s'était agi d'une toute autre personne que Victor Voss, nous aurions peut-être pu nous en tirer. Cette histoire me coûte cher aujourd'hui. » Elle regarda Abby. « Mais pas autant qu'elle pourrait vous coûter, à vous.

— Je suis toujours à l'hôpital.

— Pour combien de temps ? Vous n'êtes qu'une interne de deuxième année. Il faut vous défendre, Abby. Ne le laissez pas démolir votre vie. Vous êtes un trop bon médecin, ne le laissez pas vous forcer à partir. »

Abby secoua la tête. « Parfois je me demande si cela en vaut la peine.

— La peine ? » Vivian s'arrêta devant la chambre 417. « Regardez. Vous me direz ensuite si ça en vaut la peine. » Elle frappa à la porte avant d'entrer.

Le garçon était assis dans son lit, manipulant la

commande à distance de la télévision. Sans la casquette des Red Sox dont il était coiffé, Abby n'aurait pas reconnu Josh O'Day tant il était transformé par l'éclat de la santé. En apercevant Vivian, il eut un grand sourire.

« Salut, docteur Chao ! lança-t-il. Dites donc, je me demandais si vous viendriez me voir un jour !

— Je suis venue, dit Vivian. Deux fois. Mais tu dormais à poings fermés. » Elle feignit une moue méprisante. « Comme tous les jeunes paresseux de ton âge. »

Ils rirent tous les deux. Suivit un court silence. Puis, d'un geste timide, Josh ouvrit les bras pour l'embrasser.

Pendant un instant, Vivian ne bougea pas. Comme si elle ne savait comment réagir. Et soudain elle se libéra d'une invisible entrave et s'avança vers lui. Leur étreinte fut brève et maladroite. Vivian eut l'air presque soulagé lorsqu'elle prit fin.

« Alors, comment te sens-tu ? demanda-t-elle.

— Drôlement bien. Dites, vous connaissez ce truc-là ? » Il désigna la télévision. « Mon père m'a apporté toutes les cassettes de base-ball. Mais on sait pas brancher le magnétoscope. Vous savez comment ça marche ?

— Je serais capable de faire exploser le poste.

— Et vous êtes toubib ?

— Très bien. La prochaine fois que tu auras besoin d'être opéré, mon grand, tu appelleras un réparateur de télévisions. » Elle fit un signe en direction d'Abby. « Tu te souviens du docteur DiMatteo, n'est-ce pas ? »

Josh tourna vers Abby un regard incertain. « Je crois que oui. Peut-être... » Il haussa les épaules. « Il y a des choses que j'ai oubliées, vous savez. Les choses qui se sont passées la semaine dernière. C'est un peu comme si j'étais devenu idiot.

— Il ne faut pas t'inquiéter, dit Vivian. Lorsque le cœur s'arrête, Josh, le sang n'arrive plus en quantité suffisante jusqu'au cerveau. On peut oublier certaines choses. » Elle posa affectueusement sa main sur son épaule, un geste inhabituel chez elle. « Au moins ne m'as-tu pas oubliée. » Elle ajouta en riant : « Malgré tout. »

Josh baissa les yeux. Ils semblaient tous deux pétrifiés d'embarras dans cette posture. La main de Vivian sur l'épaule du garçon qui regardait fixement le couvre-lit, le visage dissimulé par la visière de sa casquette.

Abby préféra se détourner et regarder ailleurs. Les trophées. Ils étaient tous là, les rubans et les médailles, bien rangés sur la table de nuit. Ce n'était plus un autel dressé pour un enfant mourant, mais une incantation à la vie. Une renaissance.

On frappa à la porte. « Joshie, appela une voix de femme.

— Maman ! »

La porte s'ouvrit et la pièce fut soudain envahie par la famille tout entière : parents, frères et sœurs, oncles et tantes, déboulant avec une forêt de ballons et l'odeur des frites de McDonald's. Ils se pressèrent autour du lit, couvrirent Josh de baisers et de caresses, s'exclamant : « Regardez-le ! » « Il a une mine splendide ! » « Magnifique ! » Josh supporta cette avalanche avec une expression de ravissement timide. Il ne parut pas remarquer que Vivian s'était écartée de son lit pour faire place au clan bruyant des O'Day.

« Josh, mon chéri, nous avons amené l'oncle Harry de Newbury. Il sait tout sur les magnétoscopes. Il va le brancher, n'est-ce pas, Harry ?

— Oh bien sûr. Je le fais pour tous mes voisins.

— As-tu apporté les fils qu'il fallait, Harry ? Tu es sûr d'avoir tous les fils nécessaires ?

— Tu me crois capable d'avoir oublié les fils ?

— Regarde, Josh. Trois superportions de frites. C'est permis, j'espère ? Tarasoff n'a pas dit que tu ne pouvais pas manger de frites.

— Maman, on a oublié l'appareil photo ! Je devais prendre une photo de la cicatrice de Josh.

— Tu ne veux quand même pas une photo de sa cicatrice !

— Mon prof a dit que ce serait cool.

— Ton professeur est trop vieux pour employer des mots comme cool. Pas de photo de cicatrice. C'est une intrusion dans la vie privée.

— Dis donc, Josh, t'as pas besoin qu'on t'aide à manger ces frites ?

— Alors, Harry, tu crois que tu peux le brancher ?

— Bof, j'en sais rien. Le poste n'est pas jeune... »

Vivian était enfin parvenue à rejoindre Abby. On frappa à nouveau à la porte, et un autre flot de parents jaillit dans la pièce, répétant : « Il a une mine splendide ! » « Magnifique ! » À travers la foule des O'Day, Abby aperçut Josh. Il regardait dans leur direction. Il leur décocha un sourire impuissant, fit un geste de la main.

Discrètement, Abby et Vivian quittèrent la pièce. Elles s'arrêtèrent dans le couloir, écoutant les voix derrière la porte. Et Vivian dit : « Alors, Abby. À la question : *Cela en vaut-il la peine ?* que répondez-vous ? »

Au PC des infirmières, elles demandèrent à voir le docteur Ivan Tarasoff. L'infirmière de service leur suggéra de jeter un coup d'œil dans la salle des chirurgiens. C'est précisément là qu'Abby et Vivian le trouvèrent, penché sur ses dossiers, une tasse de café devant lui. Avec ses lunettes qui lui tombaient sur le nez et sa veste de tweed, Tarasoff donnait encore davantage l'image d'un aimable professeur plongé dans ses cours.

« Nous venons de voir Josh », annonça Vivian.

Tarasoff leva les yeux de ses notes maculées de café. « Et qu'en pensez-vous, docteur Chao ? »

— Je pense que vous avez fait du beau travail. Le gosse a l'air en pleine forme.

— Il souffre d'une légère amnésie, courante après un arrêt cardiaque. Sinon il a récupéré comme le font tous les gosses. Il pourra sortir dans une semaine. Si les

152

infirmières ne le mettent pas dehors avant. » Tarasoff referma le dossier et regarda Vivian. Son sourire avait disparu. « J'ai un problème à régler avec vous, docteur.

— Avec moi ?

— Vous savez de quoi je veux parler. Cet autre patient en attente d'une transplantation à Bayside. Quand vous nous avez envoyé Josh, vous ne m'avez pas raconté toute l'histoire. J'ai découvert par la suite que le cœur était déjà attribué.

— Il ne l'était pas. Il faisait l'objet d'un don individualisé.

— Obtenu grâce à certains subterfuges. » Tarasoff lança un regard courroucé à Abby par-dessus ses lunettes. « Votre directeur, M. Parr, m'a communiqué tous les détails. Ainsi que l'avocat de M. Voss. »

Vivian et Abby échangèrent un coup d'œil.

« Son avocat ? interrogea Vivian.

— Parfaitement. » Le regard de Tarasoff se reporta sur Vivian. « Saviez-vous que je risquais d'être poursuivi en justice ?

— Mon seul but était de sauver ce garçon.

— Vous avez dissimulé des informations.

— Et aujourd'hui il est en vie et en bonne santé.

— Je ne vous le dirai pas deux fois. Ne refaites jamais une chose pareille. »

Vivian parut sur le point de répondre. Mais elle se contenta d'un petit hochement de tête empreint de solennité. Une marque de déférence à l'asiatique, les yeux baissés, la tête légèrement inclinée.

Tarasoff ne s'en laissa pas conter. Il prit une expression fâchée, puis éclata de rire. Reportant son attention sur ses dossiers, il conclut : « J'aurais dû vous renvoyer de Harvard. Quand j'en avais la possibilité. »

« Paré à virer ! Envoyez ! » cria Mark, et il poussa la barre.

L'étrave de *Gimme Shelter* pointa dans le vent, les voiles battirent, les cordages fouettant le pont. Raj Mohandas se précipita vers le winch tribord et se mit

153

à border l'écoute de foc. Avec un *bang* sonore, la voile se remplit, et le bateau s'inclina sur tribord, déclenchant un tintamarre de boîtes de soda à l'intérieur de la cabine.

« Au vent, Abby ! cria Mark. Monte au vent ! »

Abby s'avança tant bien que mal sur la surface inclinée du pont jusqu'à babord, où elle se cramponna à une filière et une énième fois se promit : *plus jamais*. Qu'avaient les hommes avec leurs satanés bateaux ? se demanda-t-elle. Qu'y avait-il dans la navigation qui les faisait tous hurler ?

Car ils hurlaient tous, tous les quatre. Mark, Mohandas, Hank, le fils de Mohandas âgé de dix-huit ans, et Pete Jaegly, un interne de troisième année. Ils braillaient à propos des écoutes qu'il fallait border et des tangons de spinnaker et des risées qui faiblissaient. Ils braillaient à cause du bateau d'Archer, *Red Eye*, qui les rattrapait. Et, parfois, ils s'en prenaient à Abby. En fait, elle jouait un rôle unique dans cette régate, un rôle qui avait le qualificatif pudique de lest. Un poids mort. Un rôle qu'auraient pu remplir des sacs de sable. Abby était un sac de sable muni de jambes. Ils hurlaient et elle se précipitait sur le bord opposé, où, régulièrement, elle vomissait. Les hommes ne vomissaient pas. Ils étaient trop occupés à courir dans tous les sens dans leurs coûteuses chaussures de bateau et à gueuler :

« On arrive à la bouée ! Encore un dernier bord. Paré à virer ! »

Mohandas et Jaegly recommençaient leur danse échevelée sur le pont.

« Envoyez ! »

Gimme Shelter vint sur l'autre bord et se mit à gîter. Les voiles faseyèrent, les cordages fouettèrent l'air. Mohandas actionnait le winch, les muscles de son bras hâlé se gonflant à chaque tour de manivelle.

« Ils nous rattrapent ! » s'écria Hank.

Derrière eux, *Red Eye* avait gagné une autre demi-longueur. Ils entendaient Archer hurler contre *son* équipage, les exhortant : *Serrez plus le vent, serrez plus !*

Gimme Shelter vira la bouée et entama le bord de vent arrière. Jaegly se battait avec le tangon de spinnaker. Hank affala le foc.

Abby vomissait par-dessus le plat-bord.

« Merde, il est juste derrière nous ! cria Mark. Hissez-moi ce foutu spinnaker ! »

Jeagly et Hank envoyèrent la voile. Le vent la remplit avec un claquement semblable à un coup de tonnerre et *Gimme Shelter* soudain bondit en avant.

« C'est ça, mon vieux ! s'exclama Mark. Allez, petit, vas-y, vas-y.

— Regardez, dit Jaegly, tendant le bras vers l'arrière. Que leur arrive-t-il ? »

Abby parvint à lever la tête et à se retourner vers le bateau d'Archer.

Red Eye avait abandonné la poursuite. Il avait fait demi-tour à l'approche de la bouée et se dirigeait à présent vers le port.

« Ils ont mis leur moteur en route, dit Mark.

— Tu crois qu'ils s'avouent battus ?

— Archer ? Impossible.

— Alors pourquoi rentrent-ils ?

— On ferait mieux d'aller se renseigner. Amenez le spinnaker. » Mark mit le moteur à son tour. « Nous rentrons nous aussi. »

Merci, mon Dieu ! soupira Abby en elle-même.

Ses nausées se calmaient au moment où ils entrèrent dans la marina. *Red Eye* était amarré à l'appontement et son équipage occupé à ferler les voiles et à lover les cordages.

« Ohé du *Red Eye* ! » appela Mark en passant près de lui. Que se passe-t-il ? »

Archer agita son téléphone portable. « Un appel de Marilee ! Elle nous a demandé de rentrer. C'est sérieux. Elle nous attend au yacht-club.

— D'accord. On vous retrouve au bar », dit Mark. Il se tourna vers son équipage. « Amarrons-nous. Le temps de prendre un verre, ensuite nous ressortirons faire un tour en mer.

— Vous vous débrouillerez sans lest. Je mets sac à terre. »

Mark la regarda d'un air surpris. « Déjà ?

— Tu ne m'as pas vue penchée par-dessus bord ? Figure-toi que je n'étais pas en train d'admirer le paysage.

— Pauvre Abby ! je te revaudrai ça, d'accord ? C'est promis. Du champagne. Des fleurs. Le restaurant de ton choix.

— Laisse-moi seulement descendre de ce maudit bateau. »

Riant, il se dirigea vers l'appontement. « Entendu, matelot. »

Pendant que *Gimme Shelter* avançait doucement le long du quai des visiteurs, Mohandas et Hank sautèrent à terre et tournèrent les amarres à l'avant et à l'arrière. Abby quitta le bord sans attendre une seconde. Même le quai lui semblait tanguer.

« Laissez les voiles enverguées, dit Mark. Attendons de savoir ce que compte faire Archer.

— Il a probablement déjà donné le signal des réjouissances », dit Mohandas.

Oh mon Dieu, se dit Abby en remontant le quai aux côtés de Mark qui lui entourait les épaules d'un geste possessif. Encore du jargon de marin en perspective. Encore une de ces réunions d'hommes au teint hâlé, avec leurs mêmes gin tonics, leurs mêmes polos, leurs mêmes rires tonitruants.

Ils pénétrèrent dans le club house, passant du soleil à la pénombre. La première chose qui la frappa fut le silence. Elle vit Marilee devant le bar, un verre à la main. Seul à une table, un dessous de verre en carton devant lui, Archer ne buvait rien. L'équipage de *Red Eye* était rassemblé autour du bar, immobile, muet. Seul s'entendait dans la pièce le tintement des glaçons dans le verre de Marilee quand elle le portait à ses lèvres, buvait une gorgée, et le reposait sur le comptoir.

Mark demanda : « Que se passe-t-il ? »

Marilee leva les yeux et battit des paupières, comme si elle venait de remarquer la présence de Mark. Puis elle dirigea à nouveau son regard en direction de son verre posé sur le comptoir.

« On a retrouvé Aaron », dit-elle.

C'était le crissement de la scie de Stryker qui faisait habituellement cet effet ; ou l'odeur. Cette fois-ci, ça sentait vraiment mauvais.

L'inspecteur Bernard Katzka, de la brigade criminelle, leva les yeux de la table d'autopsie et s'aperçut que Lundquist supportait mal cette puanteur. À demi détourné, son jeune collègue se couvrait le nez et la bouche de sa main gantée, ses traits de jeune premier déformés par un haut-le-cœur.

Lundquist n'avait pas encore l'estomac suffisamment solide face aux autopsies ; la plupart des flics n'y arrivaient jamais. Bien que le découpage de cadavres ne fût pas le spectacle favori de Katzka, il s'était habitué au fil des années à considérer cette procédure comme un exercice intellectuel, se concentrant non sur la personne de la victime, mais sur la nature purement organique de la mort. Il avait vu des corps calcinés dans des incendies, disloqués sur la chaussée après des chutes de vingt étages, percés de balles ou de coups de couteau ou des deux, des corps grignotés par des rongeurs. À l'exception des corps d'enfants, qui toujours le bouleversaient, un corps en valait un autre sur la table d'autopsie, un spécimen déshabillé, examiné et catalogué. Les voir sous un autre jour était une invitation au cauchemar.

Bernard Katzka avait quarante-quatre ans et il était veuf. Trois ans auparavant, il avait vu sa femme mourir d'un cancer. Katzka avait déjà vécu son pire cauchemar.

Il se concentra sans émotion sur le corps qui faisait l'objet de l'autopsie. Le sujet était un homme de cinquante-quatre ans, marié, deux enfants à l'université, cardiologue de profession. Son identité avait été confirmée par ses empreintes digitales, et sa veuve l'avait identifié. L'expérience avait dû être horriblement traumatisante. Se trouver face au cadavre d'un être cher est une épreuve. Lorsque cet être est resté pendu par le cou pendant deux jours dans une pièce chaude et non ventilée, sa vue est une pure abomination.

La veuve, lui avait-on rapporté, était tombée évanouie sur le sol de la morgue.

Rien d'étonnant à ça, se dit Katzka, observant le corps d'Aaron Levi. Le visage était exsangue ; l'afflux artériel avait été interrompu par la pression de la ceinture de cuir passée autour du cou. La langue sortait, noire et écailleuse, la surface de la muqueuse desséchée par l'exposition prolongée à l'air. Les paupières n'étaient qu'à demi fermées, révélant des yeux que les hémorragies sclérales avaient teintés d'un rouge sang effrayant. Au-dessous du cou, marqué par l'empreinte de la ligature, la peau montrait le dessin classique d'accumulation déclive du sang, une décoloration marbrée de la partie inférieure des jambes et des bras, et des hémorragies ponctuelles, appelées taches de Tardieu, aux endroits de rupture des vaisseaux. Tout cela n'était que la conséquence logique de la pendaison. La seule blessure visible, à part la marque autour du cou, était une meurtrissure de la taille d'une pièce de monnaie sur l'épaule gauche.

Le docteur Rowbotham et son assistant, en blouse et gants, les yeux protégés par des lunettes, terminaient l'incision thoraco-abdominale. Un Y avec deux entailles diagonales qui partaient des épaules et se rejoignaient à l'extrémité inférieure du sternum, puis une autre verticale le long de l'abdomen jusqu'à l'os pubien. Rowbotham était médecin légiste depuis trente-deux ans, et ne semblait jamais ni ému ni surpris. Il donnait même l'impression de s'ennuyer en découpant les corps. Il dictait de son ton monocorde habituel, appuyant et relâchant la pédale de l'enregistreur. Il souleva le bouclier triangulaire des côtes et du sternum et exposa la cavité pleurale.

« Venez voir », Slug, dit-il à Katzka. Le surnom ne se rapportait pas à l'apparence de Katzka, qui n'avait rien d'une limace, mais à son caractère imperturbable. Ses collègues de la police aimaient à dire que si vous tiriez sur Bernard Katzka un lundi, il risquait de réagir le vendredi, mais au cas seulement où s'il s'énerverait.

Katzka se pencha pour regarder l'intérieur de la cavité, l'air aussi impassible que Rowbotham. « Je ne vois rien d'inhabituel.

— Exactement. Peut-être un peu de congestion pleurale. Probablement une perte capillaire due à l'hypoxie. Mais tout ça correspond à la mort par asphyxie.

— Dans ce cas, je pense que nous pouvons partir, non ? » dit Lindquist. Il fit mine de s'en aller, s'éloignant de l'odeur, impatient de passer à autre chose. Il ressemblait à tous ces rouleurs de mécaniques, ne pensant qu'à se mettre en chasse, n'importe quelle chasse. Rechignant à perdre son temps avec un suicide par pendaison.

Katzka ne bougea pas de la table.

« Faut-il vraiment assister au reste, Slug ? demanda Lundquist.

— Ils viennent à peine de commencer.

— C'est un suicide.

— Celui-ci me paraît différent.

— Les constatations n'ont rien de particulier. Vous venez de l'entendre.

— Il est sorti de son lit au milieu de la nuit. Il s'est levé, habillé, est monté dans sa voiture. Réfléchis. Il serait sorti de son lit bien chaud pour aller se pendre au dernier étage d'un hôpital ? »

Lundquist regarda le corps, puis détourna les yeux à nouveau.

À présent Rowbotham et son assistant ayant sectionné la trachée et les gros vaisseaux, extrayaient le cœur et les poumons que Rowbotham jeta sur une bascule comme un paquet flasque. Le plateau d'acier s'abaissa, grinçant sous le poids des organes.

« C'est votre seule chance de les examiner, dit-il, son scalpel s'attaquant à la rate. Dès que nous aurons fini, le corps partira directement au cimetière. Demande de la famille.

— Une raison spéciale ?

— La religion juive. Des funérailles rapides. Tous les organes doivent être replacés à l'intérieur du corps. » Rowbotham fit tomber la rate dans la balance et observa l'aiguille qui oscillait avant de se stabiliser.

Lundquist ôta vivement sa blouse, dévoilant des épaules musclées, qui témoignaient des heures passées au gymnase, à faire des pompes et à transpirer. Il avait une énergie inépuisable et aimait à le montrer. Celui qui voulait en faire toujours plus, c'était Lundquist. Katzka avait encore du pain sur la planche pour le former et la leçon d'aujourd'hui était censée lui montrer que les premières impressions peuvent être trompeuses — difficile à faire admettre à un jeune flic sûr de lui, au physique aussi avantageux. Et qui plus est doté d'une telle crinière.

Rowbotham poursuivit l'éventration. Il sectionna les intestins, tirant sur une succession interminable de boyaux. Le foie, le pancréas et l'estomac furent retirés en une seule masse. Suivis des reins et de la vessie qui rejoignirent les autres organes sur la balance. À leur tour pesés, enregistrés. Il ne restait plus désormais qu'une cavité béante.

Contournant le corps, Rowbotham s'approcha alors de la tête, pratiqua une incision sous une oreille qu'il poursuivit jusqu'au milieu du cuir chevelu derrière la tête. Puis il souleva une moitié de la peau ainsi dégagée, la rabattit par-dessus le visage, souleva l'autre moitié et la ramena vers le cou, exposant la base du crâne. Il s'empara de la scie oscillante, et une grimace déforma ses traits lorsque la poussière d'os se mit à voler. Personne ne prononçait un mot dans la pièce. La scie faisait trop de bruit et l'intervention devenait carrément écœurante. Ouvrir une poitrine ou un abdomen offrait un spectacle grotesque mais qui restait malgré tout impersonnel. Pas plus émouvant que la dissection d'une vache. Mais scalper un crâne était une mutilation qui atteignait l'aspect le plus humain, le plus personnel d'un cadavre.

Lundquist, qui blêmissait à vue d'œil, s'assit brusquement sur une chaise près de l'évier et se prit la tête entre les mains. Bien des flics avaient utilisé cette même chaise.

Rowbotham posa la scie et ôta la calotte crânienne. Il dégagea l'organe, sectionna les nerfs optiques, les vaisseaux sanguins et la moelle épinière. Puis, avec précaution, il sortit la masse tremblotante du cerveau. « Rien d'anormal », dit-il, et il le fit glisser dans un seau de formol.

« Venons-en aux choses sérieuses, à présent. Le cou. »

Tout ce qui avait précédé n'était en quelque sorte qu'un préliminaire. L'extraction des viscères et du cerveau avait permis le drainage des fluides des cavités crânienne et thoracique. La dissection du cou se déroulerait avec un minimum de sang et autres fluides.

La ceinture avait été retirée du cou dès le début de l'autopsie. Rowbotham examinait maintenant le sillon creusé dans la peau.

« Le classique V renversé, nota-t-il à voix haute. Regardez, Slug. Les marques parallèles de la ligature correspondent aux bords de la ceinture. Et en arrière, que voyez-vous ?

— On dirait l'empreinte de la boucle.

— Exactement. Jusqu'ici, rien de surprenant. »

Lundquist avait récupéré et s'était rapproché de la table, l'air moins fanfaron. Nous devenons tous égaux face aux nausées, songea Katzka. Elles ramènent à la réalité les flics les plus athlétiques.

La lame de Rowbotham avait déjà incisé la peau du cou antérieur. Il l'enfonça plus profondément, décou-

vrant les cornes supérieures, d'un blanc nacré, du cartilage thyroïde.

« Pas de fracture. Il y a une petite hémorragie par
ici, dans le tissu musculaire. Mais le cartilage thyroïde
et l'os hyoïde semblent intacts.

— Ce qui veut dire ?

— Rien du tout. La pendaison ne cause pas néces-
sairement de lésions importantes au niveau du cou. La
mort résulte uniquement de l'interruption de l'irriga-
tion du cerveau. La compression des artères carotides
est suffisante. C'est un moyen relativement peu douloureux de se supprimer.

— Vous avez l'air plutôt certain qu'il s'agit d'un
suicide.

— La seule autre éventualité est un accident.
Asphyxie auto-érotique. Mais vous dites qu'il n'y avait
aucun indice de cette sorte. »

Lundquist dit : « Sa bite était encore recouverte. Il
n'avait pas l'air de s'être branlé.

— Donc nous avons affaire à un suicide. Il n'y a
pratiquement jamais d'homicide par pendaison. De
toute façon, si cet homme avait été étranglé, il aurait
sur le cou une marque de ligature différente. Pas cet Y
renversé. Et un homme que l'on aurait forcé à passer
sa tête dans un nœud coulant porterait d'autres traces.
Il se serait défendu.

— Il y a cette marque en haut du bras gauche. »

Rowbotham haussa les épaules. « Il a pu se blesser
de mille façons.

— Et si on l'avait drogué avant de le pendre ?

— Nous allons demander une recherche de produit
toxique, Slug, uniquement pour vous faire plaisir. »

Lundquist se permit un petit rire : « Et Dieu sait s'il
faut faire plaisir à Slug. » Il s'écarta de la table. « Il
est quatre heures. Vous venez, Slug.

— J'aimerais voir le reste de la dissection du cou.

— Si cela peut exciter votre imagination. Person-
nellement, je dirais qu'il s'agit d'un suicide et je me
tirerais.

— Moi aussi. S'il n'y avait pas cette histoire de lumière.

— Quelle histoire de lumière ? » interrogea Rowbotham, une lueur soudaine d'intérêt dans les yeux.

« Slug est obnubilé par les lumières dans cette pièce, dit Lundquist.

— Le docteur Aaron a été retrouvé pendu dans une chambre inutilisée de l'hôpital, expliqua Katzka. L'ouvrier qui a découvert le corps est pratiquement certain que la lampe était éteinte.

— Continuez, dit Rowbotham.

— Eh bien, votre estimation de l'heure du décès correspond à nos suppositions — le docteur Levi est apparemment mort samedi, au petit matin. Bien avant le lever du jour. Ce qui signifie soit qu'il s'est pendu dans le noir, soit que quelqu'un a éteint la lumière.

— Ou que l'ouvrier ne se souvient pas de ce qu'il a vu, dit Lundquist. Ce type était en train de vomir tripes et boyaux dans les toilettes. Comment voulez-vous qu'il se souvienne s'il y avait de la lumière ou non ?

— C'est un détail qui me tracasse. »

Lundquist s'esclaffa. « Moi, ça ne me tracasse pas », décréta-t-il, et il jeta sa blouse dans la corbeille de linge sale.

Il était presque six heures du soir lorsque Katzka arrêta sa Volvo dans le parking du Bayside Hospital. Il descendit, entra dans le hall et prit l'ascenseur jusqu'au treizième étage. Le niveau le plus haut auquel on pouvait accéder sans passe. Une fois arrivé, il dut quitter l'ascenseur et prendre l'escalier de secours pour atteindre le dernier étage.

La première chose qui le frappa en émergeant de la cage d'escalier fut le silence. Une impression d'abandon. Depuis des mois, cette partie du bâtiment était en rénovation. Les équipes d'ouvriers n'étaient pas venues aujourd'hui, mais elles avaient laissé leur matériel. L'air sentait la sciure et la peinture fraîche... et autre chose, aussi. Une odeur qui lui rappelait la salle d'autopsie. La mort. Il passa devant des échelles et une scie Makita, puis tourna à l'angle du couloir.

À mi-chemin du couloir suivant, les cordons jaunes de la police barraient l'accès de l'une des portes. Katzka se glissa sous l'une d'elles et ouvrit la porte.

Les rénovations étaient terminées dans la pièce. Il y avait un papier mural neuf, des placards incorporés, et une baie vitrée avec vue sur toute la ville. Une chambre d'hôpital pour patient au portefeuille exceptionnellement bien garni. Il entra dans la salle de bains et fit fonctionner l'interrupteur mural. Le luxe y était encore plus flagrant. Lavabos encastrés dans une tablette de marbre, robinetterie de bronze doré, rampe d'éclairage autour du miroir. Des toilettes comparables à un trône. Il éteignit la lumière et sortit de la salle de bains.

Il se rendit à la penderie.

C'était là que l'on avait trouvé le docteur Aaron Levi. Une extrémité de sa ceinture de cuir attachée à la tringle de la penderie. L'autre formant une boucle autour de son cou. Apparemment, il avait simplement laissé ses jambes se dérober sous lui, forçant la ceinture à se serrer autour de son cou, interrompant le flux de sang de la carotide vers le cerveau. S'il avait changé d'avis au dernier moment, il lui aurait suffi de poser ses pieds sur le sol et de relâcher la ceinture. Mais non, il n'en avait rien fait. Il était resté pendu pendant les cinq ou dix secondes nécessaires pour perdre conscience.

Trente-six heures plus tard, le dimanche après-midi, un des ouvriers était entré dans la chambre pour finir de poser le joint de la baignoire. Il ne s'attendait pas à y trouver un cadavre.

Katzka alla à la fenêtre d'où il contempla Boston. Docteur Aaron Levi, pensait-il, que s'est-il passé soudain de si terrible dans votre vie ?

Un cardiologue. Une épouse, une belle maison, une Lexus. Deux enfants à l'université. Sans raison, Katzka se sentit subitement envahi d'une sorte de rage contre

Aaron Levi. Que savait-il du désespoir et de la détresse ? Quelle raison avait-il de vouloir en finir avec la vie ? Lâche. Lâche. Katzka tourna le dos à la fenêtre, tremblant de colère. De dégoût envers quelqu'un qui pouvait choisir une telle fin. Et pourquoi *celle-là précisément* ? Pourquoi se pendre dans cette pièce isolée où l'on risquait de ne pas vous retrouver avant des jours ?

Il y avait d'autres façons de se suicider. Levi était médecin. Il avait accès aux barbituriques, aux narcotiques, à toutes les drogues dont on pouvait absorber des doses létales. Katzka connaissait exactement la quantité de phénobarbital qu'il fallait avaler pour mettre fin à son existence. Il s'était penché sur la question. Un jour, il avait compté le nombre de pilules nécessaires en fonction de son propre poids. Il les avait étalées sur la table de sa salle à manger, calculant la somme de liberté qu'elles représentaient. La fin du chagrin, du désespoir. Une issue facile mais irréversible, une fois ses affaires résolues. Mais il n'avait jamais trouvé le bon moment. Il y avait trop de choses à régler avant, trop de responsabilités. Les formalités pour l'enterrement d'Annie. Payer l'hôpital. Un procès où il devait témoigner, puis un double homicide à Roxbury, le dernier des huit versements pour finir de payer sa voiture et le triple homicide de Brookline, et un autre procès requérant son témoignage.

Finalement, Slug Katzka avait été trop occupé pour se donner la mort.

Aujourd'hui, trois années s'étaient écoulées, Annie était enterrée et il s'était débarrassé depuis belle lurette des pilules de phénobarbital. Il ne pensait plus jamais au suicide. De temps à autre, cependant, il revoyait ces pilules sur la table, et il se demandait pourquoi il avait été tenté. Pourquoi s'était-il trouvé si près de la reddition. Il n'avait aucune sympathie pour le Slug qu'il était alors. Ni pour quiconque armé d'un flacon de pilules, arrivé au dernier degré d'apitoiement sur soi-même.

Et quelle était votre raison, docteur Levi ?

Admirant la ville qui s'étendait dans toute sa splendeur sous ses yeux, il se représenta la dernière heure de la vie d'Aaron Levi. Il essaya de l'imaginer sortant du lit à trois heures du matin. Prenant sa voiture pour se rendre à l'hôpital. Montant en ascenseur au treizième étage. Pénétrant dans cette chambre. Accrochant sa ceinture à la tringle de la penderie, passant sa tête dans la boucle.

Katzka fronça les sourcils.

Il alla à l'interrupteur et l'abaissa. La lumière s'alluma. Elle fonctionnait parfaitement. Qui l'avait éteinte ? Aaron Levi ? L'ouvrier qui avait découvert le corps ?

Des détails, pensa Katzka. C'étaient les détails qui le rendaient fou.

11

« Je n'arrive pas à y croire, répétait Elaine. Je n'arrive pas à y croire. » Elle ne pleurait pas, elle était restée les yeux secs durant toutes les funérailles, à la stupéfaction de sa belle-mère, Judith, qui avait éclaté en sanglots pendant que l'on récitait le Kaddish sur la tombe. La douleur de Judith était aussi publique que la fente qui déchirait sa blouse, symbole d'un cœur déchiré par la douleur. Elaine n'avait pas fendu sa blouse. Elaine n'avait pas versé une larme. À présent, elle se tenait assise dans son salon, une assiette de canapés sur les genoux, et elle répétait : « Je ne peux pas croire qu'il n'est plus là.

— Vous n'avez pas recouvert les miroirs, dit Judith. Vous devriez les recouvrir. Tous les miroirs de la maison.

— Faites ce que vous voulez, murmura Elaine. »

Judith quitta la pièce à la recherche de draps pour

cacher les miroirs. Un moment plus tard, les invités rassemblés dans le salon entendirent Judith qui ouvrait et fermait les placards à l'étage.

« Sans doute une coutume juive », chuchota Marilee Archer en offrant un plateau de canapés à Abby.

Abby prit un petit sandwich aux olives et fit passer le plateau. Il circula de main en main parmi les invités. Personne n'avait vraiment faim. Les gens grignotaient poliment, avalaient une gorgée de rafraîchissement. Abby n'avait nulle envie de manger. Ni de parler. Il y avait plus d'une vingtaine de personnes dans la pièce, toutes assises avec un air compassé sur les chaises ou les divans, ou debout par petits groupes, mais personne ne disait grand-chose.

Un bruit de chasse d'eau résonna à l'étage. Judith, bien sûr. Elaine fit une petite grimace gênée. Quelques sourires apparurent sur le visage des invités, vite réprimés. Derrière le canapé où se tenait Abby, quelqu'un fit remarquer que l'automne était tardif cette année. On était déjà en octobre, et les feuilles commençaient à peine à jaunir. Le silence, enfin, avait été rompu. Les conversations s'animèrent ; des considérations sur les jardins en automne et que pensez-vous de Dartmouth ? Au centre de l'assemblée, Elaine se taisait, soulagée d'entendre les autres parler.

Le plateau de canapés revint vide à Abby. « Je vais le regarnir », dit-elle à Marilee, et elle rejoignit la cuisine. Les comptoirs de marbre débordaient de nourriture. Personne ne mangerait tout ça aujourd'hui. Elle déballait un plateau de saumon fumé quand elle remarqua Archer, Mohandas et Zwick sur la terrasse, à l'extérieur. Ils parlaient, secouaient la tête. C'était typiquement masculin de fuir en des moments pareils, pensa-t-elle. Les hommes ne supportaient ni les veuves éplorées ni les silences prolongés ; ils laissaient ça aux femmes de la maison. Ils avaient même emporté une bouteille de scotch avec eux. Elle était posée sur la table de jardin, à portée de main. Zwick remplit son verre. Au moment où il rebouchait la bouteille, il aperçut Abby, et dit quelque chose à Archer. Archer et Mohandas se tournèrent alors vers elle, firent un signe de tête avec un geste rapide de la main. Puis les trois hommes traversèrent la terrasse et s'éloignèrent en direction du jardin.

« Il y a de quoi nourrir un régiment. Que vais-je faire de tout ça ? » Abby n'avait pas entendu Elaine entrer dans la cuisine. Elle contemplait le comptoir en hochant la tête. « J'ai commandé au traiteur un buffet pour quarante personnes, et voilà ce qu'ils m'apportent. Ce n'est pas un mariage. Personne n'a très faim après un enterrement. » Elaine prit un radis en forme de rose dans un plateau. « C'est joli, n'est-ce pas, cette façon de présenter les choses ? Tant de soin pour un simple aliment que vous mettez dans votre bouche. » Elle le reposa et resta immobile, sans parler, admirant en silence le radis.

« Je suis désolée, Elaine, dit Abby. Si seulement je pouvais soulager un peu votre peine.

— Je voudrais seulement comprendre. Il ne disait jamais rien. Il ne m'a jamais dit que... » Elle avala sa salive et secoua la tête. Elle emporta le plateau jusqu'au réfrigérateur, le glissa sur une clayette, et referma la porte. Se retournant, elle regarda Abby. « Vous lui avez parlé cette nuit-là. Avez-vous discuté de quelque chose..., y a-t-il quelque chose qu'il aurait dit...

— Nous avons parlé de l'une de nos patientes. Aaron voulait vérifier le traitement que je lui administrais.

— Vous n'avez pas parlé d'autre chose ?

— Uniquement de la patiente. Aaron ne m'a pas paru différent. Seulement inquiet. Elaine, je n'aurais jamais imaginé... » Abby se tut.

Le regard d'Elaine s'attarda sur un autre plateau, une garniture de petits oignons verts dont les queues se dressaient, découpées et ourlées comme de la dentelle. « Avez-vous entendu des rumeurs concernant Aaron que... qu'il valait mieux que j'ignore ?

— Que voulez vous dire ?

— Des bruits à propos d'autres femmes ?

— Jamais. » Abby secoua la tête. Et répéta, d'un ton plus ferme : « Jamais. »

Elaine ne sembla pas trouver de réconfort dans l'affirmation d'Abby. « Je n'ai jamais cru qu'il s'agissait d'une femme », dit-elle. Elle ramassa un autre plateau qu'elle alla ranger avec le premier dans le réfrigérateur. Après avoir refermé la porte, elle ajouta : « Ma belle-mère me rend responsable. Elle se demande si ce n'est pas à cause de moi. Les gens se posent certainement la même question.

— Personne n'est jamais responsable du suicide de quelqu'un.

— Il n'y a eu aucun signe avertisseur. Rien. Oh, je sais qu'il n'était pas heureux dans son travail. Il parlait sans cesse de quitter Boston. Ou d'abandonner pour de bon la médecine.

— Pourquoi était-il aussi insatisfait ?

— Il refusait d'en parler. Quand il avait son cabinet à Natick, nous parlions tout le temps de son travail. Puis cette offre est venue de Bayside, trop tentante pour la refuser. Mais peu après notre installation ici, il a changé. Il rentrait à la maison et restait assis comme un zombie devant l'ordinateur. Il jouait pendant des heures entières à ces satanés jeux vidéo. Parfois tard la nuit. Je me réveillais et j'entendais des bruits étranges. C'était Aaron qui jouait. » Elle secoua la tête, contempla le comptoir, la nourriture intacte. « Vous êtes une des dernières personnes à lui avoir parlé. Quelque chose vous a-t-il frappé dans ce qu'il vous a dit ? »

Abby regarda par la fenêtre de la cuisine, tentant de reconstituer cette ultime conversation avec Aaron. Rien ne la distinguait des autres appels téléphoniques reçus au milieu de la nuit. Ils se confondaient tous dans son esprit, un chœur de voix monotones exigeant une réponse de son cerveau fatigué.

Dehors, les trois hommes revenaient de leur escapade dans le jardin. Elle les vit traverser la terrasse jusqu'à la porte de la cuisine. Zwick portait la bouteille de scotch, maintenant à moitié vide. Ils entrèrent et lui firent un petit salut.

« Joli jardin, fit Archer. Vous devriez aller faire un tour, Abby.

— Pourquoi pas ? répondit-elle. Elaine, vous pourriez peut-être m'accompagner et... » Elle se tut.

Il n'y avait plus personne près du réfrigérateur. Elle parcourut la cuisine du regard, vit les plateaux de sandwiches sur le comptoir et une boîte de film plastique dont une feuille à moitié sortie tremblotait à l'air.

Elaine avait quitté la pièce.

Une femme était en prière au chevet du lit de Mary. La tête inclinée, les mains jointes, elle murmurait à voix haute le saint nom de Jésus, l'implorant de faire pleuvoir ses miracles sur l'enveloppe mortelle de Mary Allen. « Guérissez-la, donnez-lui des forces, purifiez son corps et son âme pécheresse afin qu'elle puisse enfin accueillir Votre Parole dans toute sa gloire.

— Excusez-moi, dit Abby. Je regrette de vous déranger mais je dois examiner Mme Allen. »

La femme continua à prier. Peut-être ne l'avait-elle pas entendue. Abby s'apprêtait à renouveler sa demande lorsque la femme dit enfin « Amen » et releva la tête. Elle avait un regard sévère et des cheveux ternes parsemés de fils gris. Elle regarda Abby d'un air irrité.

« Je suis le docteur DiMatteo, dit Abby. C'est moi qui suis chargée de soigner Mme Allen.

— Moi aussi », répliqua la femme en se relevant. Elle resta debout, sans tendre la main, serrant sa bible contre sa poitrine. « Je suis Brenda Heiney. La nièce de Mary.

— J'ignorais que Mary avait une nièce. Je suis heureuse que vous soyez venue lui rendre visite.

— Je suis au courant de son état depuis deux jours seulement. Personne n'a pris la peine de me prévenir. »

Son ton impliquait qu'Abby était d'une certaine manière responsable de cette négligence.

« Nous pensions que Mary n'avait pas de famille.

— Je me demande pourquoi. Mais je suis là à présent. » Brenda regarda sa tante. « Et elle va aller beaucoup mieux. »

Si ce n'est qu'elle est mourante, pensa Abby. Elle s'approcha du lit et dit doucement : « Madame Allen ? »

Mary ouvrit les yeux. « Je suis réveillée, docteur. Je me reposais.

— Comment vous sentez-vous aujourd'hui ?

— Toujours mal au cœur.

— C'est probablement un effet secondaire de la morphine. Nous allons vous donner quelque chose contre les nausées. »

Brenda intervint : « Vous lui administrez de la morphine ?

— Pour calmer la douleur.

— N'existe-t-il pas d'autres moyens ? »

Abby se tourna vers la nièce. « Madame Hainey, voudriez-vous sortir, je vous prie ? Il faut que j'examine votre tante.

— Mademoiselle Hainey, corrigea Brenda. Et je suis certaine que Tante Mary préférerait que je reste.

— Je dois néanmoins vous demander de quitter la chambre. »

Brenda lança un coup d'œil à sa tante, attendant visiblement une protestation de sa part. Mary Allen regardait droit devant elle, silencieuse.

La nièce serra plus fort sa bible contre elle. « J'attends dans le couloir, tante Mary.

— Seigneur, murmura Mary lorsque la porte se fut refermée sur Brenda. C'est sans doute mon châtiment.

— Faites-vous allusion à votre nièce ? »

Le regard las de Mary se fixa sur Abby. « Croyez-vous que mon âme ait besoin d'être sauvée ?

— Je pense que vous êtes seule juge. Et personne

171

d'autre. » Abby sortit son stéthoscope. « Puis-je écouter vos poumons ? »

Docilement Mary s'assit et souleva sa chemise d'hôpital.

Le murmure vésiculaire était sourd. Abby percuta doucement le dos de Mary, écouta le changement entre le liquide et l'air, et constata que l'accumulation de fluide dans la poitrine avait augmenté depuis le dernier examen.

Abby se redressa. « Comment respirez-vous ?

— Bien.

— Il nous faudra peut-être ponctionner davantage de liquide bientôt. Ou insérer une autre sonde.

— Pourquoi ?

— Pour vous permettre de mieux respirer. Pour plus de confort.

— Est-ce la seule raison ?

— Le confort est une raison très importante, madame Allen. »

Mary se renversa contre ses oreillers. « Alors je vous préviendrai dès que j'en sentirai le besoin », murmura-t-elle.

En sortant de la chambre, Abby trouva Brenda Hainey postée à la porte. « Votre tante désire dormir un moment, dit-elle. Peut-être pourriez-vous revenir un peu plus tard.

— Il y a une question dont je dois m'entretenir avec vous, docteur.

— Oui ?

— Je viens de me renseigner auprès de l'infirmière. À propos de la morphine. Est-ce vraiment nécessaire ?

— Je pense que votre tante vous répondrait oui.

— Ça l'abrutit complètement. Elle passe son temps à dormir.

— Nous faisons notre possible pour l'empêcher de souffrir. Son cancer a atteint tout son organisme. Les os, le cerveau. C'est la pire douleur qui existe. Le mieux que nous puissions faire pour elle est de l'aider à s'en aller avec le minimum de souffrance.

— Que voulez-vous dire par l'aider à s'en aller ?

— Elle est en train de mourir. Nous ne pouvons rien y faire.

— Vous avez employé ces mots : *l'aider à s'en aller*. Est-ce dans ce but que vous lui donnez de la morphine ?

— C'est son souhait et ce dont elle a besoin à ce moment précis.

— J'ai déjà fait face à ce genre de situation, docteur. Avec d'autres membres de ma famille. Je sais qu'il est illégal d'aider médicalement un suicide. »

Abby sentit la colère monter en elle. S'efforçant de la contrôler, elle dit aussi calmement que possible : « Vous m'avez mal comprise. Tout ce que nous tentons de faire c'est d'assurer à votre tante un minimum de bien-être.

— Il existe d'autres façons d'y parvenir.

— Par exemple ?

— Faire intervenir une aide d'un ordre plus élevé.

— Faites-vous allusion à la prière ?

— Pourquoi pas ? Elle m'a aidée à traverser des moments difficiles.

— Votre tante vous est certainement reconnaissante de prier pour elle. Mais si je ne me trompe, il n'y a rien dans la Bible contre la morphine. »

Le visage de Brenda se ferma. Elle s'apprêtait à rétorquer lorsque le bip d'Abby retentit.

« Excusez-moi », dit Abby froidement, et elle s'en alla, laissant la conversation en plan. Il valait mieux ; elle avait failli faire une remarque sarcastique. Du genre : *Pendant que vous priez votre Dieu, vous pourriez par la même occasion Lui demander de la guérir.* Brenda l'aurait certainement mal pris. Avec le procès de Joe Terrio se profilant à l'horizon, et Victor Voss déterminé à la faire licencier, rien ne serait pire qu'une autre plainte déposée contre elle.

Elle décrocha un téléphone dans le PC des infirmières et composa le numéro qui s'affichait sur l'écran de son bip.

Une voix de femme lui répondit. « Bureau d'accueil à l'appareil.

— Ici le docteur DiMatteo. Vous m'avez appelée ?

— Oui, docteur. Il y a un certain M. Bernard Katzka à l'accueil. Il demande si vous pouvez venir le rejoindre dans le hall.

— Je ne connais personne de ce nom. Je suis très occupée. Pouvez-vous lui demander de quoi il s'agit ? »

Il y eut un bruit de voix dans l'appareil. Lorsque l'employée revint en ligne, son ton trahissait une étrange réticence. « Docteur DiMatteo ?

— Oui.

— C'est un policier. »

L'homme qui attendait dans le hall lui parut vaguement familier. Environ quarante-cinq ans, de taille moyenne, un visage ni beau ni laid, sans rien de particulier. Ses cheveux châtain foncé s'éclaircissaient sur le sommet du crâne, ce qu'il ne cherchait pas à dissimuler, comme certains, en rabattant une mèche de côté en guise de camouflage. Quand elle s'approcha de lui, elle eut l'impression qu'il la reconnaissait aussi. En fait, il l'avait identifiée dès l'instant où elle était sortie de l'ascenseur.

« Docteur DiMatteo, dit-il, je suis l'inspecteur Bernard Katzka. De la brigade criminelle. »

Ce seul mot la fit sursauter. De quoi s'agissait-il encore ? Ils se serrèrent la main. Alors seulement, en rencontrant son regard, elle se souvint de l'endroit où elle l'avait vu. Au cimetière. À l'enterrement. Il se tenait légèrement en retrait, silhouette silencieuse en costume sombre. Durant le service, leurs yeux s'étaient croisés. Elle ne comprenait pas un mot des prières en hébreu, et avait laissé son attention s'attarder sur les gens qui l'entouraient. Et elle s'était alors aperçue que quelqu'un d'autre observait attentivement chacun des membres de l'assistance. Ils s'étaient regardés, pendant à peine une seconde, puis il s'était détourné. Il ne lui avait laissé aucune impression sur l'instant. En contemplant son visage à présent, elle remarqua ses yeux gris, calmes et déterminés. Sans cette intelligence qui les habitait, Bernard Katzka aurait pu passer complètement inaperçu.

Elle demanda : « Êtes-vous un ami de la famille Aaron ?

— Non.

— Je vous ai vu au cimetière. Est-ce que je me trompe ?

— J'y étais. »

Elle se tut, attendant une explication, mais il se borna à dire : « Y a-t-il un endroit où nous puissions parler ?

— Puis-je vous demander de quoi il s'agit ?

— De la mort du docteur Levi. »

Elle tourna la tête vers les portes du hall. Le soleil brillait et elle n'était pas sortie de la journée.

« Nous pourrions sortir. Il y a un petit jardin derrière l'hôpital avec quelques bancs », dit-elle.

Il faisait chaud dehors ; une parfaite après-midi d'octobre. C'était la période des chrysanthèmes, le massif circulaire débordait de fleurs couleur rouille, orange et jaune. Au milieu se dressait une fontaine d'où jaillissait un jet d'eau apaisant. Ils s'assirent sur l'un des bancs de bois. Deux infirmières sur l'autre banc se levèrent et s'éloignèrent vers les bâtiments, laissant Abby et l'inspecteur seuls. Ils restèrent un moment sans parler, plongés dans un silence qui mit Abby mal à l'aise mais ne parut pas troubler son compagnon le moins du monde. Il paraissait accoutumé aux silences prolongés.

« C'est Elaine Levi qui m'a communiqué votre nom, dit-il enfin. Elle m'a suggéré de vous rencontrer.

— Pourquoi ?

— Vous avez parlé au docteur Levi samedi matin. C'est exact, n'est-ce pas ?

— Oui. Au téléphone.

— Vous souvenez-vous de l'heure ?

— Il était environ deux heures du matin, je crois. J'étais à l'hôpital.

— C'est lui qui a appelé ?

— À vrai dire, il a appelé le service de réanimation et demandé à parler à l'interne de garde. C'était moi ce soir-là.

— Pour quelle raison téléphonait-il ?

— À propos d'une patiente. Elle souffrait de fièvre postopératoire, et Aaron désirait discuter des mesures à prendre. Les analyses nécessaires, les radios à faire. Pouvez-vous me dire de quoi il retourne ?

— J'essaye d'établir la chronologie des événements. Ainsi le docteur Levi a téléphoné au service de réanimation à deux heures du matin et c'est vous qui avez pris l'appel.

— En effet.

— Lui avez-vous parlé ensuite ? Après cette conversation ?

— Non.

— Avez-vous essayé de le joindre ?

— Oui, mais il était déjà parti. J'ai parlé à Elaine.

— Quelle heure était-il ?

— Je ne sais pas. Peut-être trois heures, trois heures et quart. Je n'avais pas l'œil braqué sur la pendule.

— Vous n'avez pas téléphoné chez lui plus tard dans la matinée ?

— Non. J'ai essayé de le joindre sur son bip à plusieurs reprises mais il n'a pas rappelé. Je savais qu'il se trouvait dans un des services de l'hôpital, parce que sa voiture était garée dans le parking.

— À quelle heure l'avez-vous vue ?

— Ce n'est pas moi qui l'ai vue. Mon ami — le docteur Hodell — l'a aperçue en arrivant vers quatre heures du matin. Dites-moi, pourquoi la brigade criminelle enquête-t-elle sur cette affaire ? »

Il ignora sa question. « Elaine Levi affirme qu'il y a eu un appel vers deux heures et quart. Son mari a répondu au téléphone. Quelques minutes après il s'est habillé et a quitté la maison. Savez-vous d'où pouvait provenir ce coup de fil ?

— Non. Peut-être une des infirmières. Elaine ne le sait pas ?

— Son mari a pris la communication dans la salle de bains. Elle n'a pas entendu la conversation.

— Ce n'était pas moi. Je n'ai parlé à Aaron qu'une seule fois. Maintenant j'aimerais vraiment savoir pourquoi vous me posez toutes ces questions. Ce n'est évidemment pas une enquête de routine.

— Effectivement, ce n'est pas une enquête de routine. »

Le bip d'Abby sonna. Elle reconnut le numéro sur l'écran. C'était le bureau des internes — un appel sans urgence, mais cet interrogatoire commençait à lui taper sur les nerfs. Elle se leva. « Inspecteur, j'ai à faire. Des patients à voir. Je n'ai pas le temps de répondre à des questions aussi vagues.

— Mes questions sont extrêmement précises. J'essaye de déterminer qui a passé ces appels et à quelle heure ce matin-là. Et ce qui a été dit au cours de ces conversations.

— Pourquoi ?

— Parce qu'elles ont peut-être un rapport avec la mort du docteur Levi.

— Vous voulez dire que quelqu'un l'aurait persuadé de se pendre ?

— Je veux seulement savoir qui lui a parlé.

— Ne peut-on le trouver par l'intermédiaire de la compagnie de téléphone ? Ne conservent-ils pas une trace des appels ?

— Celui de deux heures quinze venait de l'hôpital de Bayside.

— Dans ce cas, c'était peut-être une infirmière.

— Ou n'importe qui d'autre.

— Est-ce votre théorie ? Que quelqu'un de Bayside a appelé Aaron et lui a dit quelque chose de tellement bouleversant qu'il est allé se pendre ?

— Nous considérons d'autres possibilités que le suicide. »

Elle le regarda d'un air stupéfait. Il avait prononcé ces mots si calmement qu'elle se demanda si elle l'avait bien compris. Elle se rassit lentement sur le banc. Ils restèrent un moment sans dire un mot.

Une infirmière traversa le jardin, poussant une femme dans un fauteuil roulant. Elles s'attardèrent près du parterre de fleurs, admirant les chrysanthèmes, puis poursuivirent leur chemin. Seul le murmure de la fontaine rompait le silence.

« Vous dites qu'il aurait pu être assassiné ? »

Il ne répondit pas immédiatement. Et elle ne vit rien de révélateur sur son visage. Il était assis immobile, sans que son attitude ni ses mains ni son expression ne trahissent la moindre réaction à sa question.

« Aaron s'est-il vraiment pendu lui-même ? demanda-t-elle.

— Les conclusions de l'autopsie confirment l'asphyxie.

— C'est ce vous disiez. Cela ressemble à un suicide.

— En effet.

— Alors pourquoi n'en êtes-vous pas convaincu ? »

Pour la première fois elle vit une lueur d'hésitation dans son regard, et elle comprit qu'il pesait les mots qui allaient suivre. C'était le genre d'homme qui ne s'avançait pas d'un pas sans en évaluer toutes les conséquences. Le type d'homme chez qui même la spontanéité était préméditée.

Il dit : « Deux jours avant sa mort, le docteur Levi a rapporté chez lui un nouvel ordinateur.

— C'est tout ? C'est la raison de vos doutes ?

— Il l'a utilisé pour plusieurs choses. D'abord, il a réservé deux places d'avion pour Sainte-Lucie aux Antilles. Un départ aux environs de Noël. Ensuite, il a envoyé un message par Internet pour son fils à Dartmouth, afin d'organiser les vacances de Thanksgiving. Réfléchissez, docteur. Deux jours avant de se suicider, cet homme fait des projets d'avenir. Il prévoit d'agréables vacances au bord de la mer. Pourtant, à deux heures et quart du matin, il sort de son lit et se rend à l'hôpital. Prend un ascenseur, puis un escalier jusqu'à un étage désert. Accroche sa ceinture à la tringle d'une penderie, fait une boucle qu'il se passe autour du cou, et laisse ses jambes se dérober sous lui. Il ne perd pas conscience instantanément. Il s'est certainement passé cinq ou dix secondes pendant lesquelles il a le temps de changer d'avis. Il a une femme, des enfants et une plage à Sainte-Lucie qui l'attendent. Mais il choisit de mourir. Seul, et dans le noir. » Katzka soutint son regard. « Réfléchissez, docteur. »

Abby avala sa salive. « Je ne suis pas certaine d'en avoir envie.

— Moi, si. »

Elle regarda ses yeux gris si calmes et se demanda : Quelles sont les noires pensées qui vous traversent ? Quel genre d'homme êtes-vous pour choisir un métier qui nécessite de telles visions de cauchemar ?

« Nous savons que la voiture du docteur Levi a été trouvée à son emplacement habituel sur le parking de l'hôpital. Nous ignorons pourquoi il est venu. Pourquoi il a quitté son domicile. Mis à part ce mystérieux correspondant qui l'a appelé à deux heures quinze, vous êtes la dernière personne à notre connaissance à avoir parlé au docteur Levi. Vous a-t-il dit qu'il s'apprêtait à partir pour l'hôpital ?

— Il s'inquiétait à propos de notre patiente. Il a pu décider de venir voir par lui-même ce qu'il en était.

— Au lieu de vous laisser vous en occuper ?

— Je suis en deuxième année d'internat, inspecteur, pas médecin traitant. Aaron était l'interniste de l'équipe de transplantation.

— Je croyais qu'il était cardiologue.

— Il était aussi spécialiste de médecine interne. Lorsqu'il y avait un problème d'ordre médical, comme un accès de fièvre, les infirmières avaient coutume de le contacter. Et lui-même faisait appel à d'autres spécialistes si besoin était.

— Lors de votre conversation téléphonique, vous a-t-il annoncé qu'il venait vous rejoindre à l'hôpital ?

— Non, ce n'était qu'une discussion sur la stratégie à employer. Je lui ai dit ce que j'allais faire. Que j'allais examiner la patiente et demander des analyses de sang et des radios. Il m'a approuvée.

— C'est tout ?

— Notre entretien ne s'est pas poursuivi davantage.

— Dans ce qu'il vous a dit, quelque chose vous a-t-il paru quelque peu étrange ? »

À nouveau, Abby chercha à se remémorer les propos qu'ils avaient échangés. Et elle se souvint de l'hésitation qu'il avait marquée au début de leur conversation. Et qu'il avait paru consterné en l'entendant, elle Abby, répondre au téléphone.

« Docteur DiMatteo ? »

Elle regarda Katzka. Bien qu'il eût prononcé son nom d'un ton toujours aussi calme, son expression montrait soudain une vivacité nouvelle.

« Vous souvenez-vous de quelque chose ?

— Je me souviens qu'il n'a pas semblé très heureux que je sois l'interne de garde.

— Pourquoi ?

— À cause de la patiente en question. Son mari et moi avons eu un différend. Assez grave. » Elle détourna les yeux, l'estomac serré à la pensée de Victor Voss. « Je suis persuadée qu'Aaron aurait préféré me savoir à des kilomètres de Mme Voss.

— Mme *Victor* Voss ?

— Oui. Le nom vous dit quelque chose ? »

Katzka se renversa en arrière, laissant échapper un long soupir. « Je sais qu'il est le fondateur de VMI International. Quelle sorte d'intervention a-t-on pratiqué sur sa femme ?

— Une transplantation cardiaque. Elle va beaucoup mieux maintenant. La fièvre est tombée au bout de quelques jours. »

180

Katzka contemplait la fontaine, comme fasciné par les jeux du soleil dans les gouttes d'eau. Brusquement, il se leva.

« Merci du temps que vous m'avez consacré, docteur, dit-il. Il se peut que je fasse de nouveau appel à vous. »

Elle allait lui répondre : « Quand vous voudrez », mais il avait déjà fait demi-tour et s'éloignait d'un pas rapide. Cet homme était passé de l'immobilité absolue à la vitesse du son. Étonnant.

Son bip émit un signal. C'était encore le bureau des internes. Elle coupa le son. Lorsqu'elle leva les yeux, Katzka était hors de vue. Le flic passe-muraille. Encore sous le coup de ses questions, elle regagna le hall de l'hôpital et décrocha l'un des téléphones intérieurs.

Une secrétaire lui répondit. « Ici le bureau des internes.

— Abby DiMatteo à l'appareil. Vous m'avez appelée ?

— Oh, oui. À deux reprises. Primo, vous avez eu un appel extérieur d'Helen Lewis, de la banque d'organes de Nouvelle-Angleterre. Elle voulait savoir si vous aviez fini par obtenir une réponse à votre question au sujet de cette transplantation. Vous n'avez pas répondu, et elle a raccroché.

— Si elle rappelle, dites-lui que j'ai eu la réponse à ma question. Et ensuite ?

— Une lettre recommandée vous attend au bureau. J'ai signé à votre place, j'espère avoir bien fait.

— Recommandée ?

— Elle est arrivée il y a quelques minutes. J'ai cru bon de vous prévenir.

— Qui est l'expéditeur ? »

Il y eut un bruissement de papiers à l'autre bout du fil. Puis : « Elle vient de Hawkes, Craig & Sussman. Avocats à la Cour. »

Abby crut que le sol se dérobait sous ses pieds. « J'arrive », dit-elle. Encore l'affaire Terrio ! La machine judiciaire finirait par la broyer. Les paumes moites, elle monta à l'étage de l'administration. *Le docteur DiMatteo, connue pour son sang-froid en salle d'op', a les nerfs en capilotade.*

La secrétaire du bureau des internes était au téléphone. Elle vit Abby et lui désigna les casiers de courrier.

Il y avait une enveloppe dans celui d'Abby. Dans le coin, en haut à gauche, l'inscription *Hawkes, Craig & Sussman.* Elle l'ouvrit.

Au début, elle ne comprit pas ce qu'elle lisait. Puis son attention se fixa sur le nom du plaignant, et le sens de la lettre lui apparut. Elle n'était plus en train de tomber en chute libre, elle venait de s'écraser sur le sol. La lettre ne concernait pas Karen Terrio. Elle avait pour objet un autre patient, un certain Michael Freeman. Un alcoolique, dont un vaisseau sanguin s'était brutalement rompu dans l'œsophage, et qui était mort d'une hémorragie dans sa chambre d'hôpital. Abby était alors l'interne chargée de le soigner. Elle se souvenait que sa mort avait été particulièrement pénible. Aujourd'hui, sa femme portait plainte, et elle avait engagé Hawkes, Craig & Sussman pour la représenter. Abby était citée comme prévenue. La seule personne mise en accusation dans l'action intentée.

« Docteur DiMatteo ? Vous ne vous sentez pas bien ? »

Abby se rendit compte qu'elle s'appuyait contre le meuble du courrier et que la pièce s'était mise à tourner autour d'elle. La secrétaire la regardait d'un air inquiet.

« Ce n'est... rien, dit Abby. Tout va bien. »

Dès qu'elle eut atteint la porte, elle battit précipitamment en retraite. Elle alla se réfugier dans la salle de repos, s'enferma, et se laissa tomber sur le lit. Puis elle ouvrit la lettre et la relut. Et la relut encore.

Deux assignations en deux jours. Vivian avait raison. Elle allait passer le reste de sa vie devant les tribunaux.

Elle savait qu'il lui fallait appeler son avocat, mais elle n'arrivait pas à se décider. Elle restait assise sur le lit, contemplant la lettre posée sur ses genoux. Songeant à toutes ces années, à tout le travail fourni pour arriver à ce point de sa carrière. Elle se rappela les nuits où elle s'était endormie sur ses livres alors que les autres étudiants étaient sortis s'amuser. Les week-ends où elle travaillait double comme préleveuse, faisant prise de sang sur prise de sang pour payer ses études. Elle pensa aux cent vingt mille dollars d'emprunt qu'elle devait encore rembourser. Aux sandwichs au beurre de cacahuète qui lui tenaient lieu de repas. Aux films, concerts et pièces de théâtre qu'elle n'avait jamais vus.

Et elle pensa à Pete, qui avait été la raison de tous ces sacrifices. Le frère qu'elle avait voulu sauver, sans y parvenir. Plus fort que tout le reste, il y avait le souvenir de Pete, éternellement âgé de dix ans.

Victor Voss avait gagné. Il avait dit qu'il la détruirait et c'était exactement ce qu'il était en train de faire.

Contre-attaquer. Il était temps de contre-attaquer. Mais comment s'y prendre ? Elle n'était pas assez intelligente. La lettre lui brûlait les mains comme un acide. Elle avait beau réfléchir, elle ne trouvait rien qui lui permette de riposter, à part le fait qu'il l'ait bousculée dans le service de réanimation. Une plainte pour voie de fait. Ce n'était pas suffisant, certainement pas suffisant pour arrêter Victor Voss.

Contre-attaquer. Tu dois trouver un moyen.

Son bip la fit sursauter. Un message du service de chirurgie. Elle en avait assez de tous ces appels. Elle s'empara du téléphone et enfonça brutalement les touches. « DiMatteo, fit-elle sèchement.

— Docteur, nous avons un problème avec la nièce de Mary Allen.

— Quel genre de problème ?

— Impossible de faire à Mary son injection de morphine, Brenda nous en empêche. Peut-être pourriez-vous...

— J'arrive. » Abby raccrocha violemment le téléphone. Que cette femme aille se faire foutre, pensa-t-elle, fourrant la lettre de l'avocat dans sa poche. Elle dévala quatre à quatre les deux étages. Lorsqu'elle apparut dans le service de chirurgie, elle haletait de fureur. Sans attendre, elle se dirigea vers la chambre de Mary Allen.

À l'intérieur, deux infirmières parlaient à Brenda. Mary Allen était réveillée, mais semblait trop faible et trop souffrante pour prononcer un seul mot.

« Elle est assez droguée comme ça, disait Brenda. Regardez-la. Elle ne peut même pas me parler.

— Peut-être n'a-t-elle pas envie de vous parler », intervint Abby.

Les infirmières se retournèrent, soulagées. La voix de l'autorité était arrivée.

« S'il vous plaît, veuillez sortir, mademoiselle Hainey.

— La morphine n'est pas nécessaire.

— C'est à moi d'en juger. Maintenant je vous prie de quitter la pièce.

— Elle n'en a plus pour longtemps. Elle a besoin de toutes ses facultés.

— Pour quoi faire ?

— Pour accepter pleinement notre Seigneur. Si elle meurt avant de l'accepter... »

Abby tendit la main vers l'infirmière. « Donnez-moi la morphine. Je vais l'administrer moi-même. »

On lui passa immédiatement la seringue. Abby s'approcha de la sonde IV. Au moment où elle prépara l'aiguille, elle aperçut le faible signe de gratitude que lui faisait Mary.

« Si vous lui donnez cette saleté, j'appelle un avocat, menaça Brenda.

— Faites ce que vous voulez », dit Abby. Elle inséra l'aiguille dans la chambre d'injection. Elle commençait à pousser le piston quand Brenda se précipita en avant et ôta brutalement le cathéter du bras de sa tante. Du sang coula sur le sol. Ces gouttes écarlates sur le linoléum firent éclater l'indignation d'Abby.

Tandis qu'une infirmière posait une compresse sur

le bras de Mary, elle se tourna vers Brenda et ordonna :
« Sortez immédiatement !

— Vous ne m'avez pas laissé le choix, docteur.

— *Sortez !* »

Les yeux de Brenda s'élargirent. Elle fit un pas en arrière.

« Vous préférez que j'appelle la sécurité et qu'ils vous fichent dehors ? » Abby hurlait à présent, se dirigeant sur Brenda, qui continuait de reculer vers le couloir. « Je ne veux pas vous voir près de ma patiente. Je ne veux pas que vous la harceliez avec votre maudite Bible !

— Je suis sa parente !

— *Je me fous totalement de que vous pouvez être !* »

Brenda resta bouche bée. Sans ajouter un mot, elle pivota sur ses talons et s'en alla.

« Docteur DiMatteo, puis-je vous parler ? »

Abby se retourna et aperçut la surveillante-chef Georgina Speer.

« C'était inconsidéré de votre part, docteur. Nous ne parlons pas ainsi aux visiteurs.

— Elle a retiré la perfusion du bras de ma patiente !

— Ce n'est pas la meilleure façon de faire face à ce genre de situation. On peut appeler la sécurité. Demander de l'aide. De toute façon, les injures ne sont pas le style de l'établissement. Comprenez-vous ? »

Abby respira profondément. « Je comprends. » Et elle ajouta, dans un murmure : « Je regrette. »

Après avoir rétabli la perfusion de Mary, elle se retira dans la salle de repos et s'allongea, cherchant en vain à retrouver son calme. Que lui arrivait-il ? Elle n'avait jamais perdu son contrôle auparavant, elle n'aurait jamais même imaginé injurier un patient ou quelqu'un de sa famille. Je deviens cinglée, se dit-elle. Le stress a fini par me démolir. Peut-être ne suis-je pas faite pour être médecin.

Son bip sonna à nouveau. Bon Dieu, la laisserait-on jamais tranquille ? Que ne donnerait-elle pas pour rester un jour entier, une semaine sans entendre le son du bip ou du téléphone, sans se sentir poursuivie. C'était le standard qui la recherchait. Elle prit le téléphone et composa le zéro.

« Un appel de l'extérieur, docteur, dit la standardiste. Je vous le passe. » Il y eut un ou deux déclics, puis une voix de femme dit :

« Docteur Abby DiMatteo ?

— Elle-même.

— Je suis Helen Lewis, de la banque d'organes de Nouvelle-Angleterre. Vous avez laissé un message samedi dernier à propos d'un donneur de cœur. Nous attendions qu'on nous rappelle de Bayside, mais il n'en a rien été. J'ai donc cru bon de venir aux nouvelles.

— Je suis désolée. J'aurais dû vous rappeler, mais nous ne savions plus où donner de la tête ici. Il s'est avéré qu'il s'agissait d'un simple malentendu.

— Cela simplifie tout alors. Car je n'ai pu trouver l'information demandée. Si vous avez d'autres questions, vous pouvez me...

— Excusez-moi, l'interrompit Abby. Que venez-vous de dire ?

— Je n'ai pu trouver l'information.

— Pourquoi ?

— Les données que vous recherchiez ne sont pas dans notre système. »

Pendant dix bonnes secondes Abby resta silencieuse. Puis elle demanda lentement : « Êtes-vous absolument certaine qu'elles n'y sont pas ?

— J'ai cherché dans les fichiers de notre système informatique. À la date que vous indiquez, nous n'avons enregistré aucun donneur de cœur. Nulle part dans le Vermont. »

12

« Le voici, dit Colin Wettig, posant l'annuaire des praticiens spécialistes ouvert sur la table. Timothy Nicholls, BA, Université du Vermont. MD, Tufts. Internat, Massachussetts General. Spécialité : chirurgie thoracique. Affilié au Wilcox Memorial, Burlington, Vermont. » Il fit passer le livre sous les yeux de ceux qui désiraient le consulter. « Il y a donc bien un chirurgien thoracique du nom de Tim Nicholls qui exerce à Burlington. Il n'est pas le fruit de l'imagination d'Archer.

— Lorsque je me suis entretenu avec lui, samedi, dit Archer, Nicholls m'a affirmé qu'il avait assisté au prélèvement. Et il a ajouté que l'opération avait eu lieu au Wilcox Memorial. Malheureusement, je n'ai trouvé aucun des autres participants. Et à présent je n'arrive pas à joindre Nicholls. Son secrétariat me dit qu'il a pris un congé prolongé. Je ne sais pas ce qui se passe, Jeremiah, mais je préférerais que nous n'ayons rien à y voir. Car ça commence sacrément à sentir le roussi. »

Jeremiah Parr s'agita nerveusement sur sa chaise et jeta un coup d'œil à Susan Casado, l'avocate de Bayside. Il ignora Abby, qui était assise en bout de table, près de la coordinatrice des greffes, Donna Toth. Peut-être préférait-il ne pas la regarder. C'était elle après tout qui était la source de toutes ces complications. Elle qui était à l'origine de cette réunion.

« Que se passe-t-il exactement ? » demanda Parr.

Archer répondit : « Je crois que Victor Voss s'est arrangé pour que le nom du donneur n'apparaisse pas dans le système d'enregistrement. Pour faire transférer directement le cœur au profit de sa femme.

— Comment a-t-il pu faire ça ?

— En y mettant le prix... probablement.

— Et il en a les moyens, ajouta Susan. Je viens de lire la dernière liste du *Kiplinger's*. Les cinquante plus grosses fortunes d'Amérique. Il est aujourd'hui en quatorzième position.

— Peut-être pourriez-vous m'expliquer comment est *censée* fonctionner l'affectation des dons d'organes, dit Parr. Parce que je n'arrive pas à comprendre comment cette histoire a pu arriver. »

Archer regarda la coordinatrice des greffes. « C'est le rôle de Donna en général. Nous pourrions la laisser s'expliquer. »

Donna Toth fit un signe d'assentiment. « Le système est assez simple, dit-elle. Nous avons des listes d'attente à la fois régionales et nationales pour les patients qui ont besoin d'organes. Le système national est l'UNOS, l'United Network for Organ Sharing. La liste régionale est gérée par la banque d'organes de Nouvelle-Angleterre. Les deux systèmes classent les patients par ordre d'urgence. La liste ne tient aucun compte de la fortune, de la race ou du statut social. Le seul critère est l'état du patient. » Elle ouvrit un dossier et en sortit une feuille de papier, qu'elle passa à Parr. « Voici un exemple de la dernière liste régionale. J'ai demandé à la banque d'organes de me la faxer à Brooklin. Comme vous pouvez le voir, elle indique le statut médical de chaque patient, l'organe recherché, le centre de transplantation le plus proche, et le numéro de téléphone à contacter, qui est généralement celui du coordinateur de transplantation.

— Que signifient les autres indications ?

— Des informations cliniques. Taille minimum et maximum du donneur. Éventuelles greffes précédentes chez le patient, qui pourraient gêner la compatibilité à cause des anticorps.

— Vous dites que cette liste est établie en fonction des besoins ?

— Absolument. Le nom en tête de liste correspond au cas le plus critique.

— Où se trouvait Mme Voss ?

— Le jour où la transplantation a été effectuée, elle était numéro trois sur la liste du groupe sanguin AB.

« — Qu'est-il arrivé aux deux premiers noms ?

— J'ai vérifié auprès de la banque d'organes. Les deux noms ont été reclassés code huit quelques jours plus tard. Inactifs et retirés de la liste.

— Vous voulez dire qu'ils sont morts ? » demanda doucement Susan Casado.

Donna hocha la tête. « Ils n'ont jamais été greffés.

— Seigneur Dieu, gémit Parr. Ainsi Mme Voss a bénéficié d'un cœur qui aurait dû aller à quelqu'un d'autre.

— Apparemment. Et nous ignorons comment.

— Comment avons-nous été avertis de l'existence du donneur ? demanda Susan.

— Un coup de téléphone, répondit Donna. Comme à l'habitude. C'est le coordinateur de l'hôpital du donneur qui s'en charge. Il ou elle vérifie la liste la plus récente de la banque d'organes et appelle le numéro de téléphone correspondant au premier patient sur la liste.

— Donc vous avez été contactée par le coordinateur de Wilcox Memorial ?

— Oui. Je m'étais déjà entretenue au téléphone avec lui, à propos d'autres donneurs. Je n'avais aucune raison de mettre en doute ce don en particulier. »

Archer secoua la tête. « J'ignore comment Voss s'y est pris. À chaque étape, tout paraît s'être déroulé dans la légalité la plus totale. Quelqu'un a manifestement été payé. Je parie que c'est leur coordinateur de transplantation. De cette façon, la femme de Voss reçoit le cœur et Bayside se retrouve mouillé dans une affaire de trafic d'organes. Et par-dessus le marché, nous n'avons aucun des papiers du donneur.

— Toujours manquants ? demanda Parr.

— Impossible de mettre la main dessus, dit Donna. Le dossier du donneur ne se trouve pas chez moi. »

Victor Voss, pensa Abby. *Il s'est arrangé pour les faire disparaître.*

« Le pire, dit Wettig, ce sont les reins. »

Parr se tourna vers le Major, haussant les sourcils. « Que dites-vous ?

— Sa femme n'avait pas besoin de reins, dit Wettig. Ni de pancréas ni de foie. Que sont-ils devenus ? S'ils n'ont jamais été inscrits au registre ?

— On les a probablement jetés, dit Archer.

— Exactement. Ce sont trois, quatre vies qui auraient pu être sauvées. Et qui ont été fichues en l'air. »

La consternation se lut sur les visages.

« Comment allons-nous réagir ? » demanda Abby.

Sa question fut suivie d'un silence de courte durée.

« Je suis hésitant », dit Parr. Il regarda l'avocate. « Sommes-nous dans l'obligation de donner suite ?

— D'un point de vue éthique, certainement, répondit Susan. Toutefois, cela aura une conséquence. Même plusieurs, en fait. Premièrement, il sera impossible de cacher l'histoire à la presse. Un trafic d'organes, spécialement si Victor Voss est impliqué, est une affaire juteuse. Deuxièmement, il s'agira en quelque sorte d'une violation du secret médical. C'est une chose qu'un certain secteur de notre clientèle n'acceptera pas volontiers. »

Wettig bougonna : « Vous voulez dire celle qui est pleine aux as ?

— Exactement. S'ils apprennent que Bayside est à l'origine d'une enquête dirigée contre un homme tel que Victor Voss, ils ne nous feront plus confiance en ce qui concerne la confidentialité de *leurs* dossiers. Nous risquons de perdre toute notre clientèle privée en matière de greffe. Au bout du compte, que se passerait-il si l'affaire se retournait contre nous ? Si on nous accusait d'avoir été partie prenante dans la manipulation ? Nous perdrions notre crédibilité en tant que centre de transplantation. S'il s'avère que Voss a réellement empêché l'inscription de ce donneur, nous serions fautifs au même titre que lui. »

Abby regarda Archer. Il paraissait effaré par cette éventualité. C'était la fin du programme de transplantation de Bayside. La fin de l'équipe.

« Peut-on évaluer ce qui a déjà transpiré à l'extérieur ? » demanda Parr. Il se tourna enfin vers Abby. « Qu'avez-vous dit exactement à la banque d'organes, docteur DiMatteo ?

— Quand j'ai parlé à Helen Lewis, j'ignorais ce qui se passait. Elle n'en savait pas plus que moi. Nous tâchions seulement de comprendre pourquoi le donneur n'était pas inscrit dans leur système. Nous en sommes restées là. Sans trouver d'explication. Immédiatement après cet appel, j'en ai informé Archer et le docteur Wettig.

— Et Hodell. Vous avez certainement prévenu Hodell.

— Je n'ai pas encore parlé à Mark. Il a passé la journée en chirurgie. »

Parr poussa un soupir de soulagement. « Bon. Nous sommes les seuls à être au courant. Et Mme Lewis sait seulement que vous ne comprenez pas ce qui est arrivé.

— En effet. »

Susan Casado afficha la même expression de soulagement que Parr. « Nous avons encore une possibilité d'éviter la casse. À mon avis, il faudrait que le docteur Archer appelle la banque d'organes. Qu'il donne l'assurance à Mme Lewis que nous avons éclairci le malentendu. Il y a des chances qu'elle s'en tienne là. Nous continuerons l'enquête de notre côté, mais discrètement. Nous devrions essayer à nouveau de joindre le docteur Nicholls. Il pourrait nous aider à tirer les choses au clair.

— Personne ne semble connaître la date de son retour, dit Archer.

— Et l'autre chirurgien ? demanda Susan. Le type du Texas ?

— Mapes ? Je ne l'ai pas encore appelé.

— Il faudrait le faire. »

Parr les interrompit : « Non. Je ne suis pas de cet avis. Je pense qu'il est plus raisonnable de ne contacter personne à propos de cette affaire.

— Pour quelle raison, Jeremiah ?

— Moins nous en saurons, moins nous serons

impliqués dans ce foutoir. Mieux vaut rester à des lieues de tout ça. Dites à Helen Lewis qu'il s'agissait d'un don personnalisé. Et que c'est la raison pour laquelle il n'est pas passé par la banque. Ensuite, laissons les choses suivre leur cours.

— En d'autres termes, dit Wettig, foutons-nous la tête dans le sable.

— Ni vu ni connu. » Parr balaya l'assistance du regard. Il parut prendre l'absence de réponse pour un signe d'assentiment général. « Il va sans dire que rien de tout ça ne doit sortir d'ici. »

Abby ne put garder le silence. « Le problème, fit-elle remarquer, c'est que le mal est fait. Que nous voulions ou non le reconnaître.

— Bayside n'a rien à se reprocher, dit Parr. Nous ne devrions pas souffrir de cette affaire. Et certainement pas nous exposer nous-mêmes à des investigations injustifiées.

— Et les règles d'éthique ? C'est une situation qui pourrait se reproduire.

— Je doute que Mme Voss ait besoin d'un autre cœur dans l'avenir immédiat. Il s'agit d'un incident isolé, docteur DiMatteo. Un mari désespéré qui enfreint les règles pour sauver sa femme. L'affaire est close. Nous devrons simplement nous entourer de garanties afin que cela ne se reproduise pas. » Parr regarda Archer. « Est-ce possible ? »

Archer hocha la tête. « Il le faudra bien.

— Que va-t-il arriver à Victor Voss ? » demanda Abby. Le silence qui suivit lui apporta la réponse : il ne lui arriverait rien. Rien n'arrivait jamais à des hommes tels que Victor Voss. Il pouvait court-circuiter le système et acheter un cœur, acheter un chirurgien, acheter un hôpital entier. Et il pouvait se payer des avocats également, une armée d'avocats, suffisamment pour anéantir à tout jamais les rêves d'une modeste interne.

Elle dit : « Il veut ma perte. Je pensais qu'il se calmerait après la greffe du cœur de sa femme, mais non.

Il a rempli ma voiture d'immondices. Il a intenté deux actions en justice contre moi, et d'autres vont suivre. J'en donne ma main à couper. J'ai du mal pour ma part à faire semblant de ne rien savoir face à quelqu'un qui emploie ce genre de méthodes.

— Avez-vous la preuve que c'est Voss qui est derrière tout cela ? demanda Susan.

— Qui d'autre pourrait l'être ?

— Docteur DiMatteo, dit Parr, la réputation de l'hôpital est en jeu. Il est essentiel que nous fassions tous preuve d'esprit d'équipe, que nous tirions dans la même direction. Y compris vous. C'est également votre hôpital.

— Et si l'affaire s'ébruite malgré tout ? Si elle apparaît en première page du *Globe* ? Bayside sera accusé de vouloir l'étouffer. Et tout vous retombera sur la figure.

— C'est pour cette raison précise que rien ne doit sortir de cette pièce, dit Parr.

— Le bruit pourrait quand même se répandre. » Elle releva le menton. « C'est probablement ce qui arrivera. » Susan et Parr échangèrent un regard inquiet.

Susan dit : « C'est un risque qu'il nous faut prendre. »

Abby ôta son pyjama chirurgical, le jeta dans le panier de linge sale, et franchit la porte à double battant. Il était presque minuit. Le patient victime d'un coup de couteau avait été amené en salle de réveil et il n'y avait aucune admission importante aux urgences. Tout était calme sur le front.

Elle n'était pas certaine d'apprécier ce moment de tranquillité. Il la forçait à ressasser ce qui avait été dit durant la réunion de l'après-midi.

Je n'ai qu'une chance de contre-attaquer, se disait-elle, et je ne peux pas l'utiliser. Pas si je veux faire partie de cette équipe. Pas si je continue de prendre à cœur les intérêts de Bayside.

Et les siens. Qu'elle soit toujours considérée comme un de leurs membres était bon signe. Cela signifiait qu'elle avait une chance de rester à l'hôpital, de terminer son internat. C'était aussi pactiser avec le diable. Garder bouche cousue, et poursuivre son rêve. Si Victor Voss ne l'en empêchait pas.

Si sa conscience ne l'en empêchait pas.

À plusieurs reprises au cours de la soirée elle avait failli décrocher le téléphone et appeler Helen Lewis. Il n'en fallait pas plus, un simple coup de téléphone, pour informer la banque d'organes. Un coup de téléphone pour démasquer Victor Voss. Maintenant encore, en se dirigeant vers la salle de repos, elle se demandait quelle décision prendre. Elle tourna la clé et entra dans la pièce.

Ce fut le parfum qu'elle remarqua en premier, avant même d'avoir allumé la lumière. La senteur des roses et des lis. Elle actionna l'interrupteur et contempla avec émerveillement le vase de fleurs posé sur le bureau.

Un froissement de draps attira son regard vers le lit de repos. « Mark ? »

Il se réveilla en sursaut. Pendant un instant il parut étonné de se trouver là. Puis il l'aperçut et sourit. « Bon anniversaire !

— Mon Dieu, j'avais complètement oublié !

— Pas moi. »

Elle s'approcha du lit et s'assit à côté de lui. Il s'était endormi, encore vêtu de sa blouse chirurgicale, et quand elle se pencha pour l'embrasser, elle sentit l'odeur familière de la Bétadine et de la fatigue. « Ouille, tu as besoin de te raser.

— J'ai surtout besoin d'un autre baiser. »

Elle sourit et s'exécuta. « Depuis combien de temps es-tu ici ?

— Quelle heure est-il ?

— Minuit.

— Depuis deux heures.

— Tu attends ici depuis dix heures ?

— Je n'en avais pas l'intention au début. J'ai dû simplement m'endormir. » Il se poussa pour lui faire de la place sur l'étroite couchette. Elle retira ses chaussures et s'étendit à côté de lui. Elle se sentit immédiatement réconfortée par la chaleur du lit, et de l'homme. Elle hésita un instant à lui raconter la réunion de l'après-midi, et à mentionner la deuxième action en justice, mais elle préféra garder le silence. Elle n'avait qu'une envie : qu'il la prenne dans ses bras.

« Navré d'avoir omis le gâteau, fit-il.

— Comment ai-je pu oublier mon propre anniversaire ? Peut-être voulais-je l'occulter. Déjà vingt-huit ans ! »

Il rit et l'entoura de ses bras. « Tu n'es qu'une vieille fille décrépite.

— Je me sens vieille. Particulièrement ce soir.

— D'accord, dans ce cas je suis une antiquité. » Il l'embrassa doucement sur l'oreille. « Et je ne rajeunis pas. Alors peut-être le moment est-il venu ?

— Le moment de quoi ?

— De faire ce que j'aurais dû faire depuis des mois.

— C'est-à-dire ? »

Il se tourna vers elle et prit son visage dans la paume de sa main. « Te demander de m'épouser. »

Elle le regarda, stupéfaite, incapable de prononcer un mot, mais envahie d'un tel bonheur qu'elle sut que sa réponse se lisait dans ses yeux. Elle fut soudain consciente de tout ce qui le rendait si présent à ses côtés. Sa main qui réchauffait sa joue. Son visage, las et plus tout à fait jeune, mais d'autant plus cher à son cœur.

« J'ai compris il y a quelques jours que c'était mon désir le plus réel. Tu étais de garde. Et j'étais à la maison, seul devant un plateau-repas. Je me suis couché, et j'ai vu tes affaires sur la commode. Ta brosse à cheveux. Ta boîte à bijoux. Ce soutien-gorge que tu ne ranges jamais. » Il rit doucement. Elle aussi. « Peu importe, c'est à ce moment précis que j'ai compris. Je ne veux jamais vivre nulle part sans ton bazar sur ma commode. Je ne le pourrais pas. Plus maintenant.

— Oh, Mark.

— Le plus dingue, c'est que tu n'es pratiquement jamais à la maison. Et quand tu y es, c'est moi qui n'y suis pas. Nous nous faisons des signes dans les couloirs. Ou nous nous prenons la main dans les ascenseurs, si la chance nous sourit. Mais ce qui compte pour moi, lorsque je rentre, c'est de voir tes affaires sur la commode. Je sais que tu étais là ou que tu vas être là, et cela me suffit. »

À travers ses larmes, elle le vit sourire. Et elle sentit son cœur battre très fort, comme sous l'effet de la peur.

« Alors qu'en pensez-vous, docteur D. ? murmura-t-il. Pouvons- nous coincer une cérémonie de mariage dans nos emplois du temps déments ? »

Elle répondit mi-sanglotant, mi-riant. « Oui, oui, oui, oui ! » Et elle se jeta sur lui, les bras passés autour de son cou, sa bouche trouvant la sienne. Ils riaient tous deux, s'embrassaient, tandis que les ressorts du matelas couinaient horriblement. Le lit était beaucoup trop petit, ils n'auraient jamais pu y dormir ensemble.

Mais pour faire l'amour, il convenait parfaitement.

Elle avait été belle autrefois. Parfois, en regardant ses mains ridées et tachées par l'âge, Mary Allen se demandait avec un sursaut d'étonnement : à qui donc appartiennent ces mains ? Sûrement à une étrangère ; à une vieille femme. Ce ne sont pas mes mains, celles de la jolie Mary Hatcher. Puis l'instant de confusion passait, elle parcourait du regard la chambre d'hôpital et se rendait compte qu'elle s'était encore perdue dans un rêve. Non dans un de ces vrais rêves que suscite le vrai sommeil, mais dans une sorte de brume qui flottait dans son cerveau, y stagnait, même dans ses moments de veille. C'était l'effet de la morphine. Miséricordieuse morphine ! Elle calmait la douleur et ouvrait une porte cachée dans son esprit, d'où surgissaient des images, les souvenirs d'une vie arrivant à son terme. Mary Allen avait entendu dire que la vie décrivait un cercle, un retour au point de départ, pourtant sa propre existence ne lui paraissait pas avoir suivi un schéma aussi simple. Elle ressemblait plutôt à un canevas tissé de fils désordonnés, certains rompus, d'autres emmêlés, aucun n'obéissant à un quelconque alignement.

Mais un canevas tissé de mille couleurs.

Elle ferma les yeux et la porte secrète s'ouvrit. Un chemin qui menait à la mer. Des haies d'églantines, roses et odorantes. Le sable chaud où s'enfonçaient ses doigts de pieds. Les vagues du large qui venaient se briser sur la grève. La douceur des mains étalant la crème solaire sur son corps.

Les mains de Geoffrey.

La porte s'ouvrit en grand, et il entra, souvenir rendu à la vie. Non pas tel qu'il était ce jour-là, sur cette plage, mais comme il lui était apparu la première fois, en uniforme, les cheveux ébouriffés, son visage rieur tourné vers elle. Leur premier regard échangé. C'était dans une rue de Boston. Elle portait un sac de provisions, avec l'air décidé d'une jeune maîtresse de maison s'apprêtant à rentrer chez elle pour préparer le dîner de son mari. Elle était vêtue d'une robe d'un vilain marron ; on était en temps de guerre, et il fallait se débrouiller avec ce que l'on trouvait dans les magasins. Elle n'avait pas attaché ses cheveux qui volaient dans le vent. Elle s'était dit qu'elle devait avoir l'air d'une sorcière ainsi attifée. Mais il y avait ce jeune homme qui lui souriait, son regard qui l'avait suivie quand elle était passée devant lui sur le trottoir.

Le lendemain, il était encore là et ils s'étaient regardés, non comme des étrangers, cette fois, mais avec quelque chose de plus.

Geoffrey. Un autre fil perdu. Non pas de ceux qui s'étaient étirés et fragilisés avant de se rompre, comme son mari, mais un fil d'une autre texture, trop tôt arraché, laissant un sillon vide qui courait jusqu'au dernier point.

Elle entendit une porte s'ouvrir. Une vraie porte.

Entendit des pas. Doucement, ils s'approchèrent de son lit.

Flottant dans le brouillard de la morphine, elle dut faire un effort pour ouvrir les yeux et s'aperçut alors que la chambre était plongée dans l'obscurité hormis un petit cercle lumineux qui semblait suspendu dans l'air à proximité. Elle tenta de le fixer du regard, le vit danser comme une luciole, puis se stabiliser, point brillant sur son drap. Elle se concentra plus fort et distingua une masse sombre qui s'était matérialisée près de son lit. Une forme qu'elle ne parvenait pas à concrétiser, presque irréelle. S'agissait-il aussi d'une hallucination due à la morphine ? D'un mauvais souvenir venu la hanter ? Elle entendit un froissement de draps qu'on écartait, sentit une main lui saisir le bras d'une étreinte froide et caoutchouteuse.

Sa respiration s'accéléra sous l'effet de la peur. Ce n'était pas un rêve. C'était la réalité. La réalité. La main était là pour la conduire quelque part, pour l'emmener.

Prise de panique, elle se débattit, parvint à dégager son bras.

Une voix murmura : « N'ayez pas peur, Mary, tout va bien. C'est le moment de dormir. »

Mary s'immobilisa. « Qui êtes-vous ?

— C'est moi qui m'occupe de vous ce soir.

— C'est déjà l'heure de mon médicament ?

— Oui. C'est l'heure. »

Mary vit le faisceau de la lampe éclairer à nouveau son bras. La perfusion. Elle vit la main gantée présenter une seringue. Le bouchon de plastique était ôté et un point brillait dans le mince rayon de lumière. Une aiguille.

Un frisson lui glaça le sang. Des gants. Pourquoi ces mains étaient-elles gantées ?

Elle dit : « Je veux voir mon infirmière. S'il vous plaît, appelez mon infirmière.

— C'est inutile. » La pointe de l'aiguille perça la chambre d'injection. Le piston commença sa lente descente régulière. Mary sentit la chaleur envahir sa veine, remonter le long de son bras. Elle se rendit compte que la seringue était très remplie, que le piston prenait beaucoup plus de temps qu'à l'habitude pour libérer sa dose d'oubli. Ce n'est pas normal, pensa-t-elle, tandis que la seringue déversait tout son contenu dans sa veine. Il se passe quelque chose d'anormal.

« Je veux mon infirmière », répéta-t-elle. Elle parvint difficilement à relever la tête, à supplier d'une voix faible : « Je vous en prie ! J'ai besoin... »

Une main gantée se posa sur sa bouche, lui repoussa la tête sur l'oreiller avec une telle force que Mary crut sentir son cou se briser. Elle tenta en vain d'écarter la main qui la baîllonnait, rivée à sa bouche, étouffant ses cris. Elle se débattit, sentit la sonde s'arracher, le goutte-à-goutte s'écouler hors de son bras. Mais la main ne quittait toujours pas sa bouche. Inexorablement, la chaleur se répandait de son bras dans sa poitrine, gagnait son cerveau. Elle voulut remuer les jambes mais constata qu'elle ne le pouvait pas.

Et soudain, tout lui fut égal.

La main s'écarta de son visage.

Elle courait. Elle était jeune, ses longs cheveux châtains volaient sur ses épaules. Le sable était chaud sous ses pieds nus, et l'air sentait les roses et la mer.

La porte était grande ouverte devant elle.

La sonnerie du téléphone tira Abby de la chaleur du refuge où elle se pelotonnait. Elle se réveilla, sentit un bras passé autour de sa taille. C'était Mark. Malgré l'étroitesse du lit, ils s'y étaient endormis ensemble. Doucement, elle se dégagea de son étreinte et saisit le téléphone.

« DiMatteo.

— Docteur D., ici Charlotte du 4 Ouest. Mme Allen vient d'expirer. Les internes sont tous occupés en ce moment, et nous avons pensé que vous viendriez peut-être constater le décès.

— Très bien. J'arrive. » Abby raccrocha et se rallongea un instant, s'accordant le luxe de sortir lentement du sommeil. Mme Allen. Morte. C'était arrivé plus vite qu'elle ne l'avait imaginé. Sans vouloir se l'avouer, Abby se sentit soulagée que le calvaire de la pauvre femme fût enfin terminé. À trois heures du matin, la mort d'un patient paraît moins une tragédie qu'une source de tracas, une raison supplémentaire de manquer de sommeil.

Abby s'assit sur le bord du lit et enfila ses chaussures. Mark ronflait doucement, insensible aux sonneries de téléphone. Souriant, elle se pencha vers lui et lui donna un baiser. « Oui », murmura-t-elle à son oreille. Et elle sortit de la pièce.

Charlotte l'accueillit au PC des infirmières du 4 Ouest. Ensemble elles se rendirent jusqu'à la chambre de Mary, au bout du couloir.

« Nous l'avons trouvée inanimée lors de la ronde de deux heures. J'avais été la voir à minuit, la mort a dû survenir peu après. Ainsi, elle est partie en paix.

— Avez-vous prévenu la famille ?

— J'ai téléphoné à sa nièce. Celle dont le nom figure au dossier. Je lui ai dit qu'elle n'avait pas besoin de venir, mais elle a insisté. Elle doit arriver d'un instant à l'autre. Nous avons nettoyé avant sa visite.

— Nettoyé ?

— Mary a probablement débranché sa perfusion. Il y avait du sérum et du sang sur le sol. » Charlotte ouvrit la porte de la chambre de la patiente et elles entrèrent.

À la lumière de la lampe de chevet, Mary Allen paraissait plongée dans un sommeil serein, les bras allongés le long du corps, les draps soigneusement tirés sur sa poitrine. Mais elle n'était pas endormie, c'était visible dès le premier coup d'œil. Ses paupières étaient entrouvertes. Un gant de toilette avait été roulé et placé sous son menton pour soutenir sa mâchoire affaissée. Les parents venus pour une dernière visite ne désirent pas voir leurs chers disparus la bouche béante.

La tâche d'Abby ne prit qu'un instant. Elle posa ses

doigts sur la carotide. Pas de pouls. Elle releva la che-mise et plaça son stéthoscope sur la poitrine. Elle écouta. Pas de respiration, pas de battement de cœur. Elle braqua le rayon d'une torche dans les yeux. Pupilles dilatées et fixes. La déclaration du décès était une simple formalité administrative. Les infirmières avaient déjà reconnu l'évidence ; le rôle d'Abby se bornait à confirmer leur rapport et consigner le fait dans le dossier. Une de ces responsabilités qu'on ne vous apprend pas à l'école de médecine. La plupart des nouveaux internes, à qui l'on demandait de faire leur premier constat de décès, ne savaient pas comment s'y prendre. Certains improvisaient un discours. Ou demandaient une bible, décrochant ainsi une place de choix dans les chroniques des infirmières sur ces cré-tins de toubibs.

Une mort dans un hôpital ne donne pas lieu à des discours, mais à une masse de formalités et de paperas-serie. Abby prit la fiche de Mary Allen et termina son travail. Elle inscrivit : *Absence de respiration sponta-née et de pouls. Pas de bruits du cœur à l'auscultation. Pupilles fixes et dilatées. Décès déclaré à 0305.* Elle ferma le dossier et s'apprêta à partir.

Brenda Hainey se tenait dans l'embrasure de la porte.

« Je suis désolée, mademoiselle Hainey, dit Abby. Votre tante est décédée pendant son sommeil.

— Quand est-ce arrivé ?

— Peu après minuit. Je suis certaine qu'elle n'a pas souffert.

— Y avait-il quelqu'un avec elle à ce moment-là ?

— Il y avait les infirmières de garde du service.

— Mais personne n'était ici. Dans la chambre. »

Abby hésita. Décida que la vérité était toujours la meilleure réponse. « Non, elle était seule. C'est certai-nement arrivé durant son sommeil. Elle s'en est allée paisiblement. » Elle s'écarta du lit. « Vous pouvez res-ter auprès d'elle un moment si vous le désirez. Je vais demander aux infirmières de ne pas vous déranger. » Elle passa devant Brenda, se dirigeant vers la porte.

« Pourquoi n'avoir rien fait pour la sauver ? »

Abby se retourna vers elle. « Il n'y avait rien à faire.

— Vous pouvez faire repartir un cœur, n'est-ce pas ? Au moyen d'un choc électrique ?

— Dans certaines circonstances.

— L'avez-vous tenté ?

— Non.

— Pourquoi ? Parce qu'elle était trop vieille pour être sauvée ?

— L'âge n'a rien à y voir. Elle était atteinte d'un cancer généralisé.

— Elle est entrée à l'hôpital il y a seulement deux semaines. C'est ce qu'elle m'a dit.

— Elle était déjà très malade.

— Vous voulez dire que vous avez aggravé son état ! »

C'était à vous donner la nausée ! Abby n'en pouvait plus, elle voulait retourner se coucher, et cette femme ne la laissait pas en paix. Accumulait les insultes. Mais elle devait les accepter. Garder tout son calme.

« Nous ne pouvions rien faire, répéta-t-elle.

— Pourquoi n'avez-vous pas tenté de faire repartir son cœur, au moins ?

— Elle n'était pas en réanimation. Ce qui signifie ni choc électrique ni ventilation. C'était le souhait de votre tante, et nous l'avons respecté. Et vous devriez faire de même, mademoiselle Hainey. » Elle sortit sans laisser à Brenda le temps d'ajouter un seul mot. Avant qu'elle-même ne puisse dire quelque chose de regrettable.

Elle retrouva Mark toujours endormi dans la salle de repos. Elle se glissa dans le lit, se nichant le dos contre sa poitrine, cherchant à retrouver le refuge confortable et tiède de l'inconscience. Mais elle revoyait sans cesse Mary Allen, le gant de toilette sous son menton affaissé, les paupières mi-closes sur les cornées vitreuses. Un corps au premier stade de la décomposition. Elle ne savait presque rien de Mary Allen, de ses pensées, de ceux qu'elle avait aimés. Elle était son médecin et ne connaissait qu'une seule chose d'elle : la façon dont elle était morte. Endormie, dans son lit.

Non, pas tout à fait. Peu avant de mourir, Mary avait arraché sa perfusion. Les infirmières avaient trouvé du sang et du sérum sur le sol. Mary s'était-elle agitée ? Avait-elle perdu l'esprit ? Pour quelle raison avait-elle retiré le cathéter de sa veine ?

Un autre détail de la vie de Mary qu'Abby ne connaîtrait jamais.

Mark soupira, se serra plus près d'elle. Elle lui prit la main et la posa sur sa poitrine. Sur son cœur. *Oui*. Elle sourit, en dépit de sa tristesse. C'était le début d'une nouvelle vie, la sienne et celle de Mark. Celle de Mary Allen s'était achevée, et la leur allait commencer. La mort d'une patiente âgée était certes un triste événement, mais c'était ici, à l'hôpital, que les vies prenaient fin.

Et que de nouvelles vies commençaient.

Il était dix heures du matin lorsque le taxi déposa Brenda Haynes devant sa maison de Chelsea. Elle n'avait pas pris de petit déjeuner, n'avait pas dormi depuis l'appel de l'hôpital, mais elle n'éprouvait ni faim ni fatigue. Plutôt une immense sérénité.

Elle avait prié au chevet de sa tante jusqu'à cinq heures du matin, jusqu'à ce que les infirmières emmènent le corps à la morgue. Elle avait quitté l'hôpital avec l'intention de rentrer directement chez elle, mais pendant le trajet en taxi, elle avait eu le sentiment qu'il lui restait une mission à accomplir. Une mission qui se rapportait à l'âme de tante Mary, et à l'endroit où elle se trouvait en ce moment, au cours de son voyage cosmique. À condition qu'elle fût réellement en transit. Elle pouvait être immobilisée quelque part, comme un ascenseur entre deux étages. Se dirigeait-elle vers le haut ou vers le bas, Brenda n'en était pas sûre, et c'était ce qui la troublait.

Tante Mary n'avait pas facilité les choses. Elle n'avait pas pris part aux prières, n'avait pas demandé pardon à Dieu, n'avait même pas jeté un regard à la bible que Brenda avait posée près de son lit. Tante Mary s'était montrée trop indifférente, pensa Brenda. On ne pouvait rester indifférent dans une telle situation.

Brenda avait déjà vu auparavant, chez des amis ou des parents mourants, cette sereine indifférence à l'approche de la fin. Elle était la seule à s'intéresser au salut de leurs âmes, la seule qui semblait concernée. Si concernée, en fait, qu'elle s'était fait un devoir de découvrir qui parmi les membres de la famille était sérieusement malade. Où qu'ils fussent dans le pays, elle allait vers eux, les assistait jusqu'au dernier moment. C'était devenu sa mission sur terre, et certains la considéraient comme une sainte. Elle était trop modeste pour accepter ce titre. Non, elle exécutait simplement son commandement, comme le ferait tout bon serviteur.

Dans le cas de tante Mary, pourtant, elle avait échoué. La mort était arrivée trop tôt, avant que la tante ait accepté qu'Il prenne possession de son cœur. Voilà pourquoi, au moment où le taxi quittait Bayside à six heures moins le quart du matin, Brenda ressentait si fortement une impression d'échec. Sa tante était morte, son âme ne pouvait plus être sauvée. Elle, Brenda, ne s'était pas montrée assez persuasive. Si tante Mary avait vécu un jour de plus, peut-être aurait-elle eu le temps de la convaincre.

Le taxi passa devant une église. C'était une église épiscopalienne, à laquelle Brenda n'appartenait pas, mais une église quand même.

« Arrêtez, ordonna-t-elle au chauffeur. Je voudrais descendre ici. »

Et ainsi, à six heures du matin, Brenda s'était retrouvée assise sur un banc de Saint Andrew. Elle y était restée pendant deux heures et demie, la tête inclinée, ses lèvres remuant silencieusement. Priant pour tante

Mary, pour que ses péchés, tous ses péchés, lui soient pardonnés. Pour que l'âme de sa tante ne soit plus coincée entre deux étages et que l'ascenseur dans lequel elle avait pris place monte au lieu de descendre. Quand enfin Brenda avait levé la tête, il était huit heures et demie. L'église était toujours déserte. Le petit jour filtrait à travers les vitraux en une mosaïque de bleus et d'ors. Tournant son regard vers l'autel, elle avait vu s'y détacher la tête du Christ auréolée de lumière. Ce n'était que la projection du personnage du vitrail, elle le savait, mais il lui sembla y percevoir un signe. Le signe que ses prières avaient été exaucées.

Que tante Mary était sauvée.

Brenda s'était levée de son banc, un peu vacillante sur ses jambes à cause de la faim, mais joyeuse. Grâce à ses efforts, une nouvelle âme se dirigeait vers la lumière. Heureusement, Il l'avait écoutée !

Elle avait quitté Saint Andrew d'un pas alerte, comme si elle marchait sur des nuages. Dehors, elle avait trouvé un taxi qui attendait, moteur au ralenti, au bord du trottoir. Encore un signe.

Elle rentra chez elle dans un état de profonde satisfaction, gravit les marches de la véranda, impatiente de prendre calmement son petit déjeuner et quelques heures de sommeil bien méritées. Même Ses serviteurs avaient besoin de repos. Elle tourna la clé dans la serrure.

Plusieurs lettres étaient éparpillées sur le sol, glissées le matin même à travers la fente de la porte. Des factures, des bulletins paroissiaux, des appels à des dons. Il y avait tant de nécessiteux de par le monde ! Brenda ramassa le courrier et le feuilleta rapidement tout en se dirigeant vers la cuisine. En bas de la pile, il y avait une enveloppe portant son nom. Rien d'autre, seulement son nom. Pas d'adresse d'expéditeur.

Elle déchira le rabat et déplia la feuille à l'intérieur. Il y avait une seule ligne, tapée à la machine.

Votre tante n'est pas morte de mort naturelle.
Signé : un ami.

Le reste du courrier s'échappa des mains de Brenda, les factures et les bulletins se répandirent sur le sol de la cuisine. Elle se laissa tomber sur une chaise. Elle n'avait plus faim ; sa belle sérénité s'était envolée.

Elle entendit un croassement derrière la fenêtre. Elle leva les yeux et vit un corbeau perché sur la branche de l'arbre voisin ; il la fixait de son œil jaune.

Un autre signe.

13

Frank Zwick leva la tête, quittant du regard le patient qui reposait sur la table d'opération. « J'ai l'impression que des félicitations s'imposent. »

Abby, les mains dégoulinantes après l'obligatoire lavage chirurgical de dix minutes, venait de pénétrer dans le bloc où l'attendaient Zwick et deux infirmières qui lui adressèrent un large sourire.

« Je n'aurais jamais cru qu'il se laisserait passer la corde au cou. Même en attendant des siècles, dit l'instrumentiste en tendant une serviette à Abby. Ce qui montre bien que le célibat n'est pas une maladie incurable. Quand vous a-t-il fait sa demande, docteur D. ? »

Abby enfila la casaque stérile et les gants. « Il y a deux jours. »

« — Et vous avez gardé le secret pendant deux jours entiers ? »

Abby éclata de rire. « Je voulais être certaine qu'il n'allait pas brusquement changer d'avis. » *Et il ne l'a pas fait. Je dirais même que nous sommes plus que jamais sûrs l'un de l'autre.* Le sourire aux lèvres, elle s'approcha de la table. Déjà anesthésié, le patient était étendu la poitrine découverte, la peau jaunie par la Bétadine. Il s'agissait d'une simple thoracotomie, une résection cunéiforme d'un nodule pulmonaire périphérique. Abby effectua les tâches préopératoires habituelles, avec l'aisance de quelqu'un qui les a pratiquées des centaines de fois auparavant. Elle étendit les champs stériles. Clampa. Disposa les champs de couleur bleue et clampa davantage.

« Et pour quand le grand jour ? demanda Zwick.

— Rien n'est encore décidé. » En réalité, Mark et elle n'avaient pas dépassé le stade de la discussion. Une cérémonie de quelle importance ? Qui inviter ? En plein air ou à l'intérieur ? Une chose seulement était certaine. Ils passeraient leur lune de miel au bord d'une plage. N'importe quelle plage, pourvu qu'il y ait des palmiers alentour.

Elle sentit son sourire s'élargir à la pensée du sable chaud et de l'eau bleue. Et de Mark.

« Je parie que Mark aimerait se marier en bateau, dit Zwick.

— Sûrement pas.

— Oh-oh. Voilà qui semble définitif. »

Elle finit de préparer le patient et leva les yeux vers Mark, qui venait d'entrer dans le bloc. Il enfila blouse et gants, et prit sa place devant la table en face d'elle.

Ils échangèrent un sourire. Puis elle saisit le scalpel.

L'interphone retentit. Une voix dans le haut-parleur demanda : « Le docteur DiMatteo est-elle là ?

— Oui, répondit l'infirmière de la salle d'opération.

— Pouvez-vous lui demander de sortir ?

— Ils s'apprêtent à ouvrir. Est-ce que cela peut attendre ? »

Après un silence, la voix reprit : « M. Parr demande qu'elle sorte de la salle d'opération.

— Dites-lui que nous sommes en train d'opérer, dit Mark.

— Il le sait. Nous avons besoin du docteur DiMatteo, répéta la voix. Immédiatement. »

Mark regarda Abby. « Vas-y. Je vais faire appel à un interne pour m'assister. »

Abby s'écarta de la table et ôta fébrilement sa

blouse. Il se passait quelque chose d'anormal. Parr ne l'aurait pas fait sortir du bloc pour un incident mineur.

Le cœur battant, elle poussa la porte de la salle d'opération et se dirigea vers le bureau d'accueil.

Jeremiah l'attendait, debout. À ses côtés se tenaient deux gardes de la sécurité et la surveillante-chef. Personne ne souriait.

« Docteur DiMatteo, dit Parr, voulez-vous avoir l'obligeance de nous accompagner ? »

Abby regarda les gardes. Ils s'étaient placés de chaque côté d'elle. La surveillante aussi avait changé de position, et se tenait un pas en arrière.

« De quoi s'agit-il ? demanda Abby. Où allons-nous ?

— Voir votre casier.

— Je ne comprends pas.

— Ce n'est qu'une vérification de routine, docteur. »

Cela ne ressemble en rien à une opération de routine. Flanquée des deux gardes, Abby n'avait d'autre choix que de suivre Parr le long du couloir jusqu'au vestiaire des femmes. La surveillante passa la première, afin de faire sortir le personnel. Puis elle fit signe à Parr et aux autres d'entrer.

« Votre casier est le soixante-douze, n'est-ce pas ? demanda Parr.

— Oui.

— Veuillez l'ouvrir je vous prie. »

Abby s'empara du cadenas à combinaison. Elle composa le premier chiffre, puis s'interrompit et se tourna vers Parr. « Je désire d'abord savoir de quoi il s'agit.

— D'une simple vérification.

— Je crois avoir dépassé le stade des inspections de casier du lycée. Que cherchez-vous ?

— *Veuillez seulement ouvrir ce casier.* »

Abby jeta un coup d'œil aux gardes, puis à la surveillante. Tous l'observaient d'un air soupçonneux. Je n'aurai pas le dernier mot, pensa-t-elle. Si je refuse d'ouvrir, ils croiront que je cache quelque chose. Le meilleur moyen de désamorcer cette situation de fous est de coopérer.

Elle prit le cadenas, composa le numéro de la combinaison, et l'ouvrit.

Parr s'approcha. Les gardes également, se postant derrière lui tandis qu'elle tirait la porte vers elle.

À l'intérieur se trouvaient ses vêtements, son stéthoscope, son sac, une trousse de toilette en tissu fleuri pour les nuits où elle était de garde, et la longue blouse blanche qu'elle portait pour les visites. Ils lui demandaient de se montrer coopérative, elle allait leur donner satisfaction. Elle tira sur la fermeture à glissière de la trousse et la tint ouverte sous leurs yeux, exhibant l'intérieur. Un véritable étalage d'intimité féminine. Brosse à dents, tampons hygiéniques, Midol. L'un des gardes rougit. Il avait eu sa petite dose d'émotion. Elle ouvrit son sac à main. Pas de surprise là non plus. Un portefeuille, un chéquier, des clés de voiture, encore des tampons. Les femmes et leur quincaillerie... Les gardes avaient un air gêné à présent, penaud.

Abby commençait à s'amuser.

Elle remit son sac dans le casier et souleva la blouse blanche de son crochet. Ce faisant, elle eut une impression bizarre. Le vêtement pesait plus lourd qu'à l'habitude. Elle plongea une main dans la poche et sentit un objet cylindrique et lisse. Un flacon. Elle le sortit et regarda l'étiquette.

Sulfate de morphine. Le flacon était presque vide.

« Docteur DiMatteo, dit Parr, veuillez me donner ce flacon, s'il vous plaît. »

Elle leva son regard vers lui. « Je ne comprends pas ce qu'il fait ici.

— Donnez-le-moi. »

Trop stupéfiée pour réagir, elle le lui tendit. « J'ignore comment il est arrivé là. Je ne l'ai jamais vu avant aujourd'hui. »

Parr remit le flacon à la surveillante. Puis il se tourna

vers les gardes. « Veuillez escorter le docteur jusqu'à mon bureau. »

« Ça n'a ni queue ni tête ! s'exclama Mark. C'est un coup monté contre elle et nous le savons tous.

— Nous n'en avons aucune preuve, dit Parr.

— Toujours la même guerre de harcèlement ! Les poursuites. Les organes dans sa voiture. Et maintenant ça.

— Cette fois-ci, il s'agit de tout autre chose, docteur Hodell. La mort d'une de nos patientes. » Parr s'adressa à Abby. « Docteur, pourquoi ne pas dire simplement la vérité et nous faciliter les choses ? »

Une confession, voilà ce qu'il voulait. Un aveu pur et simple de sa culpabilité. Abby laissa son regard errer autour de la table, observant Parr, Susan Casado, la surveillante. Tous, à l'exception de Mark. Elle craignait de le regarder, de déceler le doute dans ses yeux.

Elle dit : « Je vous le répète, je ne suis au courant de rien. J'ignore absolument comment ce flacon a atterri dans mon casier. Je ne sais pas comment Mary Allen est morte.

— Vous avez vous-même constaté le décès, fit remarquer Parr. Voilà deux jours.

— Ce sont les infirmières qui l'ont découverte. Elle avait déjà expiré.

— C'était la nuit où vous étiez de garde.

— Oui.

— Vous êtes restée à l'hôpital pendant toute la nuit.

— Évidemment. C'est ce qu'on appelle *être de garde*, non ?

— Par conséquent, vous étiez là pendant la nuit où Mme Allen est morte d'une overdose de morphine. Et aujourd'hui nous trouvons ça dans votre casier. » Il posa le flacon au milieu de la table où il resta exposé, centre de l'attention générale sur la surface polie d'acajou. « Un produit réglementé. Le seul fait qu'il soit en votre possession est déjà grave en soi. »

Abby regarda Parr. « Vous venez de dire que

Mme Allen est morte d'une overdose de morphine. Comment le savez-vous ?

— Par une analyse postmortem. Le taux de drogue était énorme.

— Elle était sous dose thérapeutique, une posologie destinée à la soulager.

— J'ai le rapport sous les yeux. Il est arrivé ce matin. Quatre dixièmes de milligramme par litre. Un niveau de deux dixièmes est considéré comme fatal.

— Montrez-moi ça », dit Mark.

Mark parcourut la fiche du labo. « Pourquoi a-t-on demandé une analyse postmortem du taux de morphine ? La patiente était atteinte d'un cancer en phase terminale.

— Quelqu'un l'a demandé. Vous n'avez pas besoin d'en savoir plus.

— J'ai besoin d'en savoir sacrément plus. »

Parr se tourna vers Susan Casado, qui expliqua : « Nous avions certaines raisons de supposer qu'il ne s'agissait pas d'une mort naturelle.

— Quelles raisons ?

— Ce n'est pas le sujet de...

— *Quelles* raisons ? »

Susan laissa échapper un bref soupir. « Une parente de Mme Allen nous a demandé de mener une enquête. Elle a reçu un billet la prévenant que la mort de sa tante était suspecte. Nous avons averti le docteur Wettig, naturellement, et il a ordonné de faire procéder à une autopsie. »

Mark tendit à Abby le justificatif du labo. Elle l'examina, et reconnut le gribouillis face à la mention : médecin prescripteur. C'était bien la signature du Major. Il avait demandé une recherche quantitative de toxique la veille à onze heures du matin. Huit heures après la mort de Mary Allen.

« Toute cette histoire me dépasse, dit Abby. J'ignore comment une telle dose de morphine lui a été administrée. C'est peut-être une erreur du labo. Une erreur de la part d'une infirmière...

« — Je réponds de mon personnel, l'interrompit la surveillante. Nous avons des contrôles extrêmement stricts en matière d'administration de narcotiques. Tout le monde le sait. Il ne peut y avoir d'erreur de la part des infirmières du service. »

Mark reprit la parole. « Vous prétendez donc qu'on a délibérément administré une dose excessive à la patiente. »

Il y eut un long silence. « Oui, dit enfin Parr.

— C'est ridicule ! Je suis resté avec Abby toute la nuit, dans la salle de repos.

— Toute la nuit ? demanda Susan.

— Oui. C'était son anniversaire, et nous avons, euh... » Mark s'éclaircit la voix et jeta un regard à Abby. *Nous avons fait l'amour,* songeaient-ils tous les deux. « Nous l'avons fêté, dit-il simplement.

— Vous êtes restés ensemble tout le temps ? » interrogea Parr.

Mark hésita. *Il ne peut pas l'affirmer,* pensa Abby. Il avait continué à dormir pendant qu'elle parlait au téléphone, ne s'était même pas réveillé quand elle était sortie pour constater le décès de Mary Allen à trois heures du matin, ni lorsqu'elle s'était absentée une deuxième fois pour faire redémarrer une perfusion à quatre heures. Il s'apprêtait à mentir pour elle, inutilement car il ignorait ce qu'elle avait fait cette nuit-là. Parr le savait, lui. Par les infirmières. Par les notes et les prescriptions qu'elle avait rédigées, sur lesquelles l'heure était à chaque fois mentionnée.

Elle dit : « Mark se trouvait effectivement dans la salle de repos avec moi. Mais il a dormi pendant toute la nuit. » Elle se tourna vers lui. *Nous devons nous en tenir à la vérité. Elle seule me sauvera.*

« Et vous, docteur DiMatteo ? dit Parr. Êtes-vous restée dans la pièce ?

— J'ai été appelée dans les salles à plusieurs reprises. Mais vous le savez déjà, n'est-ce pas ? »

Parr hocha la tête.

« Vous croyez tout savoir ! s'écria Mark. Alors

dites-moi une chose. Pourquoi aurait-elle commis cet acte ? Pourquoi tuer sa propre patiente ?

— Les sympathies du docteur DiMatteo pour le mouvement en faveur de l'euthanasie ne sont un secret pour personne », dit Susan Casado.

Abby fixa sur elle un regard stupéfait. « *Quoi ?*

— Nous nous sommes entretenus avec les infirmières. Elles ont entendu le docteur DiMatteo dire, je cite — Susan feuilleta les pages d'un bloc de couleur jaune — "Si la morphine peut l'aider, nous devons la lui prescrire. Au risque que la mort ne survienne un peu plus vite." Fin de citation. » Susan regarda Abby. « Ce sont bien vos paroles, n'est-ce pas ?

— Cela n'a rien à voir avec l'euthanasie ! Je parlais du contrôle de la douleur ! Du bien-être de la patiente.

— C'est donc bien ce que vous avez dit ?

— C'est possible. Je ne m'en souviens plus.

— Et il y a eu également cette altercation avec la nièce de Mme Allen, Brenda Hainey. Plusieurs infirmières en ont été témoins, ainsi que Mme Speer ici présente. » Elle désigna la surveillante. Et consulta à nouveau son bloc. « Elles n'étaient pas d'accord. Brenda Hainey estimait qu'on administrait trop de morphine à sa tante. Et le docteur DiMatteo a affirmé le contraire. Au point de l'insulter. »

Abby ne pouvait pas contester l'accusation. Elle avait eu une altercation avec Brenda. Elle l'avait insultée. Tout lui retombait sur le dos à présent, comme une succession de vagues gigantesques qui s'abattaient sur elle, lui coupant la respiration.

On frappa à la porte et le docteur Wettig entra, refermant soigneusement derrière lui. Il garda le silence pendant un moment, resta assis à l'extrémité de la table, le regard rivé sur Abby. Elle attendit la vague suivante.

« Elle affirme ne rien savoir, déclara Parr.

— Ce n'est pas surprenant, dit Wettig. Vous ignorez tout de cette affaire, n'est-ce pas, DiMatteo ? »

Abby croisa le regard du Major. Elle avait toujours

eu du mal à fixer ces yeux bleus impénétrables. Elle y lisait trop de pouvoir, un pouvoir sur son avenir. Mais elle le regardait franchement à présent, déterminée à lui montrer qu'elle n'avait rien à cacher.

« Je n'ai pas tué ma patiente, dit-elle. Je le jure.

— C'est ce que je pensais vous entendre dire. » Wettig plongea sa main dans la poche de sa blouse et en tira un cadenas à combinaison. Il le posa brutalement sur la table.

« Qu'est-ce que c'est ? demanda Parr.

— Cela vient du casier du docteur DiMatteo. Depuis une demi-heure, je suis devenu un expert en cadenas. J'ai fait venir un serrurier. Il m'a précisé qu'il s'agissait d'un modèle à ressort, un jeu d'enfant à ouvrir. Un petit coup sec suffit. Et il s'ouvre tout seul. Il y a également un numéro de série inscrit sur la face arrière. Tout serrurier de métier peut utiliser ce numéro pour obtenir la combinaison. »

Parr contempla le cadenas, puis haussa les épaules avec un air de dédain. « Cela ne prouve rien. Nous avons toujours un décès sur les bras. Et *ça*. » Il désigna le flacon de morphine.

« Êtes-vous tous obtus à ce point ? s'emporta Mark. Ne comprenez-vous pas ce qui se passe ? Une lettre anonyme. De la morphine déposée opportunément dans son casier. Quelqu'un cherche à piéger Abby.

— Dans quel but ? dit Susan.

— Pour la discréditer. Obtenir son renvoi. »

Parr émit un grognement incrédule. « D'après vous, quelqu'un aurait assassiné une de nos patientes dans le seul but de mettre un terme à la carrière du docteur DiMatteo ? »

Mark s'apprêtait à répondre, mais il se ravisa. L'hypothèse était absurde, et ils le savaient tous.

« Vous admettrez, docteur Hodell, que l'idée d'une machination est peu vraisemblable.

— Pas aussi invraisemblable que ce qui m'est déjà arrivé, dit Abby. Regardez ce que Victor Voss est parvenu à faire. Cet homme est mentalement instable. Il m'a agressée dans le service de réanimation. L'idée de déposer des organes ensanglantés dans ma voiture est le fait d'un esprit dérangé. Sans compter les poursuites judiciaires — déjà deux en cours. Et ce n'est qu'un début. »

Il y eut un silence. Susan jeta un coup d'œil à Parr. « Elle n'est pas au courant ?

— Apparemment pas.

— Au courant de *quoi* ? demanda Abby.

— Hawkes, Craig & Sussman nous ont contactés après le déjeuner, dit Susan. Les poursuites contre vous ont été retirées. Toutes les deux. »

Abby se tassa sur sa chaise. « Je n'y comprends rien, murmura-t-elle. Qu'est-ce que Voss a derrière la tête ? Que compte-t-il faire ?

— Si Victor Voss avait l'intention de vous harceler, il semblerait qu'il se soit arrêté. Notre histoire n'a donc rien à voir avec lui.

— Alors comment l'expliquer ? interrogea Mark.

— Considérez la preuve. » Susan désigna le flacon. « Il n'y a aucun témoin, rien qui associe ce flacon à la mort de la patiente.

— Néanmoins, je crois que nous en tirons tous la même conclusion. »

Personne ne regardait Abby, pas même Mark. Le silence était écrasant.

Ce fut Wettig qui finit par le rompre. « Quelle est votre intention, Parr ? Prévenir la police ? Donner ce gâchis en pâture aux médias ? »

Parr hésita. « Ce serait prématuré.

— Soit vous vous en tenez à vos accusations, soit vous les retirez. Toute autre attitude serait injuste envers le docteur DiMatteo.

— Dieu du ciel, dit Mark, ne mêlons pas la police à ça !

— Si vous décidez qu'il s'agit d'un meurtre, la police doit être prévenue, poursuivit Wettig. Faites venir quelques journalistes, mettez votre service de relations publiques sur le coup. Un peu de sensationnel leur fera du bien. Étalez tout au grand jour, c'est la meilleure politique. » Il regarda Parr en face. « *À condition que* vous persistiez à qualifier cet acte de meurtre. »

C'était un défi.

Ce fut Parr qui battit en retraite. Il se racla la gorge et dit à Susan : « Nous ne pouvons pas affirmer avec certitude qu'il s'agit d'un meurtre.

— Vous feriez mieux d'avoir des certitudes, dit sèchement Wettig. D'en être *vraiment* certains. Avant d'appeler la police.

— Nous allons poursuivre nos investigations, dit Susan. Interroger plusieurs infirmières du service. Nous assurer que rien ne nous a échappé.

— Je vous y engage vivement », fit Wettig.

Le silence retomba. Personne ne semblait prêter attention à Abby. Elle avait disparu de la scène, était devenue invisible à leurs yeux, inexistante.

Ils sursautèrent lorsqu'elle parla. Elle-même reconnut à peine le son de sa propre voix ; calme, assurée, comme si elle appartenait à une étrangère. « J'aimerais maintenant retourner auprès de mes patients, si possible. »

Wettig fit un signe de tête. « Allez-y.

— Attendez, intervint Parr. Elle ne peut pas reprendre son service.

— Vous n'avez aucune preuve, dit Abby en se levant. Le Major a raison. Soit vous justifiez votre accusation, soit vous la retirez.

— Il existe un délit indiscutable, fit remarquer Susan, c'est la possession d'un produit réglementé. Nous ignorons comment vous avez obtenu la morphine, docteur, mais le fait qu'elle se soit trouvée dans votre casier est suffisamment grave. » Elle se tourna vers Parr. « Nous n'avons pas le choix. Le risque est considérable. Si un problème surgit avec un autre de ses patients, nous sommes fichus. » Son regard se porta vers Wettig. « Ainsi que la réputation de votre programme d'enseignement, Major. »

La mise en garde de Susan eut l'effet escompté. La notion de responsabilité était leur principale préoccupation. Wettig, comme tous les médecins, vivait dans la crainte des avocats et des actions en justice. Cette fois-ci, il ne discuta pas.

« Quelle est votre conclusion ? demanda Abby. Suis-je renvoyée ? »

Parr se leva, indiquant que la réunion était terminée, la décision prise. « Docteur DiMatteo, jusqu'à plus ample informé, vous êtes suspendue de vos fonctions. Vous n'êtes plus autorisée à vous rendre dans aucun service de l'hôpital. Vous ne devez plus approcher un seul patient. Est-ce compris ? »

Elle comprenait. Elle comprenait parfaitement.

14

Yakov n'avait pas rêvé de sa mère depuis des années et il n'avait presque pas pensé à elle durant ces derniers mois. Aussi fut-il stupéfait ce matin-là, après treize jours de mer, de se réveiller avec son souvenir si précis à l'esprit qu'il pouvait presque sentir son parfum dans l'air. Sa dernière vision, tandis que le rêve s'effaçait, fut son sourire. Une mèche de cheveux blonds balayant sa joue. Des yeux verts qui semblaient le transpercer, voir au-delà de lui, comme si c'était *lui* qui n'était pas réel, qui n'était pas fait de chair et de sang. Ses traits lui parurent si familiers qu'il sut immédiatement qu'il s'agissait de sa mère. Au fil des années, il s'était efforcé de se remémorer son visage, sans jamais vraiment y parvenir. Yakov n'avait pas de photos, aucun objet lui rappelant sa famille. Malgré tout, durant tout ce temps, il avait porté en lui le souvenir de ce visage, comme une graine enfouie dans le terreau fertile de son esprit. La nuit dernière, elle avait finalement germé.

Il la revoyait, il se rappelait qu'elle était belle.

Cet après-midi-là, la mer devint lisse comme un miroir et le ciel se teinta du même gris froid que l'eau. Debout sur le pont, regardant par-dessus le bastingage, Yakov n'aurait su dire où finissait la mer et où le ciel commençait. Ils dérivaient dans un immense aquarium couleur de plomb. Il avait entendu le cuisinier dire que le mauvais temps arrivait, que demain personne ne garderait plus dans l'estomac qu'un peu de pain et de soupe. Aujourd'hui, cependant, la mer était calme, l'air lourd avec un goût de pluie. Yakov parvint à convaincre Aleksei de sortir de sa couchette pour partir en exploration.

Pour commencer, il lui fit visiter l'Enfer, la salle des machines. Ils errèrent un moment dans l'obscurité, au milieu d'un vacarme de sons métalliques, jusqu'à ce qu'Aleksei se plaigne de l'odeur du fuel. Aleskei avait un estomac de bébé — toujours en train de vomir. Yakov l'emmena alors dans la timonerie, où le capitaine se montra trop occupé pour leur parler. Tout comme le navigateur. Yakov ne put pas faire étalage de son statut de visiteur familier et agréé.

Ensuite ils se dirigèrent vers la cuisine, mais le cuisinier n'était pas à prendre avec des pincettes, et il ne leur offrit même pas une tranche de pain. Il avait à préparer le repas des passagers de l'arrière, les gens qu'on ne voyait jamais. C'était un couple exigeant, grommela-t-il, qui lui prenait trop de temps. Il continua de maugréer tout en disposant deux verres et une bouteille de vin sur un plateau qu'il glissa dans le monte-plat. Il pressa sur un bouton et l'expédia en haut dans un ronflement, vers les appartements privés. Puis il retourna à son fourneau, où grésillait une sauteuse pendant que des volutes de vapeur montaient des marmites. Il souleva un des couvercles d'où s'échappa une odeur d'oignons sautés. Il remua le contenu avec une spatule de bois.

« Les oignons doivent revenir lentement, dit-il. Ils

deviennent alors doux comme du lait. Faut de la patience pour cuisiner, mais plus personne n'en a de nos jours. Les gens veulent les choses tout de suite. On les fourre dans le micro-ondes, et hop ! Autant bouffer du cuir bouilli ! » Il replaça le couvercle de la marmite et souleva celui de la sauteuse. À l'intérieur se trouvaient six petits oiseaux, pas plus gros qu'un poing d'enfant. « Des bouchées tombées du ciel, dit-il.

— J'ai jamais vu des poulets aussi petits », s'étonna Aleksei.

Le cuisinier rit. « Ce sont des cailles, bêta.

— Pourquoi n'en mangeons-nous jamais ?

— Parce que vous n'êtes pas dans la cabine arrière. » Le cuisinier disposa les oiseaux fumants sur un plat et les saupoudra de persil haché. Puis il recula d'un pas, le visage écarlate et en sueur, admirant son œuvre. « Ils n'ont pas intérêt à se plaindre », fit-il, et il enfourna le tout dans le monte-charge, qui était redescendu vide.

« J'ai faim, dit Yakov.

— Tu as toujours faim. Coupe-toi une tranche de pain. Il est rassis, mais tu peux le faire griller. »

Les deux garçons fouillèrent dans les tiroirs à la recherche du couteau à pain. Le cuisinier avait raison : le pain était sec et rassis. Maintenant la miche avec le moignon de son bras gauche, Yakov en découpa deux tranches qu'il apporta jusqu'au grille-pain.

« Regarde ce que tu fabriques ! s'écria le cuisinier. Tu fais tomber des miettes sur le plancher. Ramasse-les.

— Ramasse-les, dit Yakov à Aleksei.

— C'est toi qui les as fait tomber. Pas moi.

— C'est moi qui fais griller le pain.

— Mais je n'ai pas fait tomber les miettes.

— Très bien. Dans ce cas je vais jeter ta tranche.

— Que *quelqu'un* ramasse ces foutues miettes ! » rugit le cuisinier.

Aleksei se mit immédiatement à genoux et nettoya le plancher.

Yakov plaça la première tranche dans le grille-pain. Une boule grise jaillit soudain de l'une des fentes et sauta sur le sol.

« Une souris ! glapit Aleksei. Il y avait une souris dans le grille-pain ! »

Il sautait d'un pied sur l'autre, cherchant à éviter l'animal qui courait affolé autour de lui, poursuivi d'un côté par Yakov, et de l'autre par le cuisinier, prêt à lui lancer un couvercle de casserole pour faire bonne mesure. La souris grimpa le long d'une jambe d'Aleksei, lui arrachant un tel cri de terreur qu'elle fit immédiatement demi-tour. Elle retomba sur le sol, déguerpit et disparut sous un buffet.

Quelque chose brûlait sur le fourneau. Avec un juron, le cuisinier s'élança pour éteindre la flamme. Il jura davantage encore en raclant les oignons noircis au fond de la marmite, ces oignons qu'il avait si amoureusement fait revenir dans le beurre. « Une souris dans ma cuisine ! Et regardez-moi ça ! Foutus. Je n'ai plus qu'à tout recommencer ! Saloperie de souris !

— Elle était dans le grille-pain », dit Yakov. Il eut soudain le cœur au bord des lèvres. Il imagina la souris rampant désespérément, grattant à l'intérieur.

« Je suis sûr qu'elle a laissé plein de crottes, dit le cuisinier. Saleté de souris. »

Yakov jeta un coup d'œil prudent à l'intérieur. Il n'y avait plus de souris, mais une quantité de petits grains marron mystérieux.

Il fit glisser le grille-pain vers l'évier, avec l'intention de vider les miettes.

Le cuisinier poussa un cri. « Hé ! Tu es cinglé ? Qu'est-ce que tu fais ?

— Je nettoye le grille-pain.

— Il y a de l'eau dans cet évier ! Et l'appareil est encore branché. S'il touche l'eau, tu es mort. Personne ne t'a jamais dit ça ?

— Oncle Misha n'avait pas de grille-pain.

— Ça concerne pas seulement les grille-pain. Ça concerne tout ce qui se branche sur l'électricité, tout ce qui a un cordon électrique. Tu es aussi idiot que les autres. » Il agita les bras, poussant les deux garçons vers la porte. « Allez, ouste, sortez d'ici, tous les deux. Vous m'embêtez.

— Mais j'ai faim, dit Yakov.

— Tu attendras le dîner comme tout le monde. » Il jeta un nouveau morceau de beurre dans la poêle. Avec un regard noir dans la direction de Yakov, il aboya : « Dehors ! »

Les garçons sortirent.

Ils jouèrent sur le pont pendant un moment, jusqu'à ce qu'ils sentirent le froid les pénétrer. Ils tentèrent alors de regagner la timonerie, mais en furent également éjectés. Le désœuvrement finit par les conduire dans un endroit du bateau où ils n'importuneraient personne, et où personne ne les ennuierait. C'était la cachette secrète de Yakov, et il avait pensé la dévoiler à Aleksei uniquement à titre de récompense, seulement si Aleskei, pour une fois, cessait de se comporter comme une poule mouillée. Il l'avait découverte dès le troisième jour de ses explorations, en remarquant la porte fermée dans le couloir de la salle des machines. Il l'avait ouverte et s'était aperçu qu'elle donnait sur une cage d'escalier.

Le Pays des merveilles.

La cage s'élevait sur deux niveaux. Un escalier en colimaçon y conduisait, et au dernier palier débouchait une légère passerelle métallique qui résonnait et bougeait quand on sautait dessus. La porte bleue à l'extrémité de la passerelle était toujours fermée au verrou. Yakov avait fini par renoncer à l'ouvrir.

Ils montèrent au palier supérieur. De là-haut le sol semblait à une distance vertigineuse et il était facile d'effrayer Aleksei. Il suffisait de sautiller un peu.

« Arrête ! cria Aleksei. Tu fais bouger la passerelle !

— C'est ça, le voyage ! Le voyage au Pays des merveilles ! Tu n'es pas content ?

— Je ne veux pas faire de voyage !

— Tu ne veux jamais rien faire. » Yakov aurait

volontiers continué à sauter, secouant la passerelle, mais Aleksei devenait hystérique. Il s'agrippait d'une main à la rampe et de l'autre à Chouchou.

« Je veux m'en aller d'ici, gémit-il.

— Oh, bon, ça va. »

Ils redescendirent, leurs pas claquant joyeusement sur les marches métalliques. Arrivés en bas, ils jouèrent encore quelques instants sous l'escalier. Aleksei dénicha un bout de vieux cordage dont il fixa une extrémité à la rambarde la plus basse de la passerelle. Il s'en servit pour se balancer comme un chimpanzé. Il n'était qu'à trente centimètres du sol ; pas très excitant.

Puis Yakov lui montra la caisse vide, celle qu'il avait découverte dans un coin sous l'escalier. Ils se glissèrent à l'intérieur, y restèrent tapis dans l'obscurité au milieu de la sciure et des copeaux de bois, écoutant les moteurs qui grondaient dans l'Enfer. La mer paraissait très proche à cet endroit, comme un grand berceau noir qui balançait la coque du bateau.

« C'est ma cachette secrète, dit Yakov. Personne ne doit le savoir.

— Pourquoi est-ce que j'en parlerais ? C'est un endroit dégoûtant. Froid et humide. Et je parie qu'il y a plein de souris. Nous sommes sûrement couchés dans des crottes de souris.

— Il n'y a pas de crottes de souris.

— Comment le sais-tu ? On y voit rien.

— Si ça ne te plaît pas, tu peux t'en aller. Fiche le camp. » Yakov lui flanqua un coup de pied à travers les copeaux. L'imbécile ! Il n'aurait pas dû l'amener ici. Un garçon qui emmenait partout avec lui ce minable chien en peluche ne pouvait pas avoir le sens de l'aventure. « Va-t'en ! Tu n'es franchement pas marrant.

— Je connais pas le chemin.

— Tu crois quand même pas que je vais te le montrer ?

— C'est toi qui m'as amené. Tu dois me ramener.

— Compte là-dessus et bois de l'eau fraîche.

— Tu me ramènes sinon je dis à tout le monde où se trouve ton endroit stupide. Ta cachette minable, pleine de crottes de souris. » Aleksei faisait mine de sortir de la caisse, projetant des copeaux de bois à la figure de Yakov. « Ramène-moi tout de suite sinon...

— La ferme ! » dit Yakov. Il attrapa Aleksei par sa chemise et le tira en arrière. Les deux garçons basculèrent dans la sciure.

« Petit con, maugréa Aleksei.

— Écoute. *Écoute !*

— Quoi ? »

Quelque part, au-dessus d'eux, une porte grinça et se referma avec un claquement. Des bruits se firent entendre sur la passerelle, des pas dont l'écho se répercutait dans la cage de l'escalier.

Yakov rampa jusqu'à l'ouverture de la caisse et leva les yeux vers la passerelle au-dessus de lui. Quelqu'un frappait à la porte bleue. Un instant plus tard elle s'ouvrit, et il distingua l'éclat d'une chevelure blonde au moment où une femme s'engouffrait à l'intérieur. La porte se referma derrière elle.

Yakov reprit sa place dans la caisse. « C'est seulement Nadiya.

— Elle est encore dehors ?

— Non, elle est entrée par la porte bleue.

— Qu'est-ce qu'il y a à l'intérieur ?

— J'en sais rien.

— Je croyais que tu étais le grand explorateur.

— Et toi tu es le grand connard ! » Yakov donna un autre coup de pied, mais ne parvint qu'à faire voler un nuage de sciure. « La porte est toujours fermée. Il y a quelqu'un dans la pièce.

— Comment le sais-tu ?

— Parce que Nadiya a frappé, et qu'on lui a ouvert. »

Aleksei se recroquevilla au fond de la caisse, décidé à ne pas s'aventurer dehors pour l'instant. Il murmura : « C'est sûrement les gens des cailles. »

Yakov revit le plateau avec le vin et les deux verres,

les oignons qui rissolaient dans le beurre, les six oiseaux minuscules nappés de sauce. Son estomac émit un grondement.

« Tu entends ? dit-il. Je sais faire des bruits vraiment horribles avec mon ventre. » Il bloqua sa respiration et projeta son ventre en avant. Tout autre eût été impressionné par la symphonie de gargouillements.

Aleksei se borna à dire : « C'est dégoûtant.

— Tout est dégoûtant pour toi. Qu'est-ce que tu as ?

— J'ai que j'aime pas les trucs dégoûtants.

— Tu aimais ça avant.

— Eh bien, plus maintenant.

— C'est à cause de Nadiya. Elle t'a rendu tout mou et collant. Tu es amoureux d'elle, hein ?

— C'est pas vrai.

— Tu parles !

— Non, c'est pas vrai. » Aleksei lui jeta une poignée de copeaux en pleine figure et les deux garçons en vinrent bientôt aux mains, s'envoyant dinguer d'une paroi à l'autre de la caisse, se bourrant de coups de pied, jurant. La place manquant, ils ne pouvaient se faire du mal. Aleksei perdit Chouchou dans les copeaux et se mit à farfouiller dans l'obscurité, cherchant son animal fétiche. Yakov pour sa part n'avait plus envie de se battre.

Le combat cessa donc faute de combattants.

Pendant un moment, ils restèrent côte à côte, Aleksei serrant Chouchou contre lui, Yakov s'évertuant à produire des bruits nouveaux et encore plus répugnants avec son estomac. Même ce jeu finit par le lasser, et tous deux se turent, figés par l'ennui, par le grondement soporifique des moteurs, par le balancement de la houle.

Aleksei dit : « Je suis pas amoureux d'elle.

— Je m'en fiche que tu le sois ou non.

— Mais elle plaît aux autres garçons. Tu as remarqué comment ils parlent d'elle ? » Aleksei marqua une pause. Ajouta : « J'aime bien son odeur. Les femmes ont une odeur différente. Elles sentent doux.

— Doux, c'est pas une odeur.

— Si c'en est une. Quand on sent une femme comme elle, on sait qu'elle sera douce à toucher. On le sait. » Aleksei caressa Chouchou. Yakov entendit le bruit de sa main effleurant l'étoffe mitée.

« Ma mère sentait comme elle », dit Aleksei.

Yakov se remémora son rêve. La femme, le sourire. La mèche de cheveux blonds qui lui barrait la joue. Oui, Aleksei avait raison. Dans son rêve, sa mère avait réellement le parfum de la douceur.

« C'est peut-être idiot, poursuivit Aleksei, mais je m'en souviens. Il y a des choses d'elle que j'ai pas oubliées. »

Yakov s'étira, et ses pieds touchèrent l'autre bord de la caisse. Ai-je grandi ? se demanda-t-il. Si seulement. Si seulement je pouvais devenir assez grand pour traverser cette paroi d'un bon coup de pied.

« Tu ne penses jamais à ta mère ? demanda Aleksei.

— Non.

— De toute façon, tu ne t'en souviendrais pas.

— Je me souviens que c'était une beauté. Elle avait des yeux verts.

— Comment le sais-tu ? Oncle Misha a dit que tu étais un bébé quand elle est partie.

— J'avais quatre ans. J'étais pas un bébé.

— J'avais six ans quand la mienne est partie, et j'ai presque pas de souvenirs.

— Je te dis qu'elle avait les yeux verts.

— Bon, elle avait des yeux verts. Et alors ? »

Le grincement métallique de la porte les réduisit au silence. Yakov rampa encore une fois jusqu'à l'ouverture de la caisse et regarda. C'était Nadiya à nouveau. Elle venait de franchir la porte bleue et longeait la passerelle. Elle disparut par le panneau avant.

« Je l'aime pas, dit Yakov.

— Moi si. Je voudrais qu'elle soit ma mère.

— Elle n'aime même pas les enfants.

— Elle a dit à l'oncle Misha qu'elle nous consacrerait sa vie.

— Tu y crois ?

— Pourquoi le dirait-elle si c'est pas vrai ? »

Yakov chercha vainement une réponse. De toute façon, même s'il en avait trouvé une, cela n'aurait fait aucune différence pour Aleksei. Aleksei était stupide, tous les autres étaient stupides. Nadiya les avait mis dans sa poche. Onze garçons, et chacun sans exception était amoureux d'elle. Ils se disputaient pour s'asseoir à côté d'elle à table. Ils la regardaient, l'admiraient, reniflaient derrière elle comme des chiots. La nuit, dans leurs couchettes, ils parlaient d'elle à mi-voix, Nadiya par-ci, Nadiya par-là. Ce qu'elle aimait manger, ce qu'elle avait pris au déjeuner. Ils spéculaient sur tout ce qui la concernait, depuis son âge jusqu'au genre de sous-vêtements qu'elle portait sous sa jupe grise. Ils se demandaient si Gregor, que tout le monde méprisait, était son amant, décidant à l'unanimité qu'il ne l'était pas. Ils rassemblaient leurs connaissances de l'anatomie féminine, les plus âgés expliquant avec force détails la fonction des tampons, comment et où on les introduisait, déformant à jamais la vision que les plus jeunes auraient des femmes — des créatures possédant de sombres et mystérieux orifices. Une image qui augmentait encore la fascination que Nadiya exerçait sur eux.

Yakov partageait cette fascination, mais il n'y entrait aucune adoration. Il avait peur d'elle.

À cause des analyses de sang.

À leur quatrième jour de mer, alors que les autres garçons vomissaient et gémissaient dans leurs couchettes, Gregor et Nadiya étaient venus les trouver avec un plateau couvert d'aiguilles et de tubes. Une toute petite piqûre, avaient-ils dit, un petit tube de sang pour confirmer que vous êtes en bonne santé. Personne ne vous adoptera sans être sûr que vous êtes en bonne santé. Ils étaient passés d'un enfant à l'autre, tanguant un peu à cause de la forte houle, les tubes de verre s'entrechoquant sur le plateau. Nadiya n'avait pas l'air dans son assiette. Devant chaque couchette, ils demandaient au garçon son nom et lui passaient un bracelet de plastique sur lequel était inscrit un numéro. Puis Gregor avait serré un gros ruban de caoutchouc autour de leur bras et frappé sur la peau à plusieurs reprises, pour faire gonfler la veine. Certains d'entre eux s'étaient mis à pleurer, et Nadiya leur avait tenu la main, les réconfortant pendant que Gregor prenait leur sang.

Yakov était le seul qu'elle n'avait pu calmer. Impossible de le faire tenir tranquille. Il ne voulait pas de cette aiguille dans son bras, et il avait flanqué un coup de pied à Gregor pour se faire comprendre. C'était là que la véritable Nadiya s'était révélée. Elle avait immobilisé le bras de Yakov contre le lit, le maintenant tordu dans l'étau de ses mains. Et tandis que Gregor prenait son sang, elle avait regardé fixement Yakov, lui parlant doucement, gentiment, pendant tout le temps où l'aiguille perçait sa peau, et où le tube s'emplissait de son sang. Tous ceux qui avaient entendu la voix de Nadiya dans la pièce n'avaient perçu que des murmures de réconfort. Mais Yakov, fixant à son tour ces yeux pâles, y avait vu quelque chose d'entièrement différent.

Plus tard, il s'était débarrassé de son bracelet de plastique en le rongeant.

Aleksei portait encore le sien. Numéro trois cent sept. Son certificat de bonne santé.

« Tu crois qu'elle a des enfants à elle ? » demanda Aleksei.

Yakov frissonna. « J'espère que non », dit-il, et il rampa jusqu'à l'ouverture de la caisse. La passerelle était déserte et l'escalier vide s'enroulait au-dessus de lui comme le squelette d'un serpent. La porte bleue, comme toujours, était fermée.

Il s'extirpa de leur cachette. « J'ai faim », déclara-t-il.

Comme l'avait prédit le cuisinier, la grisaille oppressante de l'après-midi fut suivie par un coup de chien — non pas une tempête, mais une mer assez forte pour confiner les passagers, adultes et enfants, dans leurs cabines. Et c'était précisément là où Aleksei avait l'intention de rester. Aucune incitation n'aurait pu le faire sortir de sa couchette. Il faisait froid et humide dehors, le pont tanguait, et il n'avait pas envie d'explorer les recoins sombres et mouillés qui fascinaient tant Yakov. Aleksei avait envie de rester au lit, un point c'était tout. Il aimait le confort douillet de la couverture tirée jusqu'à son cou, les bouffées d'air chaud qui lui effleuraient le visage quand il se retournait, l'odeur de Chouchou installé à côté de lui sur l'oreiller.

Pendant la matinée, Yakov tenta de tirer Aleksei de sa couchette, de l'entraîner dans une nouvelle visite au Pays des merveilles. Il finit par y renoncer et partit de son côté. Il revint à une ou deux reprises pour voir s'il avait changé d'avis, mais Aleksei dormit sans discontinuer jusqu'à la nuit tombée.

Dans la nuit, Yakov se réveilla et sut immédiatement que quelque chose avait changé. Quoi ? Il n'aurait su le dire. Peut-être la tempête s'était-elle éloignée ? Le bateau était plus stable. Puis il se rendit compte que le bruit des moteurs n'était plus le même. Leur grondement permanent s'était transformé en un sourd ronronnement.

Il se glissa hors de sa couchette et alla secouer Aleksei. « Réveille-toi, murmura-t-il.

— Laisse-moi tranquille.

— Écoute. Nous n'avançons plus.

— Je m'en fiche.

— Je vais aller jeter un coup d'œil. Viens avec moi.

— Je dors.

— Tu as dormi un jour et une nuit entiers. Tu ne veux pas voir la terre ? On est sûrement près de la côte. Pourquoi le bateau s'arrêterait-il au milieu de l'océan ? » Yakov se pencha plus près d'Aleksei, chuchotant d'un air engageant. « On pourra peut-être voir des lumières. L'Amérique. Tu vas rater ça si tu ne viens pas avec moi. »

Aleksei soupira, remua, hésitant à prendre une décision.

Yakov tenta une ultime proposition. « J'ai mis de côté une pomme de terre pendant le dîner, dit-il. Je te la donnerai. Mais seulement si tu viens avec moi. »

Aleksei n'avait eu ni dîner ni déjeuner. L'offre de la pomme de terre le fit saliver. « D'accord, d'accord. » Il s'assit et entreprit de lacer ses chaussures. « Où est-elle, cette pomme de terre ?

— Montons d'abord.

— Tu es un sale connard, Yakov. »

Ils passèrent sur la pointe des pieds devant les couchettes des autres garçons endormis et gravirent l'escalier jusqu'au pont.

Dehors soufflait une brise légère. Ils regardèrent par-dessus le bastingage, cherchant à apercevoir les lumières de la ville, mais seules les étoiles se fondaient dans un horizon noir et informe.

« Je ne vois rien, dit Aleksei. Donne-moi ma pomme de terre. »

Yakov sortit son trésor de sa poche. Aleksei s'accroupit et la dévora sur place, froide, tel un animal sauvage.

Yakov se retourna et regarda en direction de la timonerie. Il vit l'éclat verdâtre de l'écran radar à travers la fenêtre, et la silhouette de l'homme de quart. Le navigateur. Que distinguait-il depuis son perchoir solitaire ?

Aleksei avait fini sa pomme de terre. Il se leva : « Je vais me recoucher.

— Allons voir s'il y a autre chose à manger dans la cuisine.

— Je ne veux pas voir une autre souris. » Aleksei s'éloigna, décidé à quitter le pont. « Et en plus, j'ai froid.

— Pas moi.

— Alors, tu n'as qu'à rester ici. »

Ils venaient d'atteindre l'escalier lorsqu'ils entendirent une série de coups sourds. Soudain le pont fut inondé de lumière. Les deux garçons s'immobilisèrent, clignant des yeux dans la clarté inattendue.

Yakov saisit Aleksei par la main et l'attira sous l'escalier de la timonerie, où ils s'accroupirent, s'efforçant de regarder entre les marches. Ils entendirent des voix et virent deux hommes pénétrer dans le halo des projecteurs. Tous deux étaient vêtus de combinaisons blanches. Ensemble ils se penchèrent et tirèrent sur quelque chose. Il y eut un raclement métallique au moment où ils relevaient une sorte de couvercle. Une autre lumière apparut, d'un bleu éclatant. Elle brillait au milieu d'un cercle lumineux, comme l'iris menaçant d'un œil.

« Ces foutus mécaniciens, dit l'un des deux hommes. Ils n'arriveront jamais à réparer cet engin. »

Les deux hommes se redressèrent et regardèrent le ciel. En direction du roulement lointain du tonnerre.

Yakov, lui aussi, leva la tête. Le tonnerre se rapprochait. Le roulement s'amplifiait, grondait comme un rythme de tambour. Les deux hommes se reculèrent hors du cercle des projecteurs. Le bruit vint s'immobiliser au-dessus de leurs têtes, brassant la nuit comme une tornade.

Aleksei plaqua ses mains sur ses oreilles et se recroquevilla dans l'obscurité. Yakov ne bougea pas. Il regarda, sans broncher, l'hélicoptère descendre dans un flot de lumière et se poser sur le pont.

Un des hommes en combinaison réapparut et se mit à courir, courbé en deux. Il ouvrit la porte de l'hélicoptère. Yakov ne parvint pas à distinguer l'intérieur de l'appareil ; le pilier de l'escalier lui masquait la vue. Il sortit de l'ombre, s'avançant un peu sur le pont. Il aperçut le pilote et un passager — un homme.

« Hé ! cria quelqu'un au-dessus de lui. Toi, là-bas ! Petit ! »

Yakov leva la tête et aperçut le navigateur qui le regardait du haut de la timonerie.

« Qu'est-ce que tu fabriques en bas ? Monte immédiatement, avant de te faire bousiller ! Allons ! »

L'homme en combinaison avait lui aussi repéré les garçons, et se dirigeait vers eux. Il avait l'air furieux.

Yakov grimpa les marches en vitesse, Aleksei, paniqué, sur ses talons.

« Vous ignorez donc qu'il ne faut pas rester sur le pont principal quand un hélicoptère atterrit ? » hurla le navigateur. Il donna une tape sur les fesses d'Aleksei et les attira à l'intérieur, dans la timonerie. Il leur désigna deux chaises. « Asseyez-vous et ne bougez plus. Tous les deux.

— On faisait que regarder, dit Yakov.

— Vous devriez être au lit.

— J'étais couché, pleurnicha Aleksei. C'est lui qui m'a forcé à sortir.

— Savez-vous ce que le rotor d'un hélico peut faire à votre petite tête ? » Du tranchant de la main, le navigateur frappa le cou décharné d'Aleksei. « Il peut faire ça. Ta tête vole en l'air. Et le sang gicle partout. Spectaculaire ! Tu crois que je plaisante, hein ? Crois-moi, je ne descends pas quand l'hélico arrive. Je reste à l'abri. Mais si vous voulez faire trancher vos caboches, vous êtes les bienvenus. Allez-y. »

Aleksei sanglotait. « Je voulais rester au lit ! »

Le rugissement de l'hélicoptère les fit sursauter. Ils se retournèrent et le regardèrent s'élever, le souffle du rotor fouettant les combinaisons des deux hommes debout sur le pont. L'appareil pivota lentement de quatre-vingt-dix degrés, puis disparut en virant, bientôt absorbé par la nuit. Seul subsista un faible bourdonnement, qui diminua comme un orage s'éloignant vers d'autres cieux.

« Où va-t-il ? demanda Yakov.

— Tu crois peut-être qu'ils me le disent ? dit le navigateur. Ils m'appellent seulement quand il arrive pour prendre quelqu'un et j'oriente l'étrave dans le vent. C'est tout. » Il tendit la main vers l'un des interrupteurs du tableau et l'abaissa.

Les projecteurs s'éteignirent instantanément. Le pont principal se fondit dans l'obscurité.

Yakov s'approcha de la fenêtre de la timonerie. Le bruit de l'hélicoptère avait cessé. Tout autour s'étendait la surface noire de la mer.

Aleksei pleurait toujours.

« Cesse de pleurnicher. » Le navigateur donna une bourrade irritée à Aleksei. « Un garçon de ton âge, qui se conduit comme une femmelette.

— Mais pourquoi vient-il ? L'hélicoptère ? demanda Yakov.

— Je te l'ai dit. Pour prendre quelque chose.

— Prendre quoi ?

— Je ne pose pas de questions. Je fais seulement ce qu'on me dit de faire.

— Qui ça ?

— Les passagers de la cabine arrière. » Il tira Yakov à l'écart de la fenêtre et le poussa vers la porte. « Regagne ta couchette maintenant. Tu ne vois pas que j'ai du travail. »

Yakov s'apprêtait à suivre Aleksei en direction de la porte lorsque son regard se posa sur l'écran radar. Il l'avait si souvent contemplé, hypnotisé par le balayage du pinceau lumineux qui décrivait son arc de trois cent soixante degrés. Il se posta à nouveau devant lui, fixant le trait qui tournait inlassablement, et vit un petit éclat blanc à la périphérie de l'écran.

« Est-ce que c'est un autre bateau ? demanda-t-il. Là, sur le radar. » Il désigna le point argenté qui brilla soudain d'un éclat plus blanc à l'instant où la ligne passait sur lui.

« Quoi d'autre à ton avis ? Fiche le camp d'ici. »

Les garçons sortirent et descendirent bruyamment l'escalier qui menait au pont principal. Yakov leva les yeux. Là-haut, la silhouette du navigateur se découpait dans la lueur verte de la fenêtre. Guettant. Toujours guettant.

« Maintenant je sais où va l'hélicoptère », dit-il.

Pyotr et Valentin n'étaient pas là au petit déjeuner. La nouvelle de leur départ pendant la nuit était déjà parvenue jusqu'à la cabine de Yakov, et lorsqu'il prit place à table ce matin-là, face à la rangée des autres garçons, il savait la raison de leur silence. Ils ne comprenaient pas, aucun d'entre eux, pourquoi Pyotr et Valentin avaient été les premiers à quitter le navire, les premiers choisis. Pyotr, ils en étaient tous convaincus depuis le début, ferait partie des laissés-pour-compte, ou serait placé dans une famille pas comme les autres, aimant les enfants retardés. Valentin, qui avait rejoint le groupe à Riga, était plutôt intelligent, plutôt beau, mais affligé d'une perversion secrète que connaissaient bien les plus jeunes garçons. Le soir, une fois les lumières éteintes, il se glissait tout nu dans leurs couchettes et murmurait : « Tu sens ça ? Tu sens comme je suis gros ? » Et il leur prenait la main et les forçait à le toucher.

Mais Valentin n'était plus là, ni Pyotr. Partis chez de nouveaux parents qui les avaient choisis, avait dit Nadiya.

C'étaient les autres qui étaient des laissés-pour-compte.

Dans l'après-midi, Yakov et Aleksei montèrent sur le pont et s'allongèrent à la place où l'hélicoptère s'était posé. Couchés sur le dos, ils laissèrent leurs yeux errer dans le bleu dur du ciel. Pas de nuages, pas d'hélicoptères. Le pont était chaud et, comme deux chatons sur un radiateur, ils sentirent bientôt l'engourdissement les gagner.

« J'ai pensé à une chose, dit Yakov, les yeux fermés pour se protéger du soleil. Si ma mère est en vie, je ne veux pas être adopté.

— Elle ne l'est pas.

— Elle pourrait l'être.

— Pourquoi n'est-elle pas venue te reprendre, alors ?

— Peut-être qu'elle me cherche en ce moment. Et je suis là, au milieu de la mer où personne ne peut me trouver. Sauf avec un radar. Je vais dire à Nadiya de me ramener. Je ne veux pas d'une nouvelle mère.

— Moi si, dit Aleksei. » Il resta silencieux un moment, puis ajouta : « Tu crois que j'ai quelque chose d'anormal ? »

Yakov éclata de rire. « Tu veux dire en plus du fait que tu es retardé ? »

Aleksei ne réagissant pas, Yakov lui jeta un coup d'œil en biais et s'étonna de voir les épaules de son ami secouées de tremblements tandis qu'il se cachait le visage dans les mains.

« Hé ! dit Yakov. Tu pleures ?

— Non.

— Si, tu pleures. Hein ?

— Non.

— Tu es un vrai bébé. Je ne parlais pas sérieusement. Tu n'es pas retardé. »

Replié sur lui-même, Aleksei ressemblait à une boule de bras et de jambes. Il pleurait vraiment. Bien qu'il ne fît pas un bruit, Yakov voyait sa poitrine se soulever, aspirant l'air par saccades. Il ne savait quoi dire ni quoi faire. Seules de nouvelles insultes lui venaient à l'esprit. *Stupide gonzesse. Poule mouillée.* Mais il préféra se taire. Il n'avait jamais vu Aleksei dans cet état, et il se sentait un peu coupable, un peu inquiet. Ce n'était qu'une plaisanterie. Pourquoi Aleksei ne comprenait-il pas que c'était une plaisanterie ?

« Allons faire un tour en bas et nous balancer à la corde », proposa Yakov. Il lui donna un coup de coude dans les côtes.

Pour toute réponse, Aleksei le repoussa hargneusement et se leva d'un bond, le visage rougi et mouillé.

« Qu'est-ce qui te prend ? demanda Yakov.

— Pourquoi ont-ils choisi ce crétin de Pyotr à ma place ?

— Ils ne m'ont pas choisi non plus, dit Yakov.

— Mais je n'ai rien d'anormal, moi ! » cria Aleksei. Il s'enfuit en courant du pont.

Yakov resta assis sans bouger. Il abaissa les yeux sur le moignon de son bras. Et il dit : « Moi non plus, je n'ai rien d'anormal. »

« Je joue mon cavalier, dit Koubichev, le mécanicien.

— Tu joues toujours le même coup. Tu n'essayes jamais rien de nouveau ?

— J'ai foi dans les solutions éprouvées. Je t'ai battu chaque fois sans exception. À toi. N'attends pas toute la journée. »

Yakov tourna l'échiquier et l'étudia d'abord sous un angle puis sous un autre. Il s'agenouilla et examina la rangée de pions. Il imagina des soldats revêtus d'armures noires alignés en formation, attendant des ordres.

« Qu'est-ce que tu fous par terre ? demanda Koubichev.

— Est-ce que tu as remarqué que la reine a une barbe ?

— Quoi ?

— Elle a une barbe. Regarde. »

Koubichev maugréa. « C'est le jabot qu'elle porte autour du cou. Tu vas te décider à jouer, oui ou non ? »

Yakov reposa la reine sur l'échiquier et tendit la main vers un cavalier. Le posa, puis le reprit. Le plaça à différents endroits et s'en saisit à nouveau. Autour d'eux grondaient les machines de l'Enfer.

Koubichev ne s'intéressait plus au jeu. Il avait ouvert un magazine et le feuilletait, dévorant des yeux une série de visages enchanteurs. Les cent plus belles femmes d'Amérique. De temps à autre il grommelait : « On appelle ça une belle femme ? » ou « Celle-là, je laisserais pas mon chien la baiser ! »

Yakov prit la reine et la déplaça. « Voilà ! »

Koubichev accueillit le dernier coup de Yakov avec un grognement méprisant. « Pourquoi fais-tu toujours la même erreur ? Avancer trop tôt ta reine ? » Il jeta le magazine à terre et se pencha pour déplacer son pion. Ce fut alors que Yakov aperçut le visage sur la page du magazine. C'était une femme. Blonde, avec une mèche dessinant une boucle sur sa joue. Un sourire triste. Des yeux qui semblaient ne pas vous regarder.

« C'est ma mère, dit Yakov.

— Qu'est-ce que tu dis ?

— C'est elle. C'est ma mère ! » Il voulut s'emparer du magazine, se cogna contre la caisse qui servait de table. L'échiquier bascula. Les pions, les cavaliers, les fous s'éparpillèrent.

Koubichev prit le magazine et le tint hors de portée de l'enfant. « Quelle mouche te pique tout d'un coup ?

— Donne-le-moi ! » glapit Yakov. Il griffait le bras de l'homme, cherchant désespérément à reprendre la photo de sa mère. « Donne-le !

— Pauvre cinglé, ce n'est pas ta mère !

— C'est elle ! Je me souviens de son visage ! Elle lui ressemblait, elle était exactement comme ça !

— Arrête de me griffer. Fiche le camp, tu entends ?

— Donne-le-moi !

— D'accord, d'accord ! Voilà, je vais te montrer. Ce n'est pas ta mère. » Koubichev posa brutalement le magazine sur la caisse : « Tu vois ? »

Yakov examina le visage. Chaque détail correspondait exactement à l'image qu'il voyait dans ses rêves. L'inclinaison de la tête, les fossettes encadrant la bouche. Même la caresse de la lumière dans ses cheveux. Il dit : « C'est elle. J'ai vu son visage.

— Tout le monde a vu son visage. » Koubichev indiqua du doigt le nom sur la photo. « Michelle Pfeiffer. C'est une actrice. Américaine. Elle n'a même pas un nom russe.

— Mais je la connais ! J'ai rêvé d'elle ! »

Koubichev rit. « Comme tous les excités de ton âge. » Il contempla les pièces du jeu d'échecs dispersées sur le sol. « Regarde-moi ce bordel. On aura de la chance si on retrouve tous les pions. Allez, tu les as renversés ; à toi de les ramasser. »

Yakov ne bougea pas. Il resta à regarder la femme, se souvenant de la façon dont elle lui avait souri.

Grommelant, Koubichev se mit à quatre pattes et commença à ramasser les pièces sur le sol, sous les machines. « Tu l'as probablement vue quelque part. À la télévision, ou dans un journal. Après tu en as rêvé, c'est tout. » Il plaça deux fous et une reine sur l'échiquier, se hissa sur sa chaise. Il avait le visage écarlate ; sa poitrine massive se soulevait, haletant péniblement. Il se frappa doucement la tête. « Le cerveau est un truc mystérieux. Il prend la vie réelle et la transforme en rêves, et nous ne savons plus ce qui est la réalité et ce qui est le rêve. Parfois il m'arrive de rêver que je suis assis à une table devant un repas extraordinaire, tous les plats que je préfère. Puis je me réveille et je me retrouve toujours sur ce foutu bateau. » Il s'empara du magazine et déchira la page où était reproduite la photo de Michelle Pfeiffer. « Tiens, elle est à toi. »

Yakov prit la page sans rien dire. Il la tint devant lui. La regarda.

« Si ça t'amuse de prétendre qu'elle est ta mère, pourquoi pas ? On peut faire pire. Maintenant, ramasse les pions. Dis donc, bonhomme ! Où vas-tu ? »

Serrant toujours la page du magazine dans sa main, Yakov s'enfuyait de l'Enfer.

Arrivé sur le pont, il s'approcha de la rambarde, face à la mer. La page claquait au vent, froissée. Il l'examina. Il l'avait tellement serrée dans sa main qu'un pli coupait le demi-sourire que lui adressait la femme.

Il prit un des coins de la page entre ses dents et la déchira en deux. Ce n'était pas assez. Pas assez. Il respirait fort, au bord des larmes, sans proférer un son. Il déchira la page en morceaux, déchiquetant le papier avec ses dents, comme un animal qui mord dans la chair, laissant les fragments s'envoler au vent.

Quand il s'arrêta, il lui restait encore un bout de papier dans la main. Un œil. Au-dessous, marqué par l'empreinte de ses doigts, il y avait un pli en étoile. Comme une larme.

Il le jeta par-dessus bord et le regarda voltiger et disparaître au fond de la mer.

15

Elle avait plus de quarante-cinq ans, le visage mince et desséché d'une femme qui, depuis longtemps, avait perdu l'éclat de la féminité. Aux yeux de Bernard Katzka, elle n'en n'était pas moins intéressante pour ça. L'attrait d'une femme ne tenait pas seulement au lustre de ses cheveux ou à la fraîcheur de sa peau, mais à son regard et à ce qu'il révélait. Dans ce domaine, il avait rencontré des septuagénaires fascinantes, parmi lesquelles sa tante Margaret, une vieille fille dont il était devenu très proche depuis la mort d'Annie. Lundquist aurait sans doute été stupéfait d'apprendre que Katzka attendait avec une certaine impatience de pouvoir bavarder avec sa tante chaque semaine autour d'une tasse de café. Lundquist faisait partie de cette race d'hommes pour lesquels une femme ne mérite pas un regard une fois franchie la ligne fatidique de la ménopause. Il avait donc paru soulagé quand Katzka avait accepté d'interroger Brenda Hainey. Lundquist considérait que les femmes de cet âge étaient le domaine réservé de Katzka, entendant par là qu'il était le seul inspecteur de la brigade criminelle à avoir la patience et la force d'âme nécessaires pour les écouter.

Et c'était précisément ce à quoi Katzka s'appliquait depuis un quart d'heure, attentif aux étranges accusations de Brenda Hainey. Elle n'était pas facile à suivre. Elle mêlait le mystique et le concret, lui parlant dans un même souffle de piqûres de morphine et d'avertissements du ciel. Il eût pu s'amuser de l'étrange nature de cette rencontre si le personnage avait été de caractère agréable, mais ce n'était pas le cas. Il n'y avait aucune chaleur dans ces yeux bleus. Brenda Hainey était en colère, et les gens en colère n'avaient rien de séduisant.

« J'ai mis l'hôpital au courant, disait-elle. Je me suis adressée directement au président, M. Parr. Il m'a promis d'ouvrir une enquête, mais cinq jours se sont écoulés, et je n'ai aucune nouvelle. Je téléphone tous les jours. Son bureau me répond qu'ils poursuivent leurs investigations. Aujourd'hui, j'ai décidé que cela suffisait. Et j'ai appelé les gens de votre service. Naturellement *ils* ont essayé de m'éconduire, de me mettre d'abord en relation avec une sorte d'inspecteur junior. J'ai toujours cru qu'il valait mieux s'adresser à la plus haute autorité. C'est ce que je fais tous les matins, quand je prie Dieu. Dans ce cas précis, la plus haute autorité c'est *vous*. »

Katzka réprima un sourire.

« J'ai vu votre nom dans le journal, continua Brenda. À propos de la mort de ce médecin de Bayside.

— Vous voulez parler du docteur Levi ?

— Oui. J'ai pensé que puisque vous étiez au courant des histoires de cet hôpital, c'était à vous que je devais m'adresser. »

Katzka retint un soupir. Elle l'aurait interprété pour ce qu'il était, l'expression de sa lassitude. Il dit : « Puis-je voir la lettre ? »

Elle retira de son sac une feuille de papier pliée et la lui tendit. Il n'y avait qu'une seule ligne tapée à la machine : *Votre tante n'est pas morte de mort naturelle. Un ami.*

« Y avait-il une enveloppe ? »

Elle la lui remit également. Le nom *Brenda Hainey* y était tapé à la machine. Le rabat avait été collé, puis déchiré au moment de l'ouverture.

« Savez-vous qui pourrait vous l'avoir adressée ?

— Je n'en ai pas la moindre idée. Peut-être l'une des infirmières. Une personne qui en savait assez pour vouloir m'avertir.

— Vous dites que votre tante était atteinte d'un cancer généralisé parvenu en phase terminale. Elle a pu mourir de mort naturelle.

— Alors pourquoi m'avoir envoyé cette lettre ? Quelqu'un sait autre chose. Quelqu'un désire que cette affaire soit tirée au clair. Et *je* veux qu'on la tire au clair.

— Où se trouve le corps de votre tante à présent ?

— Au funérarium du Garden of Peace. L'hôpital n'a pas mis longtemps à s'en débarrasser, si vous voulez mon avis.

— Qui a pris la décision ? C'est en général le parent le plus proche.

— Ma tante avait laissé des instructions avant de mourir. C'est ce qu'on m'a dit à l'hôpital, en tout cas.

— Avez-vous parlé aux médecins de votre tante ? Peut-être pourront-ils éclaircir cette affaire.

— Je préfère ne pas avoir à faire à eux.

— Pour quelle raison ?

— Étant donné les circonstances, je ne suis pas certaine de pouvoir leur faire confiance.

— Je vois. » Cette fois, Katzka se laissa aller à soupirer. Il prit son stylo et ouvrit une nouvelle page dans son carnet de notes. « Pourriez-vous me donner les noms de tous les médecins qui ont soigné votre tante ?

— Le médecin responsable était le docteur Colin Wettig. Mais celui qui semblait réellement prendre toutes les décisions était l'interne. Je crois que c'est elle que vous devriez rencontrer.

— Son nom ?

— Le docteur DiMatteo. »

Katzka leva un regard étonné. « Abigail DiMatteo ? »

Suivit un court silence. Katzka vit clairement la consternation se peindre sur le visage de Brenda.

Elle dit prudemment : « Vous la connaissez, il paraît.

— Je me suis entretenu avec elle. D'un autre sujet.

— Votre jugement sur cette affaire n'en sera pas affecté, j'espère ?

— Pas le moins du monde.

— En êtes-vous bien certain ? » Elle le défiait avec un regard qui l'exaspéra. Il lui en fallait beaucoup pour s'irriter et il se demanda pourquoi cette femme l'énervait tellement.

Lundquist choisit ce moment précis pour passer devant son bureau, et lui lancer ce qui pouvait passer pour un sourire narquois empreint de sympathie. Lundquist aurait dû interroger cette femme. L'expérience lui aurait fait du bien, un exercice en matière de contrôle de soi, un domaine qu'il avait besoin de développer.

Katzka dit : « Je m'efforce toujours de rester objectif, mademoiselle Hainey.

— Dans ce cas, vous devriez vous intéresser davantage au docteur DiMatteo.

— Pourquoi à elle en particulier ?

— Parce que c'est elle qui souhaitait la mort de ma tante. »

Les accusations de Brenda parurent peu fondées à Katzka. Toutefois, il y avait l'existence de cette lettre et de la personne qui l'avait envoyée. Il était possible que Brenda en soit elle-même l'auteur ; il avait vu des choses plus surprenantes de la part de gens avides d'attirer l'attention. C'était en tout cas plus vraisemblable que ses allégations, à savoir que Mary Allen avait été tuée sciemment par ses médecins. Pendant des semaines, Katzka avait vu sa femme mourir lentement dans un hôpital, et il était devenu un familier du service des cancéreux. Il avait observé la compassion des infirmières, le dévouement des cancérologues. Eux seuls savaient quand il fallait continuer à lutter pour la vie du patient. Ils savaient aussi quand la bataille était perdue, quand la souffrance pesait plus lourd que le gain d'un jour, d'une semaine, ou de la vie. Il y avait eu des moments, vers la fin, où Katzka avait désespérément souhaité aider Annie à franchir le seuil final. Si les médecins avaient suggéré une telle démarche, il aurait donné son accord. Mais ils ne l'avaient jamais fait. Le cancer tuait suffisamment vite ; quel médecin aurait risqué son avenir professionnel pour accélérer la mort d'un patient ? À supposer que les médecins de Mary Allen aient pris une telle décision, pouvait-on considérer leur geste comme un assassinat ?

Ce fut avec réticence qu'il se rendit à l'hôpital de Bayside après sa visite à Brenda Hainey. Il était obligé d'enquêter sur certains points. Au bureau d'information, on lui confirma que Mary Allen était décédée à la date indiquée par Brenda, et que le diagnostic avait été un cancer métastasique indifférencié. L'employé ne put lui donner d'autres informations. Le docteur Wettig, le médecin-chef, était en train d'opérer et indisponible durant l'après-midi. Katzka prit le téléphone et fit appeler Abby DiMatteo.

Un moment plus tard elle le rappela.

« Ici l'inspecteur Katzka, dit-il. Nous nous sommes vus la semaine dernière.

— Je me souviens.

— J'ai quelques questions à vous poser concernant une affaire différente. Où pourrions-nous nous rencontrer ?

— Je suis dans la bibliothèque médicale. En aurez-vous pour longtemps ?

— Je ne pense pas. »

Il l'entendit soupirer. Puis dire à regret : « D'accord. La bibliothèque se trouve au premier étage, dans l'aile de l'administration. »

D'après l'expérience de Katzka, la plupart des gens — à l'exception des suspects — parlaient volontiers aux policiers de la brigade criminelle. Ils semblaient se passionner pour les meurtres, pour le travail de la police. Il s'était souvent étonné des questions qu'on lui posait, même celles de vieilles dames aux visages angéliques, chacun se montrant avide de détails, surtout s'ils étaient sanglants. Le docteur DiMatteo, cependant, lui avait paru réticente. Pourquoi ?

Il trouva la bibliothèque, coincée entre l'informatique et le service financier. À l'intérieur il y avait plusieurs allées bordées de rayonnages, le bureau de la bibliothécaire et une demi-douzaine de tables de lecture le long du mur. Abby DiMatteo se tenait près de la machine à photocopier, en train de placer une feuille d'un journal médical sur la plaque de verre. Elle avait déjà rassemblé un certain nombre de copies qu'elle avait empilées sur un bureau voisin. Il fut surpris de la voir accomplir une tâche aussi mineure. Et tout aussi étonné de la trouver vêtue d'un chemisier et d'une jupe et non des vêtements chirurgicaux qu'il avait toujours pris pour l'uniforme de tous les internes en chirurgie. Dès leur première rencontre, il avait pensé que c'était une femme séduisante. Aujourd'hui, avec sa jupe seyante, ses cheveux noirs qui tombaient librement sur ses épaules, elle lui parut ravissante.

Elle leva les yeux et lui fit un signe de tête. Alors seulement il remarqua un changement dans son attitude. Elle semblait nerveuse, presque sur ses gardes.

« J'ai presque terminé, dit-elle. Encore un article à photocopier.

— Vous êtes en congé aujourd'hui ?

— Pardon ?

— Je croyais que les internes ne quittaient jamais leur blouse blanche. »

Elle plaça une autre feuille dans la photocopieuse et appuya sur le bouton « copie ». « Je n'ai aucune intervention de prévue. Je fais une recherche documentaire. Le docteur Wettig a besoin de ces éléments pour une conférence. » Elle reporta son regard sur la machine, comme si son bourdonnement, l'éclair du flash, requéraient toute son attention. Une fois sorties les dernières copies, elle les apporta sur la table où attendait le reste de la pile et s'assit. Il approcha une chaise et prit place en face d'elle. Elle ramassa une agrafeuse, puis la reposa.

Toujours sans le regarder, elle demanda : « Y a-t-il des faits nouveaux ?

— En ce qui concerne le docteur Levi, non.

— J'aurais aimé pouvoir vous donner des renseignements supplémentaires, mais rien d'autre ne me vient à l'esprit. » Elle réunit plusieurs feuilles et les agrafa d'un coup sec.

« Je ne suis pas venu pour le docteur Levi, dit-il. Il s'agit d'une autre affaire. Concernant une de vos patientes.

— Oh ? » Elle ramassa une seconde liasse, la glissa

dans l'ouverture de l'agrafeuse. « De quelle patiente voulez-vous parler ?

— Une certaine Mme Mary Allen. »

Sa main s'immobilisa une seconde en l'air, avant de s'abattre violemment sur l'agrafeuse.

« Vous souvenez-vous d'elle ?

— Bien sûr.

— Je crois savoir qu'elle est morte la semaine dernière. Ici même, à Bayside.

— C'est exact.

— Pouvez-vous confirmer qu'elle est morte d'un cancer métastatique indifférencié ?

— Oui.

— Et qu'elle avait atteint le stade terminal ?

— Oui.

— On pouvait donc s'attendre à sa mort ? »

Elle eut une hésitation. Suffisamment longue pour éveiller l'attention de Katzka.

Elle pesa ses mots : « Je dirais qu'elle était attendue. »

Il l'observa plus intensément, et elle sembla en être consciente. Il resta un moment sans rien dire. Le silence, il l'avait souvent constaté, déconcertait l'interlocuteur. « Sa mort a-t-elle eu un caractère inhabituel ? demanda-t-il d'un ton posé.

— Inhabituel en quel sens ?

— Les circonstances. La façon dont elle s'est éteinte.

— Puis-je vous demander pourquoi vous vous intéressez à cette question ?

— Une parente de Mme Allen est venue nous trouver et nous a fait part de ses inquiétudes.

— Vous parlez de Brenda Hainey ? La nièce ?

— Oui. Elle est convaincue que sa tante est morte pour des raisons étrangères à sa maladie.

— Et vous essayez de transformer sa mort en meurtre ?

— J'essaye de déterminer s'il y a lieu d'ouvrir une enquête. Qu'en pensez-vous ? »

Abby ne répondit pas.

« Brenda Hainey a reçu une lettre anonyme. Qui affirme que Mary Allen n'est pas morte de cause naturelle. Avez-vous une raison, une raison quelconque, de penser que cette affirmation pourrait être fondée ? »

Il aurait pu prédire plusieurs réponses possibles de sa part. Elle aurait pu rire et qualifier l'histoire de ridicule. Elle aurait pu lui dire que Brenda Hainey était folle. Ou manifester de l'étonnement, voire de la colère. Chacune de ces réactions était concevable. Ce qu'il n'avait pas prévu, ce fut sa réponse.

Elle le regarda droit dans les yeux, le visage pâli. Et elle dit doucement : « Je refuse de répondre à aucune autre de vos questions, inspecteur Katzka. »

Quelques secondes après le départ du policier, Abby se précipita vers le téléphone le plus proche et appela Mark sur son bip. Il rappela immédiatement.

« Cet inspecteur est encore venu ici, chuchota-t-elle. Mark, ils sont au courant pour Mary Allen. Brenda leur a parlé. Et ce flic pose des questions sur la manière dont elle est morte.

— Tu ne leur as rien dit, j'espère ?

— Non, je... » Elle inspira profondément. Le soupir qui suivit ressemblait à un sanglot. « Je ne savais pas quoi dire. Mark, je crois que je me suis trahie. Je suis terrorisée et il le sait.

— Abby, écoute-moi. C'est important. Tu ne lui as pas parlé de la morphine trouvée dans ton casier, n'est-ce pas ?

— J'ai failli le lui dire. Mon Dieu, Mark, j'étais prête à tout déballer. J'aurais peut-être dû. Si je le rattrapais pour...

— *Surtout pas !*

— N'est-il pas préférable de le lui dire, simplement ? Il trouvera de toute façon. Tôt ou tard il découvrira tout. Je suis certaine qu'il y parviendra. » Elle poussa un autre soupir et sentit un flot de larmes lui piquer les yeux. Dans une minute, elle allait se mettre à sangloter, dans la bibliothèque, devant tout le monde. « Je ne vois aucune issue. Il faut que j'aille trouver la police.

— Et s'ils ne te croient pas ? S'ils se fondent sur les présomptions, la présence de la morphine dans ton casier, ils en tireront les conclusions qui s'imposent.

— Que faire alors ? Attendre qu'ils m'arrêtent ? Je ne supporte pas cette situation. » La voix lui manqua. Dans un murmure elle répéta : « Je ne la supporte pas.

— Jusqu'ici la police n'a rien de concret. Je ne leur dirai rien. Ni Wettig ni Parr, j'en suis certain. Pas plus que toi, ils ne désirent voir cette affaire étalée au grand jour. Tiens bon, Abby. Wettig fait tout ce qui est en son pouvoir pour que tu sois réintégrée. »

Il fallut un moment à Abby pour retrouver son calme. Lorsqu'elle put parler à nouveau, sa voix était basse mais assurée. « Et si Mary Allen avait été assassinée ? Dans ce cas, il faut qu'une enquête ait lieu. Crois-moi, nous devrions en informer la police.

— Est-ce vraiment ce que tu veux faire ?

— Je n'en sais rien. Je persiste à croire que c'est ce que nous devrions faire. Que c'est une obligation. Morale et éthique.

— C'est à toi de décider. Mais réfléchis sérieusement aux conséquences. »

Elle y avait déjà pensé. Elle avait pensé au scandale. À la possibilité d'une arrestation. Elle avait remué tout ça dans sa tête, sachant ce qu'elle *devait* faire, mais craignant de passer à l'acte. *Je suis une lâche. Ma patiente est morte, peut-être assassinée, et la seule chose qui me préoccupe, c'est de sauver ma peau.*

La bibliothécaire entra dans la salle, poussant un chariot chargé de livres. Elle s'assit à son bureau et commença à apposer le tampon de l'établissement au verso des couvertures. *Tap, Tap.*

« Abby, dit Mark, avant d'agir, je t'en prie, réfléchis.

— Je te parlerai plus tard. Je dois partir maintenant. » Elle raccrocha et revint s'asseoir à la table, contemplant la pile d'articles photocopiés. C'était tout ce qu'elle avait fait aujourd'hui. Depuis le début de la matinée, elle s'était occupée à rassembler ce tas de papier. Elle était un médecin dans l'impossibilité d'exercer, un chirurgien banni de la salle d'opération. Les infirmières et le personnel ne savaient qu'en penser. Les rumeurs allaient déjà bon train. Ce matin, en traversant les salles à la recherche du docteur Wettig, elle avait senti les regards se tourner vers elle. Que disait-on derrière son dos ?

Elle redoutait de le découvrir.

Le *tap, tap* s'était tu. La bibliothécaire s'était arrêtée de tamponner ses couvertures et regardait Abby.

Comme tout le monde dans cet hôpital, elle s'interroge à mon sujet.

Le rouge aux joues, Abby rassembla ses papiers et les porta jusqu'au bureau.

« Combien de copies ?

— Elles sont toutes pour le docteur Wettig. Pouvez-vous les mettre sur le compte de l'internat ?

— Je dois connaître le nombre exact de pages pour le registre de la photocopieuse. C'est la règle habituelle. »

Abby posa la pile et se mit à compter. Elle aurait dû se douter que la bibliothécaire insisterait. Cette femme était à Bayside depuis des années, et elle ne manquait jamais d'informer chaque nouvelle promotion d'internes que, dans cette salle, on faisait les choses comme *elle* l'entendait. Abby sentit la moutarde lui monter au nez, à cause de cette bibliothécaire, de l'hôpital, du gâchis qu'était devenu sa vie. Elle termina enfin sa tâche.

« Deux cent quatorze feuilles », dit-elle, posant la dernière copie sur le dessus de la pile. Le nom d'Aaron Levi lui sauta alors aux yeux. Le titre de l'article était : « Comparaison des taux de survie des greffes cardiaques entre receveurs en état désespéré et malades en consultation externe. » Les auteurs en étaient Aaron, Rajiv Mohandas et Lawrence Kunstler. Elle regarda fixement le nom d'Aaron, interdite par ce rappel soudain de sa mort.

La bibliothécaire, elle aussi, avait remarqué le nom d'Aaron et secouait la tête. « C'est difficile d'imaginer que le docteur Aaron n'est plus là.

— Je comprends ce que vous voulez dire, murmura Abby.

— Et de voir ces deux noms dans le même article. » Elle secoua la tête.

« Que voulez-vous dire ?

— Le docteur Kunstler et le docteur Levi.

— Je ne crois pas connaître le docteur Kunstler.

— Oh, il était ici avant votre arrivée. » La bibliothécaire referma le registre et le glissa avec soin dans un rayon. « C'est arrivé il y a au moins six ans.

— Qu'est-il arrivé ?

— Comme dans l'affaire de Charles Stuart. Vous savez, cet homme qui a sauté du pont Tobin. C'est de là que le docteur Kunstler s'est jeté. »

Abby reporta les yeux sur l'article. Sur les deux noms en haut de la page. « Il s'est suicidé ? »

La bibliothécaire hocha la tête. « Comme le docteur Levi. »

Le claquement des plaques de mah-jong dans la salle à manger couvrait leur conversation. Vivian ferma la porte de la cuisine et revint vers l'évier où elle avait posé l'égouttoir rempli de pousses de soja. Elle reprit sa tâche, sectionnant les racines, réservant les pousses dans un bol. Abby ne connaissait personne qui se donnât la peine d'ôter la racine des germes de soja. Il fallait être chinois ! lui avait dit Vivian. Les Chinois passaient des heures à préparer un plat qui s'avalait ensuite en dix minutes. Et qui aurait remarqué les minuscules racines de toute manière ? La grand-mère de Vivian. Et les amis de ladite grand-mère. Allez servir un plat de pousses de soja encore munies de leurs extrémités marron à ces vieilles dames, et vous les verrez faire la grimace. Voilà pourquoi la petite-fille obéissante, par ailleurs chirurgien de talent à l'avenir prometteur, se concentrait consciencieusement sur l'épluchage des pousses de soja. Elle le faisait vite, avec les gestes précis et efficaces qui lui étaient habituels. Et ce faisant, elle écoutait le récit d'Abby.

« Seigneur, murmurait-elle. Seigneur, vous êtes coincée. »

Dans la pièce voisine le bruit des plaques avait cessé, une nouvelle partie commençait. De temps en temps, au milieu du brouhaha des conversations, on entendait un « clang », comme si quelqu'un lançait une plaque au centre de la table.

« Que dois-je faire, à votre avis ? demanda Abby.

— Quoi que vous fassiez, DiMatteo, il vous tient.

— C'est pour cette raison que je suis venue vous trouver, *vous*. Victor Voss s'en est pris à vous. Vous savez de quoi il est capable.

— Oui. » Vivian soupira. « Je ne le sais que trop.

— Pensez-vous que je devrais prévenir la police ? Ou vaut-il mieux laisser tomber et espérer qu'ils n'iront pas plus loin.

— Qu'en pense Mark ?

— Qu'il vaut mieux ne rien dire.

— C'est aussi mon avis. Peut-être à cause de ma méfiance instinctive de l'autorité. Il faut avoir foi en la police pour espérer qu'en se confiant à eux, tout ira pour le mieux. » Vivian attrapa un torchon et s'essuya les mains. Elle regarda Abby. « Croyez-vous vraiment que votre patiente ait été assassinée ?

— Comment expliquer autrement le taux de morphine ?

— On lui en donnait déjà. En quantité considérable pour l'empêcher de souffrir. Peut-être les doses ont-elles fini par s'accumuler.

— Uniquement si on lui a administré une dose de trop. Accidentellement ou intentionnellement.

— Dans le seul but de vous piéger ?

— Personne ne vérifie jamais les taux de morphine s'appliquant aux cancéreux en phase terminale ! Quelqu'un a voulu que le meurtre ne passe pas inaperçu. Quelqu'un sachant qu'il s'agissait d'un meurtre. Et qui a envoyé la lettre à Brenda Hainey.

— Comment être sûr que c'est Victor Voss ?

— C'est lui qui veut me voir quitter Bayside.

— Est-il le seul ? »

Abby lança à Vivian un regard stupéfait. Et se demanda : *Qui d'autre veut me voir partir ?*

Dans la salle à manger, le vacarme des plaques signala la fin d'une autre partie. Le bruit fit sursauter Abby. Elle se mit à marcher de long en large dans la cuisine. Passant et repassant devant la marmite électrique sur le comptoir où cuisait le riz, devant la cuisinière d'où s'élevaient des effluves épicés. « C'est insensé. Je n'arrive pas à croire que quelqu'un agisse ainsi dans le seul but de me faire renvoyer.

— Jeremiah Parr pense avant tout à sauver sa tête. Et Voss ne lui laisse pas de répit. Réfléchissez. Les riches copains de Voss siègent au conseil d'administration de l'hôpital. Ils peuvent faire sauter Parr. À moins qu'il ne *vous* vire d'abord. Non, vous n'êtes pas parano, DiMatteo. Il y a des gens qui veulent vraiment votre peau. »

Abby se laissa tomber sur une chaise devant la table de cuisine. Le tintamarre du mah-jong dans la pièce voisine lui trouait la tête. Ainsi que le bavardage des vieilles dames. Cette maison était pleine de bruits, tout le monde parlait en cantonais à tue-tête, une conversation amicale atteignait le niveau sonore d'une dispute. Comment Vivian supportait-elle que sa grand-mère habite chez elle ? Le tapage à lui seul aurait rendu Abby folle.

« Nous en revenons toujours à Victor Voss, dit-elle. D'une façon ou d'une autre, il se vengera.

— Alors pourquoi a-t-il cessé ses poursuites ? Ça n'a aucun sens. Il lance sur vous un rouleau compresseur. Puis tout d'un coup, il s'arrête.

— Au lieu d'être attaquée en justice par les uns et

250

les autres, me voilà accusée de meurtre. Merveilleuse alternative.

— Mais ne comprenez-vous pas que tout ça n'a aucun sens ? Voss a payé un maximum pour déclencher ces actions en justice. Il ne les abandonnerait pas ainsi. À moins qu'il ne redoute une conséquence possible. Une contre-attaque judiciaire par exemple. Avez-vous envisagé une possibilité de cet ordre ?

— J'en ai discuté avec mon avocate, mais elle m'en a dissuadée.

— Alors pourquoi Voss a-t-il renoncé à vous poursuivre ? »

En effet, ça n'avait aucun sens.

En rentrant chez elle depuis Melrose où habitait Vivian, Abby continua de réfléchir à la question. L'après-midi était avancée et comme toujours à cette heure la circulation était dense sur la Route 1. Bien qu'il bruinât, elle avait gardé la fenêtre ouverte. La puanteur des organes de porc flottait encore dans sa voiture. L'odeur ne disparaîtrait sans doute jamais, rappel permanent de la fureur de Victor Voss.

Le pont Tobin était en vue — l'endroit où Lawrence Kunstler avait choisi de mettre fin à ses jours. Abby ralentit et s'engagea sur le pont. Mue peut-être par une impulsion morbide, elle jeta un coup d'œil sur le côté, en direction de l'eau. Sous un ciel lugubre, le fleuve était noir, fouetté par le vent. La noyade n'était certes pas la façon qu'elle choisirait pour se supprimer, si elle devait faire un choix. Le moment de panique, les bras et les jambes qui se débattent, la gorge qui se ferme pour empêcher l'irruption de l'eau. Kunstler était-il encore conscient après avoir atteint la surface de l'eau ? Avait-il lutté contre le courant ? Et Aaron ? Deux suicides, deux médecins. Elle avait oublié de questionner Vivian à propos de Kunstler. S'il était mort six ans auparavant, Vivian avait peut-être entendu parler de lui.

Le regard d'Abby était à ce point attiré par le fleuve qu'elle ne vit pas la circulation s'arrêter à la hauteur du péage. Lorsqu'elle regarda la route à nouveau, la voiture qui la précédait venait de stopper net.

Abby écrasa le frein. Une seconde plus tard, elle fut projetée en avant par un choc venu de l'arrière. Un coup d'œil dans le rétroviseur lui permit de voir la conductrice de la voiture suivante secouer la tête d'un air navré. La circulation sur le pont étant momentanément bloquée, Abby descendit et alla évaluer les dégâts. L'autre femme descendit également. Elle attendit craintivement qu'Abby eût fini d'inspecter le pare-chocs.

« Tout va bien, dit Abby. Je ne vois rien d'abîmé.

— Je suis désolée, un instant d'inattention. »

Abby examina la voiture de son interlocutrice. Le parechocs était intact.

« C'est rageant, dit la femme. J'étais occupée à surveiller cette voiture qui me suivait de trop près. » Elle désigna la camionnette de couleur bordeaux derrière elle dont le moteur tournait au ralenti. « Et du coup je vous ai emboutie. »

Un klaxon retentit. La circulation redémarrait. Abby remonta dans sa voiture et repartit. En franchissant le poste de péage, elle tourna la tête malgré elle, jeta un coup d'œil vers le pont d'où Lawrence Kunstler avait accompli son saut fatal. *Ils se connaissaient tous les deux, Aaron et Kunstler. Ils travaillaient ensemble. Ils avaient écrit cet article ensemble.*

Cette pensée lui trotta dans la tête tandis qu'elle roulait en direction de Cambridge.

Deux médecins de la même équipe de transplantation. Qui se suicident tous les deux.

Elle se demanda si Kunstler avait laissé une veuve. Si Mme Kunstler avait été aussi stupéfaite qu'Elaine Levi.

Elle fit le tour de Harvard Common. Comme elle s'engageait dans Brattle Street, elle regarda machinalement dans le rétroviseur.

Une camionnette bordeaux se trouvait derrière elle. Elle aussi tournait dans Brattle.

Abby parcourut un autre bloc, dépassa Willard Street, et regarda à nouveau dans le rétroviseur. La camionnette était toujours là. Était-ce celle qui suivait de trop près l'autre voiture sur le pont ? Elle lui avait à peine prêté attention alors, n'enregistrant que sa couleur. Pourquoi sa présence la mettait-elle si mal à l'aise, à présent ? Peut-être à cause de sa récente traversée du pont, de la vue de l'eau. Qui lui rappelait la mort de Kunstler. La mort d'Aaron.

Instinctivement, elle tourna à gauche dans Mercer.

La camionnette aussi.

Elle tourna encore à gauche, dans Camden, puis à droite dans Auburn. Elle ne quittait pas le rétroviseur des yeux, attendant, espérant presque voir apparaître ce maudit véhicule. Ce fut seulement en se retrouvant dans Brattle Street, et en constatant que la camionnette n'avait pas réapparu, qu'elle poussa enfin un soupir de soulagement. Quelle trouillarde !

Elle rentra directement chez elle et gara sa voiture dans l'allée. Mark n'était pas là. Elle n'en fut pas surprise. Malgré le ciel couvert, il avait prévu de sortir avec *Gimme Shelter* pour disputer une nouvelle régate contre Archer. Le mauvais temps, lui avait-il dit, n'était pas une excuse pour rester au port, et sauf tempête, la course aurait lieu.

Elle pénétra dans la maison. Il régnait une atmosphère lugubre à l'intérieur, une lumière grise et glauque entrait par les fenêtres. Elle se dirigea vers la lampe posée sur la table et s'apprêtait à l'allumer quand elle entendit le ronflement d'une voiture dans Brewster Street. Elle regarda par la fenêtre.

Une camionnette bordeaux passait devant dans la rue. À la hauteur de l'allée, elle ralentit comme si le conducteur examinait longuement et attentivement la voiture d'Abby.

Va fermer les portes, va fermer les portes.

Elle courut dans l'entrée, poussa le verrou et mit en place la chaîne de sécurité.

La porte de derrière. Était-elle bien fermée ?

Elle traversa à la hâte l'entrée et la cuisine. Il n'y avait pas de véritable verrou, seulement un bouton qu'on enfonçait pour bloquer la porte. Elle saisit une chaise et la coinça sous la poignée.

Puis elle revint en courant dans le salon et, debout derrière le rideau, risqua un coup d'œil à l'extérieur.

La camionnette avait disparu.

Abby scruta toute la longueur de la rue. La chaussée était déserte, luisante sous le crachin.

Elle laissa les rideaux ouverts et les lumières éteintes. Postée à la fenêtre, dans l'obscurité, elle attendit de voir la camionnette réapparaître. Elle hésitait à appeler la police. Pour quel motif le ferait-elle ? Personne ne l'avait menacée. Elle resta à la même place pendant près d'une heure, espérant le retour de Mark.

La camionnette resta invisible. Mark aussi.

Rentre à la maison. Quitte ton foutu bateau et reviens.

Elle l'imagina en mer, se représenta les voiles qui battaient, la bôme passant brutalement d'un bord sur l'autre. Et l'eau, trouble et bouillonnante sous le ciel gris. Comme l'eau du fleuve. Où Kunstler avait trouvé la mort.

Elle décrocha le téléphone et composa le numéro de Vivian. Le vacarme de la maison Chao lui parvint à travers la ligne. Dominant les éclats de rire et les exclamations en cantonais, Vivian cria : « J'entends mal. Pouvez-vous répéter ?

— Un autre médecin de l'équipe de transplantation est mort il y a six ans. Le connaissiez-vous ? »

Vivian dut hausser la voix pour se faire entendre : « Oui. Mais il n'y a pas aussi longtemps. Plutôt trois ans.

— Savez-vous pourquoi il s'est suicidé ?

— Ce n'était pas un suicide.

— Comment ?

— Écoutez, pouvez-vous patienter une minute ? Je vais changer de poste. »

Abby entendit Vivian reposer le récepteur et attendit

un temps qui lui parut interminable avant qu'elle ne reprenne l'autre téléphone. « Ça va grand-mère ! Tu peux raccrocher ! » Le brouhaha en cantonais cessa sur-le-champ.

« Que voulez-vous dire en affirmant que ce n'était pas un suicide ? demanda Abby.

— C'était un accident. Il y avait un défaut dans la chaudière et le gaz carbonique s'est répandu dans la maison. Sa femme est morte et une petite fille également.

— Attendez ! Je parle d'un dénommé Lawrence Kunstler.

— Je ne connais personne du nom de Kunstler. Je n'étais probablement pas encore arrivée à Bayside.

— De *qui* parlez-vous, alors ?

— D'un anesthésiste. Celui qui a précédé Zwick. Je n'arrive pas à retrouver son nom pour l'instant... Hennessy. C'est ça, il s'appelait Hennessy.

— Faisait-il partie de l'équipe de transplantation ?

— Oui. Un jeune type, qui venait juste de terminer l'internat. Il n'est pas resté très longtemps. Je me souviens qu'il songeait à s'établir dans l'Ouest lorsque l'accident est arrivé.

— Était-ce vraiment un accident ?

— Je ne vois pas d'autre explication. »

Abby regarda la rue vide derrière la fenêtre et ne répondit pas.

« Abby, que se passe-t-il ?

— Quelqu'un m'a suivie aujourd'hui. Une camionnette.

— Allons donc !

— Mark n'est pas encore rentré. Il fait presque nuit et il devrait être là. Je ne peux m'empêcher de penser à Aaron. Et à Lawrence Kunstler. Il s'est jeté du pont Tobin. Et voilà que vous me parlez d'Hennessy. Cela fait trois, Vivian.

— Deux suicides et un accident.

— Plus que le taux normal pour un seul hôpital.

— Une anomalie statistique ? À moins qu'il ne soit

particulièrement déprimant de travailler à Bayside. »
Les tentatives de Vivian pour plaisanter tombèrent à
plat et elle s'en aperçut. Après un silence, elle dit :
« Croyez-vous vraiment avoir été suivie ?

— Vous souvenez-vous de ce que vous m'avez dit ?
*Vous n'êtes pas parano. Il y a des gens qui veulent
vraiment votre peau.*

— Je pensais à Victor Voss. Ou à Parr. Ils ont des
raisons de vous harceler. Mais de là à vous suivre dans
une camionnette ? Et quel rapport avec Aaron et les
deux autres types ?

— Je n'en sais rien. » Abby replia ses jambes sous
elle et se pelotonna dans le fauteuil pour se réchauffer,
cherchant à se rassurer. « Mais je commence à avoir
peur. Je ne cesse de penser à Aaron. Je vous ai rapporté
ce que m'avait dit cet inspecteur — que sa mort n'était
peut-être pas un suicide.

— A-t-il une preuve ?

— S'il en avait une, il ne m'en dirait rien.

— Il pourrait en avoir parlé à Elaine. »

Bien sûr. Sa veuve. C'était elle qui voudrait savoir,
qui demanderait à savoir.

Après avoir raccroché, Abby chercha le numéro de
téléphone d'Elaine. Puis elle s'assit, rassemblant son
courage avant de l'appeler. La nuit était maintenant
tombée et la bruine s'était transformée en une pluie
régulière. Mark n'était toujours pas rentré. Elle ferma
les rideaux et alluma les lampes. Toutes les lampes.
Elle avait besoin de lumière et de chaleur.

Elle décrocha le téléphone et composa le numéro
d'Elaine.

Il y eut quatre sonneries. Abby s'éclaircit la voix,
s'apprêtant à laisser un message sur l'inévitable répondeur. Puis elle entendit trois sons aigus, suivis d'un
enregistrement : « Le numéro que vous avez demandé
n'est plus en service. Veuillez consulter l'annuaire...

Abby refit le numéro, s'appliquant à appuyer à
chaque fois sur la bonne touche.

Aux quatre sonneries succéda la même ritournelle :

« Le numéro que vous avez demandé n'est plus en service... »

Elle raccrocha et contempla le téléphone comme s'il l'avait trahie. Pourquoi Elaine avait-elle changé de numéro ? Qui cherchait-elle à fuir ?

Dehors, une voiture souleva des gerbes d'eau sous la pluie. Abby courut à la fenêtre et regarda par la fente des rideaux. Une BMW s'engageait dans l'allée.

Elle remercia silencieusement le ciel.

Mark était rentré.

16

Mark remplit à nouveau son verre de vin. « Je les connaissais tous les deux, bien sûr. Je connaissais Larry Kunstler mieux que Hennessy. Hennessy n'est pas resté très longtemps avec nous. Mais Larry faisait partie de ceux qui m'ont recruté à Bayside, une fois terminé mon internat. C'était un type bien. » Mark reposa la bouteille sur la table. « Un chic type. »

Le maître d'hôtel passa rapidement près d'eux, escortant une femme luxueusement vêtue jusqu'à une table voisine, où elle fut accueillie par un chœur tapageur de : « Te voilà enfin, chérie ! » « Quelle robe fabuleuse ! » Leur gaieté en ce moment particulier parut extrêmement vulgaire à Abby, choquante même. Elle eût préféré rester à la maison avec Mark. Mais il avait insisté pour dîner dehors. Ils avaient si peu de soirées libres, et il avait voulu célébrer leurs fiançailles. Il avait commandé du vin, porté un toast, et le voilà qui vidait la bouteille — ce qui lui arrivait de plus en plus fréquemment depuis quelque temps. Elle le regarda remplir son verre, et se dit : *Les attaques dont je suis l'objet le rendent nerveux.*

« Pourquoi ne m'en as-tu jamais parlé ? dit-elle.

— L'occasion ne s'est jamais présentée.

— *Quelqu'un* aurait pu y faire allusion. Spécialement après la mort d'Aaron. L'équipe perd trois membres en six ans, et personne n'en souffle mot. On dirait que vous avez peur d'en parler.

— C'est un sujet plutôt déprimant. Nous essayons de l'éviter, surtout en présence de Marilee. Elle connaissait la femme d'Hennessy. Elle avait même organisé une fête pour la naissance du bébé.

— Le bébé qui est mort ? »

Mark hocha la tête. « Nous avons eu un choc quand c'est arrivé. Toute une famille, qui disparaît d'un seul coup. Marilee est devenue hystérique quand elle l'a appris.

— Ils sont vraiment morts à la suite d'un accident ?

— Ils venaient d'acheter la maison quelques mois auparavant. Ils n'avaient pas eu le temps de remplacer la vieille chaudière. Oui, ce fut un accident.

— Mais pas la mort de Kunstler. »

Mark soupira. « Non, Larry n'est pas mort dans un accident.

— Pourquoi a-t-il commis cet acte, à ton avis ?

— Pourquoi Aaron l'a-t-il commis ? Pourquoi quelqu'un décide-t-il de se donner la mort ? Nous pouvons évoquer une demi-douzaine de raisons, mais en vérité, Abby, personne n'en sait rien. Nous ne savons jamais. Et nous ne comprenons jamais. Nous regardons autour de nous et disons : *Les choses vont mieux. Elles vont toujours s'améliorant.* Larry avait sans doute perdu cette perspective. Il ne voyait plus le long terme. C'est à ce moment-là que les gens s'effondrent. Quand ils n'ont plus de vision d'avenir. » Il but une gorgée de vin, puis une autre, mais il semblait n'éprouver aucun plaisir. Ni à boire ni à manger.

Ils ne prirent pas de dessert et quittèrent le restaurant, silencieux et moroses.

Mark conduisit à travers un brouillard mouillé de pluie. Le battement régulier des essuie-glaces leur tenait lieu de conversation. *C'est à ce moment-là que les gens s'effondrent,* avait dit Mark. *Quand ils n'ont plus de vision d'avenir.*

Les yeux fixés dans le vague, elle pensait : *J'en suis arrivée à ce point. Je ne vois plus l'avenir. Je ne sais pas ce qui m'attend. Ce qui nous attend tous les deux.*

Mark dit doucement : « Je voudrais te montrer quelque chose, Abby. J'aimerais savoir ce que tu en penses. Peut-être vas-tu me trouver cinglé. Ou être emballée par cette idée.

— Quelle idée ?

— C'est une chose dont je rêve. Depuis un certain temps. »

Ils prirent la direction du nord, sortirent de Boston, et traversèrent Revere, Lynn et Swampscott. Arrivés à la marina de Marblehead, Mark gara la voiture. « Il est là. Au bout de l'appontement. »

Abby resta figée et frissonnante sur le quai pendant que Mark mesurait à grandes enjambées la longueur du bateau. Il parlait d'un ton animé à présent, plus animé que pendant toute la soirée, gesticulant avec enthousiasme.

« C'est un vrai bateau de croisière. Quarante-huit pieds, complètement équipé, avec tout ce dont nous aurions besoin. Voiles neuves, électronique neuve. Il n'a pratiquement pas navigué. Il pourrait nous emmener n'importe où. Dans les Caraïbes. Le Pacifique. Tu contemples la liberté, Abby ! » Il se tenait sur le ponton, un bras levé comme s'il saluait le bateau. « La liberté absolue ! »

Elle secoua la tête. « Je ne comprends pas.

— C'est le moyen de s'échapper ! D'oublier la ville ! D'oublier l'hôpital ! Nous achetons ce bateau. Puis nous plaquons tout et nous filons.

— Où ça ?

— N'importe où.

— Je n'ai pas envie d'aller n'importe où.

— Nous n'avons aucune raison de rester. Pas maintenant.

— Si, il y en a une. Pour moi du moins. Je ne peux

pas simplement faire mes valises et partir au bout du monde ! Il me reste trois ans pour terminer mon internat, Mark. Je dois les finir maintenant, sinon je ne serai jamais chirurgien.

— Je suis chirurgien, Abby. Je suis ce que tu veux devenir. Ce que tu crois vouloir devenir. Et je peux te le dire : *ça ne vaut pas la peine*.

— J'ai tellement travaillé. Je ne vais pas abandonner maintenant.

— Et *moi* dans tout ça ? »

Elle le regarda. Et comprit que ce rêve ne concernait que lui. Le bateau, l'évasion vers la liberté. L'homme sur le point de se marier, soudain saisi d'une envie irrésistible de s'enfuir de chez lui. C'était une métaphore que lui-même peut-être ne comprenait pas.

« C'est sincèrement ce dont je rêve, Abby », dit-il. Il se rapprocha d'elle, les yeux brillants. Fiévreux. « J'ai fait une offre pour ce bateau. Voilà pourquoi je suis rentré si tard. J'avais rendez-vous avec l'agent.

— Tu as fait une offre sans m'en parler ? Sans même me téléphoner ?

— Je sais que cela peut paraître fou...

— Comment pourrions-nous nous l'offrir ? J'ai des dettes jusqu'au cou ! Il va me falloir des années pour rembourser mes prêts étudiants. Et tu veux acheter un *bateau !*

— Nous pouvons faire un emprunt. Comme si nous achetions une maison de vacances.

— Ce n'est pas une maison.

— C'est quand même un investissement.

— Ce n'est pas là-dedans que j'investirais mon argent.

— Je ne dépense pas ton argent, Abby. »

Elle recula d'un pas et le dévisagea. « Tu as raison, dit-elle calmement. Ce n'est absolument pas mon argent.

— Abby. » Il étouffa un grognement. « Bon Dieu, Abby... »

La pluie tombait à nouveau, froide et engourdissante. Le visage glacé, Abby regagna la voiture et monta à l'intérieur.

Il la rejoignit. Ils restèrent muets pendant un moment. On n'entendait que le martèlement de la pluie sur le toit.

Mark fut le premier à briser le silence. « Je vais retirer mon offre, dit-il doucement.

— Je ne t'en demande pas tant.

— Que veux-tu alors ?

— Je croyais que nous partagerions plus de choses. Je ne parle pas d'argent. Peu m'importe l'argent. Ce qui me peine, c'est de t'entendre parler de *ton* argent. En sera-t-il toujours ainsi ? Ce qui est à toi ou à moi ? Devrons-nous faire appel à des avocats et rédiger un contrat ? Partager le mobilier et les enfants ?

— Tu ne comprends pas », dit-il, et elle perçut une note inattendue de désespoir dans sa voix.

Ils firent la moitié du trajet de retour sans échanger une parole.

Puis Abby dit : « Peut-être devrions-nous réfléchir davantage avant de nous engager définitivement. Peut-être n'as-tu pas vraiment envie de te marier.

— C'est ce que tu souhaites ? »

Elle regarda par la fenêtre et soupira. « Je ne sais pas, murmura-t-elle. Je ne sais plus. »

C'était la vérité. Elle ne le savait plus.

UN DRAME EMPORTE UNE FAMILLE
DE TROIS PERSONNES.

Pendant que le docteur Hennessy et sa famille dormaient paisiblement, la mort montait lentement depuis la cave. Le monoxyde de carbone, un gaz mortel, est sans doute la cause du décès du docteur Hennessy, âgé de trente-quatre ans, de sa femme Gail, trente-trois ans, et de leur fille Linda, un bébé de six mois. Leurs corps ont été découverts en fin d'après-midi par des amis invités à dîner...

Abby déplaça la microfiche et les photos d'Hennessy et de sa femme apparurent sur l'écran, le visage du mari poupin et sérieux, celui de son épouse apparemment photographiée au beau milieu d'un éclat de rire. Il n'y avait pas de photo du bébé. Le *Globe* jugeait peut-être que tous les bébés de six mois se ressemblaient.

Abby changea de microfiche, remontant trois ans et demi avant la mort des Hennessy. Elle trouva l'article qu'elle cherchait à la première page de la section « Nouvelles locales ».

LE CORPS DU MÉDECIN DISPARU RETROUVÉ
DANS LA BAIE INTÉRIEURE.

> *Un corps retrouvé mardi flottant à la surface de la baie de Boston a été identifié aujourd'hui comme étant celui du docteur Lawrence Kunstler, un chirurgien thoracique de la région. La voiture du docteur Kunstler avait été découverte la semaine dernière abandonnée sur la voie de service sud du pont Tobin. La police pense qu'il s'agit d'un suicide. Aucun témoin, toutefois, ne s'est présenté, et l'enquête se poursuit...*

Abby plaça la photo de Kunstler au centre de l'écran. Un cliché conventionnel, blouse blanche et stéthoscope inclus, le visage tourné vers l'appareil.

Tourné vers elle en ce moment précis.

Pourquoi avez-vous commis cet acte ? Pourquoi avez-vous sauté ? Abby ne put refouler une arrière-pensée. *Et avez-vous vraiment sauté ?*

Le seul avantage de sa situation était d'être libre de passer la moitié de la journée hors de Bayside sans que personne ne s'en aperçoive, ni même ne s'en préoccupe. Si bien qu'en sortant de la bibliothèque municipale de Boston, Abby se mêla au va-et-vient bruyant de Copley Square, se sentant à la fois désemparée et soulagée de ne pas avoir à retourner à l'hôpital. L'après-midi, si elle le désirait, lui appartenait.

Elle décida de se rendre en voiture jusqu'à la maison d'Elaine.

Ces derniers jours, elle avait tenté de se procurer son nouveau numéro de téléphone. Pas plus Marilee Archer que les autres épouses des membres de l'équipe de transplantation ne savaient même que son numéro avait changé.

Les images de Kunstler et de Hennessy encore présentes à l'esprit, Abby prit la Route 9 en direction de Newton. La perspective de s'entretenir avec Elaine ne la réjouissait certes pas, mais depuis quelque temps elle ne pouvait penser à Kunstler et à Hennessy sans évoquer également Aaron. Elle se rappelait que le jour des funérailles, personne n'avait fait allusion aux deux morts précédentes. Dans n'importe quel autre groupe, la question aurait inévitablement surgi. Quelqu'un aurait fait remarquer : *Et de trois maintenant.* Ou : *On a jeté un mauvais sort sur Bayside.* Ou encore : *Croyez-vous qu'il y ait un lien commun ?* Mais personne n'avait rien dit. Pas même Elaine, qui devait être au courant.

Pas même Mark.

S'il me cache ce genre de chose, que peut-il me dissimuler encore ?

Elle arrêta la voiture dans l'allée d'Elaine et resta assise sans bouger, la tête dans les mains, luttant en vain contre l'accablement. *Tout s'effondre autour de moi,* pensa-t-elle. *Je perds mon job. Et maintenant je suis en train de perdre Mark. Le pire dans cette histoire, c'est que je ne comprends pas pourquoi.*

Depuis le soir où elle avait abordé le sujet de Kunstler et de Hennessy, tout avait changé entre elle et Mark. Ils vivaient sous le même toit et dormaient dans le même lit, mais leurs rapports étaient devenus purement machinaux. Même l'amour. Dans le noir, les yeux fermés, elle aurait pu être entre les bras de n'importe qui.

Elle leva les yeux vers la maison. *Peut-être Elaine sait-elle quelque chose.*

Elle descendit de sa voiture et gravit le perron. Elle remarqua deux journaux sur le seuil de la porte, encore roulés. Vieux d'une semaine et déjà jaunis. Pourquoi Elaine ne les avait-elle pas ramassés ?

Elle sonna. N'obtenant aucune réponse, elle frappa, puis sonna à nouveau. Elle entendait la sonnerie retentir à l'intérieur de la maison, suivie d'un silence. Ni pas, ni bruits de voix. Elle contempla les deux journaux et comprit qu'il s'était passé quelque chose d'anormal.

La porte de devant était fermée à clé ; elle contourna la maison jusqu'au jardin à l'arrière. Un sentier pavé s'enfonçait parmi les massifs d'azalées et d'hortensias. La pelouse semblait tondue depuis peu, les haies taillées, mais le patio dallé paraissait étrangement désert. Abby se rappela alors le mobilier de jardin, la table avec son parasol et les fauteuils qu'elle avait vus ici même le jour de l'enterrement. Ils avaient disparu.

La porte de la cuisine était également fermée à clé, mais donnant sur le patio, une porte coulissante vitrée n'avait pas été bloquée de l'intérieur. Abby la tira et elle glissa sur ses rails. Elle appela : « Elaine ? » et s'avança d'un pas dans la maison.

La pièce était vide. Les meubles, les tapis — tout semblait s'être volatilisé, même les tableaux. Stupéfaite, elle contempla les murs nus, le sol où les tapis avaient laissé un rectangle plus sombre sur le plancher décoloré par le soleil. Elle traversa la salle de séjour, accompagnée de l'écho de ses pas. La maison était parfaitement nettoyée, hormis quelques prospectus qui avaient été glissés par la fente de la porte d'entrée. Elle en ramassa un et vit qu'il n'était adressé à personne en particulier.

Elle pénétra dans la cuisine. Même le réfrigérateur avait été débarrassé, passé à l'éponge et au désinfectant. Le téléphone mural n'avait pas de tonalité.

Abby sortit de la maison et se tint au milieu de l'allée, décontenancée. Deux semaines plus tôt, elle était venue ici. Elle s'était assise sur le divan du salon, avait grignoté des canapés et regardé les photos de la famille

Levi posées sur la cheminée. Aujourd'hui, elle se demandait si elle n'avait pas rêvé toute la scène.

Encore abasourdie, elle remonta dans sa voiture et fit marche arrière dans l'allée. Elle conduisit machinalement, à peine attentive à la route, l'esprit concentré sur l'étrange disparition d'Elaine. Où diable était-elle allée ? Tout quitter aussi brusquement après la mort d'Aaron ne paraissait pas rationnel. Cela ressemblait plutôt à un geste accompli sous l'empire de la panique.

Soudain inquiète, elle regarda dans son rétroviseur. Elle en avait pris l'habitude depuis le samedi précédent où elle avait pour la première fois repéré la camionnette bordeaux.

Une Volvo verte la suivait. S'était-elle garée devant la maison d'Elaine ? Abby n'en était pas sûre. Elle n'y avait pas prêté attention.

La Volvo lui fit plusieurs appels de phares.

Elle accéléra.

La Volvo aussi.

Elle tourna sur sa droite et s'engagea dans une grande artère. Devant elle s'étendait une succession de stations-service et de supermarchés. *Des témoins. Des quantités de témoins.* Et toujours la Volvo derrière elle, qui faisait des appels de phares.

Elle en avait marre d'être suivie, marre d'avoir peur. Qu'ils aillent tous au diable. Si ce type voulait la harceler, elle allait retourner la situation et contre-attaquer.

Elle tourna brusquement dans le parking d'un centre commercial. La voiture la suivit. Un coup d'œil lui suffit pour constater qu'il y avait foule alentour, des clients poussant leurs caddies, des conducteurs qui cherchaient à se garer. C'était l'endroit rêvé.

Elle freina.

La Volvo pila derrière elle dans un crissement de pneus, s'arrêta à quelques centimètres de son pare-chocs.

Elle sortit d'un bond de sa voiture et courut vers la Volvo. Elle frappa furieusement à la fenêtre du conducteur. « Ouvrez, nom d'un chien ! *Ouvrez !* »

Le conducteur abaissa sa vitre et se tourna vers elle. Puis il retira ses lunettes de soleil. « Docteur DiMatteo ? dit Bernard Katzka. Je pensais bien que c'était vous.

— Pourquoi me suivez-vous ?

— Je vous ai vue quitter la maison.

— Non, *avant*. Pourquoi m'avez-vous suivie l'autre jour ?

— Quand ?

— Samedi. En camionnette. »

Il secoua la tête. « Je ne vois pas de quelle camionnette vous parlez. »

Elle recula. « N'en parlons plus. Mais fichez-moi la paix, voulez-vous ?

— J'ai tout fait pour que vous vous arrêtiez. Vous n'avez pas vu mes appels de phares ?

— J'ignorais que c'était vous.

— Pouvez-vous me dire ce que vous faisiez chez le docteur Levi ?

— Je voulais voir Elaine. Je ne savais pas qu'elle avait déménagé.

— Pourriez-vous vous garer ici pendant quelques minutes ? J'aimerais m'entretenir avec vous. À moins que vous ne refusiez encore de répondre à mes questions ?

— Tout dépend de celles que vous me poserez.

— Il s'agit du docteur Levi.

— Nous ne parlerons de rien d'autre ? Seulement d'Aaron ? »

Il acquiesça d'un signe de tête.

Elle réfléchit. Et se dit qu'elle pourrait en profiter pour l'interroger elle aussi. Même le prudent inspecteur Katzka lâcherait peut-être quelques renseignements.

Elle jeta un coup d'œil en direction du centre commercial. « Il y a un bar où ils vendent des beignets un peu plus loin. Nous pourrions aller prendre un café. »

Flics et beignets. L'association était devenue une plaisanterie classique, renforcée dans l'esprit du public par la vision de flics ventripotents, et de voitures de police constamment garées devant des endroits comme celui-ci. Pourtant Bernard Katzka ne semblait pas grand amateur de beignets. Il se contenta de commander un café noir, qu'il but à petites gorgées sans plaisir apparent. Ce n'était visiblement pas le genre d'homme à attacher beaucoup de prix aux plaisirs de l'existence, fussent-ils défendus ou simplement futiles.

Sa première question fut directe. « Pourquoi étiez-vous dans cette maison ?

— Pour voir Elaine. Je voulais lui parler.

— À quel propos ?

— De sujets personnels.

— Je croyais que vous étiez de simples connaissances.

— C'est ce qu'elle vous a dit ? »

Il ignora sa question. « Est-ce ainsi que vous qualifieriez vos relations ? »

Elle respira profondément. « Oui, je présume. Nous nous sommes connues par l'intermédiaire d'Aaron. C'est tout.

— Alors pourquoi être allée la voir ? »

Elle reprit son souffle et se rendit compte qu'elle trahissait probablement ainsi sa nervosité. « Des choses curieuses me sont arrivées récemment. Je voulais en parler à Elaine.

— Quelles choses ?

— Quelqu'un m'a suivie samedi dernier. Une camionnette de couleur bordeaux. Je l'ai repérée sur le pont Tobin. Puis je l'ai revue en rentrant chez moi.

— C'est tout ?

— N'est-ce pas suffisant ? » Elle le regarda franchement. « J'ai eu peur. »

Il l'étudia en silence, comme s'il cherchait à voir de la peur sur son visage. « Quel rapport avec Mme Levi ?

— C'est vous qui m'avez poussée à m'interroger à propos d'Aaron. À me demander s'il s'était réellement suicidé. J'ai alors découvert que deux autres médecins de Bayside étaient morts. »

Le froncement de sourcils de Katzka lui révéla qu'il s'agissait d'une nouvelle pour lui.

« Il y a six ans, continua-t-elle, un certain docteur Lawrence Kunstler, un chirurgien thoracique, a sauté du pont Tobin. »

Katzka ne dit rien, mais il s'avança imperceptiblement sur sa chaise.

« Et il y a trois ans, ce fut le tour de cet anesthésiste. Le docteur Hennessy. Lui, sa femme et leur bébé sont morts asphyxiés. On a dit qu'il s'agissait d'un accident. Une chaudière défectueuse.

— Malheureusement, ce genre de drame arrive chaque hiver.

— Pour finir, il y a Aaron. Ça fait trois. Tous faisaient partie de l'équipe de transplantation. Ne trouvez-vous pas que c'est une coïncidence vraiment malheureuse ?

— Qu'insinuez-vous ? Que quelqu'un décime l'équipe de transplantation ? En en assassinant les membres les uns après les autres ?

— Je relève seulement une récurrence. Vous êtes policier. Vous devriez mener une enquête. »

Katzka se renfonça dans son siège.

« Comment vous êtes-vous trouvée entraînée dans cette affaire ?

— Mon ami fait partie de l'équipe de transplantation. Mark ne veut pas l'avouer, mais je suis sûre qu'il est inquiet. Ils sont tous inquiets, ils se demandent qui sera le prochain. Mais ils n'en parlent jamais. De même que les gens ne parlent jamais d'accidents d'avion lorsqu'ils sont devant la porte d'embarquement.

— Vous craignez donc pour la sécurité de votre ami ?

— Oui, répondit-elle simplement, dissimulant une vérité plus profonde : qu'elle agissait ainsi parce qu'elle voulait que Mark lui revienne. Le Mark qu'elle connaissait. Elle ne comprenait pas ce qui s'était passé, mais elle savait que tout était en train de s'écrouler entre eux. Et ce depuis le soir où elle avait mentionné Kunstler et Hennessy. Elle n'en dit rien à Katzka, car ses certitudes étaient purement instinctives, fondées sur des impressions. Katzka était du style à fonctionner sur des bases plus concrètes.

Il s'attendait manifestement à en apprendre davantage de sa part. Lorsqu'elle se tut, il demanda : « Vous n'avez rien d'autre à me dire ? Rien que vous aimeriez me confier ? »

Il veut parler de Mary Allen, pensa-t-elle dans un éclair de panique. Sous son regard, elle éprouva soudain une envie irrésistible de tout lui dire. Ici, à cet instant. Mais elle détourna les yeux. Et lui répondit par une question.

« Pourquoi étiez-vous en train de surveiller la maison d'Elaine ? Car c'est bien ce que vous faisiez, n'est-ce pas ?

— Je m'étais rendu chez ses voisins. En sortant, j'ai vu votre voiture déboucher de l'allée.

— Vous enquêtez auprès des voisins d'Elaine ?

— Simple routine.

— Ça m'étonnerait. »

Presque malgré elle, elle tourna son regard vers lui. Ses yeux gris ne laissaient rien transparaître, ne trahissaient rien.

« Pourquoi enquêtez-vous sur un suicide ?

— La veuve fait ses bagages et disparaît pratiquement d'un jour à l'autre, sans laisser d'adresse. C'est inhabituel.

— Êtes-vous en train de porter une accusation contre Elaine ?

— Non. Je pense seulement qu'elle a peur.

— De quoi ?

— Peut-être le savez-vous, docteur DiMatteo ? »

Elle n'arrivait pas à détourner les yeux, comme si elle était hypnotisée par l'intensité tranquille de son

regard. Elle éprouvait à son égard une attirance inattendue, dont elle était la première surprise.

« Non, dit-elle, non, je ne vois pas ce qu'Elaine
cherche à fuir.

— Peut-être m'aiderez-vous à résoudre une autre
question, alors ?

— Laquelle ?

— Comment Aaron Levi a-t-il accumulé sa fortune ? »

Elle secoua la tête. « Il n'était pas particulièrement
riche, à ma connaissance. Un cardiologue gagne peut-
être deux cent mille dollars par an, au maximum. Et il
en dépensait une bonne partie pour ses deux enfants à
l'université.

— Avait-il de l'argent de famille ?

— Dont il aurait hérité ? » Elle haussa les épaules.
« J'ai entendu dire que le père d'Aaron était réparateur
d'appareils ménagers. »

Katzka se renfonça dans sa chaise, absorbé par ses
réflexions. L'œil rivé sur sa tasse de café, il paraissait
ne plus s'intéresser à Abby. Il y avait une étonnante
capacité de concentration chez cet homme. Il pouvait
cesser de parler sans crier gare, vous donnant l'impression que vous aviez disparu de sa vue.

« Inspecteur, à combien s'élève cette fortune dont
vous parlez ? »

Il leva la tête vers elle. « À trois millions de dollars. »

Abby resta muette de stupéfaction.

« Après la disparition de Mme Levi, poursuivit-il,
j'ai cru bon de m'intéresser de plus près aux finances
de la famille. Je me suis donc adressé à leur conseiller
financier, et ce dernier m'a indiqué que peu de temps
avant la mort du docteur Levi, Elaine avait découvert
que son mari possédait un compte en banque aux îles
Caïmans. Un compte dont elle ignorait tout. Elle avait
demandé à son comptable comment disposer de cet
argent. Ensuite, sans avertissement, elle a disparu. »
Katzka lui jeta un regard interrogateur.

« Je n'ai aucune idée de la façon dont Aaron a pu gagner autant d'argent, murmura-t-elle.

— Son comptable n'en sait pas plus que vous. » Ils restèrent silencieux un moment. Quand Abby voulut boire son café, elle s'aperçut qu'il avait refroidi. Elle frissonna.

« Savez-vous où se trouve Elaine ? demanda-t-elle d'une voix étouffée.

— Peut-être.

— Pouvez-vous me le dire ? »

Il secoua la tête. « Pour le moment, je crois qu'elle ne souhaite pas qu'on la retrouve. »

Trois millions de dollars ! Comment Aaron avait-il accumulé trois millions de dollars ?

La question lui trotta dans la tête durant tout le trajet du retour jusque chez elle. Elle ne voyait vraiment pas comment un cardiologue pouvait y parvenir. Pas avec deux gosses dans des universités privées et une épouse qui affectionnait particulièrement les meubles anciens de prix. Et pourquoi cacher sa fortune ? Les îles Caïmans étaient l'endroit où les gens planquaient le fric qu'ils voulaient dissimuler au fisc. En outre, même Elaine ignorait l'existence de ce compte avant qu'Aaron ne meure. Elle avait dû éprouver un sacré choc en découvrant dans les papiers de son mari qu'il lui avait caché cette fortune.

Trois millions de dollars.

Elle s'engagea dans l'allée. S'assura machinalement qu'il n'y avait pas de camionnette bordeaux dans les parages. C'était devenu une habitude, cette inspection rapide de la rue.

Elle alla jusqu'à la porte d'entrée, enjamba l'habituel amoncellement du courrier du soir. Des journaux professionnels pour la plupart, deux exemplaires de chaque numéro pour les deux médecins qui habitaient la maison. Elle les rassembla et les emporta dans la cuisine où elle fit deux piles sur la table. La paperasse de Mark, et la sienne. La vie de Mark, sa vie à elle. Rien qui ne valût un deuxième regard.

Il était quatre heures. Elle allait préparer un vrai dîner, ce soir. Servi aux chandelles, avec une bonne bouteille de vin. Pourquoi pas ? Elle était une femme au foyer désormais. En attendant que Bayside statue sur son avenir de chirurgien, elle pouvait s'appliquer à reconquérir Mark à l'aide de dîners romantiques et d'attentions féminines. Abandonner sa carrière mais garder son homme.

Merde, DiMatteo. Tu raisonnes comme si tout espoir était perdu.

Elle prit sa pile de courrier, se dirigea vers la poubelle et appuya sur la pédale du couvercle. Au moment où les papiers disparaissaient à l'intérieur, elle aperçut une grande enveloppe coincée au fond du récipient. Le mot *yachts*, imprimé en lettres capitales avec le nom et l'adresse de l'expéditeur attira son regard. Elle retira l'enveloppe, essuya les traces de marc de café et de coquilles d'œuf.

Imprimé en haut à gauche, elle lut :

> *East Wind Yachts*
> *Service Commercial*
> *Marblehead Marina*

Elle portait le nom de Mark. Mais n'était pas adressée chez eux, à Brewster Street. Elle avait été envoyée à une boîte postale.

Elle relut les mots : *East Wind Yachts ; Service Commercial.*

Elle sortit de la cuisine et se dirigea vers le bureau de Mark, dans la salle de séjour. Le tiroir du bas, où il conservait ses dossiers, était fermé, mais Abby savait où trouver la clé. Elle avait entendu Mark la jeter dans le porte-crayons. Elle alla la chercher et ouvrit le tiroir.

À l'intérieur étaient rangés tous ses dossiers concernant la maison. Contrats d'assurance, emprunt hypothécaire, papiers de la voiture. Elle vit une étiquette portant la mention *Bateau*. Il y avait une chemise pour *Gimme Shelter*, son J-35. Il y avait aussi un second dossier. Il paraissait neuf. Sur l'étiquette était inscrit *H-48.*

Elle le sortit du tiroir. C'était un contrat de vente de East Wind Yachts. *H-48* désignait le type de bateau. Un quarante-huit pieds, construit par le chantier Hinckley.

Elle se laissa tomber dans un fauteuil, le cœur au bord des lèvres. *Tu n'as rien dit. Tu m'avais promis de retirer ton offre. Mais tu l'as quand même acheté. C'est ton argent, d'accord. C'est parfaitement clair, dorénavant.*

Son regard se porta au bas de la page. Vers les conditions de vente.

Un instant plus tard, elle quittait la maison.

« Un trafic d'organes. Vraiment ? »

Cessant de remuer son café crème, le docteur Ivan Tarasoff regarda Vivian. « Avez-vous des preuves de l'existence de ce genre de chose ?

— Pas encore. Nous venons seulement vous demander si c'est possible. Et dans l'affirmative, comment est-ce possible ? »

Le docteur Tarasoff se renfonça dans le canapé et but lentement son café tout en réfléchissant à la question. Il était cinq heures moins le quart, et à l'exception d'un interne en casaque qui se dirigeait de temps à autre vers le vestiaire voisin, la salle des chirurgiens de Mass General était calme. Tarasoff, qui était sorti du bloc vingt minutes auparavant, portait encore une trace de talc sur les mains et son masque pendait autour de son cou. À nouveau, Abby se sentit rassurée à sa vue, réconfortée par son apect paternel. Les yeux bleus bienveillants, la chevelure argentée, la voix chaude. *La voix de l'autorité suprême,* pensa-t-elle, *appartient à l'homme qui n'a jamais besoin de l'élever.*

« Il y a eu des rumeurs, naturellement, dit Tarasoff. Chaque fois qu'une personne célèbre bénéficie d'une greffe, les gens se demandent quel a été le rôle de l'argent. Mais il n'y a jamais eu de preuves. Uniquement des soupçons.

— Sur quoi portaient ces rumeurs ?

— Sur le fait que l'on peut monnayer son rang sur la liste d'attente. En ce qui me concerne, je n'en ai jamais entendu parler.

— Moi, si », fit Abby.

Tarasoff se tourna vers elle.

« Quand ?

— Il y a deux semaines. Mme Victor Voss. Elle était troisième sur la liste, et elle a obtenu un cœur. Les deux patients qui étaient en tête de liste sont morts par la suite.

— Ni le réseau de distribution des organes ni la banque d'organes ne le permettraient. Ils suivent des procédures extrêmement strictes.

— La banque d'organes n'était pas au courant. En réalité, ils n'ont aucune trace du donneur dans leurs fichiers. »

Tarasoff secoua la tête. « C'est difficile à croire. Si le cœur n'est passé ni par le réseau, ni par la banque, d'où venait-il alors ?

— Nous présumons que Voss a payé pour qu'il n'apparaisse pas dans les fichiers. Et soit ainsi attribué à sa femme, dit Vivian.

— Nous n'en savons pas davantage, pour l'instant, dit à son tour Abby. Quelques heures avant la greffe de Mme Voss, le coordinateur des transplantations de Bayside a reçu un coup de fil de Wilcox Memorial à Burlington, prévenant qu'ils avaient un donneur. Le cœur a été prélevé et envoyé par avion à Boston. Il est parvenu au bloc vers une heure du matin, accompagné d'un médecin du nom de Mapes. Les papiers concernant le donneur y étaient joints, mais semblent avoir été égarés. Personne ne les a revus. J'ai cherché le nom de Mapes dans la section Chirurgie du *Directory of Medical Specialists*. Il n'y a aucun chirurgien de ce nom.

— Alors, qui a fait le prélèvement ?

— Nous croyons que c'est un certain Tim Nicholls. Son nom apparaît dans le *Directory*, ce qui prouve au moins son existence. D'après son CV, il a fait ses études à Mass General. Vous souvenez-vous de lui ?

— Nicholls », murmura Tarasoff. Il secoua la tête. « À quelle époque se trouvait-il ici ?

— Il y a dix-neuf ans.

— Il faudrait que je consulte les archives de l'internat.

— Voilà selon nous comment s'est déroulée l'opération, dit Vivian. Mme Voss avait besoin d'un cœur, et son mari avait l'argent pour le payer. D'une façon ou d'une autre, on s'est passé le mot. Téléphone arabe, rumeurs, j'ignore comment. Tim Nicholls avait un donneur. Il a détourné le cœur au profit de Bayside, court-circuitant la banque d'organes. Et diverses personnes ont été payées. Y compris certains membres du personnel de Bayside. »

Tarasoff eut l'air horrifié. « C'est possible, dit-il. Vous avez raison, les choses ont pu se passer ainsi. »

La porte de la salle s'ouvrit brusquement et deux internes entrèrent en riant et se dirigèrent vers le thermos de café. Ils mirent une éternité à se servir, s'affairant à trouver du lait et du sucre. Enfin, ils sortirent.

Tarasoff semblait toujours frappé de stupéfaction. « J'ai moi-même envoyé des patients à Bayside. C'est l'un des centres de transplantation les plus importants du pays. Pourquoi ne respecteraient-ils pas la liste d'attente ? Pourquoi risquer d'avoir des ennuis avec la banque d'organes et le réseau de distribution ?

— La réponse est claire, dit Vivian. L'argent. »

Ils se turent à nouveau pendant qu'un autre chirurgien entrait dans la salle, le haut de son pyjama de bloc trempé de sueur. Avec un soupir d'épuisement, il se laissa tomber dans l'un des profonds fauteuils et ferma les yeux.

À voix basse Abby dit à Tarasoff : « Nous aimerions que vous consultiez les archives de l'internat au sujet de Tim Nicholls. Voyez ce que vous pouvez découvrir le concernant. Dites-nous s'il a réellement fait ses études ici. Ou si son CV est totalement fabriqué.

— Je vais plutôt le contacter. Le questionner directement.

— Non, n'en faites rien. Nous ignorons encore ce qui se cache derrière tout ça.

— Docteur DiMatteo, j'ai pour règle d'aller droit au but. S'il existe un réseau occulte de trafic d'organes, je veux en avoir la preuve.

— Nous aussi. Mais il faut nous montrer prudents, docteur Tarasoff. » Abby jeta un regard furtif vers le chirurgien qui somnolait dans son fauteuil. Elle parla à mi-voix. « Durant les six dernières années, trois médecins de Bayside sont morts. Deux suicides et un accident. Tous faisaient partie de notre équipe de transplantation. »

Elle vit, à l'expression effarée qui apparut sur le visage de son interlocuteur, que son avertissement avait eu l'effet escompté. « Vous cherchez à m'effrayer, n'est-ce pas ? » dit-il.

Abby hocha la tête. « Vous devriez avoir peur. Comme nous tous. »

Dehors, dans le parking, Vivian et Abby restèrent un moment immobiles sous le ciel gris et la bruine. Elles étaient arrivées devant leurs voitures respectives et leurs chemins se séparaient à nouveau. Les jours devenaient si courts ; il était à peine cinq heures, et la nuit commençait déjà à tomber. Frissonnant, Abby serra davantage son imperméable autour d'elle et surveilla les abords du parking. Aucune camionnette bordeaux en vue.

« Nous n'en savons pas assez, dit Vivian. Nous ne pouvons pas déclencher une enquête dès maintenant. Et si nous tentions le coup, Victor Voss serait capable de faire disparaître les preuves.

— Nina Voss n'a pas été le premier cas. Je suis certaine que c'est déjà arrivé à Bayside. Aaron est mort avec trois millions de dollars en banque. Il recevait probablement des pots-de-vin depuis longtemps.

— Vous croyez qu'il commençait à se montrer réticent ?

— Je sais qu'il désirait quitter Bayside. Quitter Boston. Peut-être ne voulaient-ils pas le laisser partir.

— Et la même chose serait arrivée à Kunstler et à Hennessy. »

Abby poussa un long soupir. Elle surveilla à nouveau le parking, cherchant la camionnette du regard. « Je le crains fort.

— Il nous faut d'autres noms, d'autres transplantations. Ou plus de précisions concernant les donneurs.

— Toutes les informations concernant les donneurs sont rangées en lieu sûr dans le bureau du coordinateur. Il faudrait que je parvienne à m'y introduire et à les voler. Si les précisions que nous recherchons s'y trouvent vraiment. N'oubliez pas qu'ils ont égaré les formulaires du donneur de Nina Voss.

— D'accord, nous devons donc chercher du côté des patients qui ont subi une greffe.

— Aux archives hospitalières ? »

Vivian hocha la tête. « Il nous faut trouver les noms des transplantés. Et leur rang sur la liste d'attente au moment de la transplantation.

— Nous aurons besoin de l'aide de la banque d'organes.

— En effet. Mais il nous faut d'abord les noms et les dates. »

Abby fit un signe d'assentiment. « Je peux m'en charger.

— J'aimerais vous aider, mais les portes de Bayside me sont interdites. Ils me considèrent comme un danger public.

— Nous sommes toutes les deux sur le même bateau. »

Vivian eut un sourire en coin, comme s'il y avait lieu d'en être fière. Elle semblait menue, presque enfantine dans son imperméable trop grand pour elle.

Une alliée si fragile. Mais si sa taille ne rassurait pas, il en était autrement de son regard. Franc et inflexible, il inspirait la confiance. Et il était lourd d'expérience.

« Bon, soupira Vivian. Et si nous parlions de Mark à présent. Pourquoi ne pas le mettre dans la confidence ? »

Abby s'arma de courage. La réponse jaillit précipitamment. « Je crois qu'il est dans le coup.

— *Mark ?* »

Abby hocha la tête. Et son regard se perdit dans la contemplation du ciel pluvieux. « Il veut quitter Bayside. Il parle de partir en bateau. De s'échapper. Exactement comme le faisait Aaron avant de mourir.

— Vous croyez que Mark a reçu de l'argent ?

— Il y a quelques jours, il a acheté un bateau. Pas un simple bateau. Un vrai yacht de croisière.

— Il a toujours adoré les bateaux.

— Celui-ci vaut un demi-million de dollars. »

Vivian ne dit rien.

« Et pire encore, ajouta Abby. Il l'a payé en liquide. »

17

La salle des archives hospitalières se trouvait au sous-sol de l'hôpital, à la suite de la pathologie et de la morgue. Un service bien connu de tous les médecins de Bayside. C'était là qu'ils signaient les feuilles des malades en partant, dictaient leurs observations, et visaient les résultats d'analyses et les ordres donnés de vive voix. La salle était meublée de fauteuils confortables et de tables, et pour tenir compte des horaires irréguliers des médecins, elle restait ouverte tous les jours jusqu'à neuf heures du soir.

Il était six heures lorsque Abby y pénétra. Comme

elle s'y attendait, elle était pratiquement déserte à l'heure du dîner. Le seul médecin présent était un interne à l'air épuisé devant la pile de dossiers amoncelée devant lui.

Le cœur battant, Abby s'approcha du bureau de l'archiviste et sourit. « Je fais une étude statistique pour le docteur Wettig. Il s'intéresse à la mortalité consécutive aux transplantations cardiaques. Pourriez-vous me sortir un listing sur votre ordinateur ? Les noms et numéros de dossier de tous les transplantés cardiaques depuis deux ans.

— Pour une recherche de ce type, nous avons besoin d'une demande écrite du service.

— Ils sont rentrés chez eux à cette heure-ci. Puis-je vous apporter le formulaire plus tard ? J'aimerais lui remettre ce travail dès demain matin. Vous connaissez le Major. »

L'archiviste eut un petit rire. Oui, elle connaissait bien le Major. Elle s'assit à son clavier et fit apparaître l'écran intitulé « Recherches ». Sous la rubrique « Diagnostics », elle tapa « Transplantations cardiaques », puis les années concernées. Elle appuya sur la touche « Valider ».

Lentement, une liste de noms et de numéros commença à défiler. Abby regardait, fascinée par ce qu'elle voyait se dérouler sur l'écran. L'employée appuya sur « Imprimer » et, quelques secondes plus tard, la liste sortit de l'imprimante. Elle la tendit à Abby.

Il y avait vingt-neuf noms sur la feuille. Le dernier était celui de Nina Voss.

« Puis-je avoir les dix premiers dossiers ? demanda Abby. Autant m'y mettre dès ce soir. »

L'employée disparut parmi les classeurs. Quelques instants plus tard, elle revenait serrant contre elle une brassée de dossiers volumineux. « Ce sont seulement les deux premiers. Je vais vous chercher le reste. »

Abby les transporta sur un bureau, où elle les laissa tomber avec un bruit sourd. Chaque patient transplanté était à l'origine d'une incroyable quantité de documents, et ces deux-là n'étaient pas différents des autres. Elle chercha dans la première chemise la feuille d'identification du patient.

Gerald Luray, cinquante-quatre ans. Paiement des frais effectué par une assurance privée. Résident à Worcester, Massachussetts. Ignorant l'importance éventuelle de chaque information, Abby les recopia toutes sur un bloc. Elle copia également la date et l'heure de la transplantation, et les noms des chirurgiens présents. Elle les connaissait tous : Aaron Levi, Bill Archer, Franck Zwick, Rajiv Mohandas. Et *Mark*. Comme prévu, il n'y avait aucune information concernant le donneur dans le dossier. Elles étaient toujours enregistrées séparément. Néanmoins, parmi les notes des infirmières, elle trouva l'inscription suivante :

0830 — Prélèvement effectué. Le cœur actuellement en route depuis Norwalk, Connecticut. Patient transporté en salle d'op' pour préparation...

Abby nota : « 0830. Prélèvement à Norwalk, Conn. »

L'employée des archives revint avec un chariot, déposa cinq dossiers supplémentaires sur le bureau, et repartit en chercher d'autres.

Abby travailla sans discontinuer jusqu'à l'heure du souper. Elle ne s'arrêta pas pour manger, ne s'accorda même pas une pause, excepté pour téléphoner à Mark et le prévenir qu'elle rentrerait tard.

Au moment de la fermeture, elle mourait de faim.

Elle s'arrêta dans un McDonald's en chemin et commanda un Big Mac et une double portion de frites, accompagnés d'un milk-shake à la vanille. Du cholestérol pour nourrir le cerveau. Elle avala le tout assise dans un box d'angle, observant la salle de restaurant. Il y avait peu de monde à cette heure tardive, quelques clients qui sortaient d'une séance de cinéma, deux ou trois couples d'amoureux, et des célibataires isolés à l'air morose. Personne ne parut la remarquer. Abby avala sa dernière frite et partit.

Avant de démarrer, elle inspecta rapidement le parking. Pas de camionnette en vue.

Lorsqu'elle arriva à dix heures et quart, Mark était déjà couché, les lumières éteintes. Dieu merci, elle n'aurait à répondre à aucune question. Elle se déshabilla dans le noir et se glissa sous les draps, sans le toucher. Elle avait presque peur de l'effleurer.

Quand il remua brusquement et étendit le bras vers elle, elle sentit tout son corps se raidir.

« Tu m'as manqué ce soir », murmura-t-il. Il prit son visage entre ses mains, le tourna vers lui et lui donna un long baiser. Sa main descendit le long de sa taille, lui caressa la hanche, suivit la courbe de sa cuisse. Elle ne bougea pas ; elle se sentait figée comme un mannequin, incapable de lui répondre ni de lui résister. Elle resta étendue les yeux fermés, son sang battant dans ses oreilles, pendant qu'il l'attirait dans ses bras, la pénétrait lentement.

Avec qui suis-je en train de faire l'amour ? se demanda-t-elle tandis qu'il allait et venait en elle, allait et venait, leurs hanches se heurtant brutalement.

Puis ce fut fini, et il la quitta.

« Je t'aime », murmura-t-il.

Longtemps après, alors qu'il était déjà endormi, elle murmura à son tour :

« Je t'aime aussi. »

Le lendemain, à huit heures moins le quart, Abby était de retour aux archives. Plusieurs des bureaux étaient maintenant occupés par des médecins qui mettaient en ordre leur paperasserie avant les visites de la matinée. Abby demanda cinq dossiers supplémentaires. Rapidement elle prit des notes, rendit les dossiers et partit.

Elle passa le reste de la matinée à la bibliothèque médicale, cherchant d'autres articles pour le docteur Wettig. Elle attendit la fin de l'après-midi pour retourner aux archives.

Elle demanda encore dix dossiers.

Vivian termina la dernière part de pizza. C'était la quatrième fois qu'elle se servait ; où passait tout ce qu'elle ingurgitait restait un mystère pour Abby. Ce corps d'enfant brûlait les calories comme une chaudière. Depuis qu'elles s'étaient installées à une table chez Gianelli, Abby avait à peine pu avaler quelques bouchées.

Vivian s'essuya les mains à sa serviette. « Mark n'est toujours pas au courant ?

— Je ne lui ai rien dit. Je crois que j'ai peur de lui parler.

— Comment pouvez-vous le supporter ? Vivre sous le même toit et ne pas se parler ?

— Nous parlons. Seulement nous ne parlons pas de *ça*. » Abby effleura la pile de notes posées sur la table — les notes qu'elle avait transportées partout avec elle durant la journée. Elle avait pris soin de les ranger dans un endroit où Mark ne les découvrirait pas. Hier soir, en rentrant du McDonald's, elle les avait cachées sous le canapé. Elle lui cachait tant de choses ! Combien de temps tiendrait-elle le coup ?

« Abby, il faudra bien lui parler un jour ou l'autre.

— Pas encore. Pas avant de savoir.

— Vous n'avez pas peur de *Mark*, n'est-ce pas ?

— J'ai peur qu'il nie tout. Et de ne pas savoir s'il dit la vérité. » Elle passa sa main dans ses cheveux. « Mon Dieu, j'ai l'impression que la réalité m'échappe. Je croyais avoir les deux pieds solidement plantés sur terre. Si je souhaitais quelque chose, il me suffisait de travailler comme une dingue pour l'obtenir. Aujourd'hui, je ne sais plus quoi décider, quelle initiative prendre. Tout ce qui comptait pour moi n'existe plus.

— C'est-à-dire Mark. »

D'un geste las, Abby se frotta le visage. « Particulièrement Mark.

— Vous avez une mine de chien, Abby.

— Je dors mal. Je pense trop. Pas seulement à Mark. Mais aussi aux circonstances de la mort de Mary

Allen. Je m'attends toujours à voir l'inspecteur Katzka débarquer à ma porte avec ses menottes.

— Vous croyez qu'il vous soupçonne ?

— Je pense qu'il est trop intelligent pour ne pas le faire.

— Il ne s'est pas manifesté. Peut-être va-t-il laisser tomber. Vous vous laissez impressionner par lui. »

Abby revit les yeux gris au regard calme de Bernard Katzka. « C'est un homme difficile à déchiffrer. Mais je le crois non seulement intelligent mais tenace. Il me fait peur. Et étrangement, il me fascine. »

Vivian se cala dans son fauteuil. « Intéressant. La proie hypnotisée par le chasseur.

— Il m'arrive d'avoir envie de lui téléphoner et de tout lui déballer. Pour en finir. » Abby mit sa tête entre ses mains. « Je n'en peux plus. Je voudrais pouvoir partir quelque part. Dormir une semaine entière.

— Vous devriez déménager de chez Mark. J'ai une chambre d'amis. Et ma grand-mère s'en va.

— Je croyais qu'elle vivait avec vous.

— Elle fait le tour de tous ses petits-enfants. En ce moment, c'est une de mes cousines à Concord qui s'arme pour *la visite*.

— Je ne sais plus quoi faire. La vérité, c'est que j'aime Mark. Je n'ai plus confiance en lui, mais je l'aime. Et je sais qu'en donnant le branle à cette affaire, nous risquons de le détruire.

— Ou de lui sauver la vie. »

Abby regarda Vivian d'un air misérable. « Je lui sauve la vie. Mais je ruine sa carrière. Je doute qu'il m'en soit reconnaissant.

— Aaron vous aurait remerciée. Kunstler aussi. La femme d'Hennessy et son bébé encore davantage. »

Abby ne répondit pas.

« Êtes-vous réellement sûre que Mark soit dans le coup ?

— Je n'en suis *pas* certaine. C'est ce qui complique tout. *Je voudrais* croire en lui. Et je n'ai aucune preuve ni dans un sens ni dans l'autre. » Elle désigna ses notes. « J'ai examiné vingt-cinq dossiers. Plusieurs de ces transplantations ont été effectuées il y a deux ans. Le nom de Mark apparaît à chaque fois.

— Ainsi que celui d'Archer. Et d'Aaron. Cela ne nous en dit pas plus. Qu'avez-vous appris d'autre ?

— Tous ces dossiers se ressemblent. Rien ne les distingue les uns des autres.

— Bon. Et les donneurs ?

— C'est là où les choses se corsent. » Abby jeta un regard prudent autour d'elle avant de se pencher vers Vivian. « Les dossiers ne mentionnent pas tous la ville du donneur. Mais beaucoup l'indiquent. Et c'est sur ce point particulier qu'il y a convergence. Quatre d'entre eux proviennent de Burlington, dans le Vermont.

— De Wilcox Memorial ?

— Je l'ignore. L'hôpital n'est jamais spécifié dans les notes des infirmières. Mais il me paraît curieux de trouver autant de comas dépassés dans une petite ville comme Burlington. »

Le regard stupéfait de Vivian croisa le sien. « Il y a quelque chose de franchement louche là-dedans. Nous imaginions un réseau parallèle d'allocation d'organes. Des donneurs qui restaient en dehors du système officiel. Mais comment expliquer une concentration de donneurs dans une ville isolée ? À moins que...

— À moins que l'on ne produise des donneurs. »

Elles restèrent silencieuses.

Burlington est une ville universitaire, réfléchit Abby. *Pleine d'étudiants en excellente santé. Avec de jeunes cœurs sains.*

« Puis-je avoir les dates de ces prélèvements effectués à Burlington ? demanda Vivian.

— Je les ai ici. Pourquoi ?

— Je vais les comparer aux notices nécrologiques de Burlington. Trouver qui est mort précisément à ces dates-là. Peut-être parviendrons-nous à identifier les quatre donneurs. Et à découvrir l'origine de ces comas dépassés.

— Toutes les notices nécrologiques ne précisent pas les causes de la mort.

— Il nous faudra probablement consulter les certificats de décès. Ce qui signifie un déplacement à Burlington pour l'une de nous. Un endroit que j'ai toujours rêvé de visiter. » Vivian avait pris un ton enjoué, affectant une désinvolture digne de sa réputation d'amazone, sans toutefois parvenir à dissimuler une note d'appréhension.

« Êtes-vous sûre de vouloir vous lancer là-dedans ? dit Abby.

— Si nous ne le faisons pas, Victor Voss gagnera sur toute la ligne. Et les perdants seront des gens comme Josh O'Day. » Vivian s'interrompit un instant avant de demander doucement : « Et vous, Abby, le voulez-vous ? »

Abby baissa la tête. « Je n'ai plus le choix. »

La BMW de Mark était dans l'allée.

Abby se gara derrière elle et coupa le contact. Elle resta un long moment assise au volant, rassemblant l'énergie nécessaire pour s'extraire de sa voiture et entrer dans la maison. Pour lui faire front.

Elle finit par se décider et franchit la porte d'entrée.

Elle le trouva dans la salle de séjour où il regardait les informations du soir. Dès qu'il la vit, il éteignit la télévision. « Comment va Vivian ? demanda-t-il.

— Bien. Elle est tout de suite retombée sur ses pieds. Elle s'apprête à s'associer à un cabinet de Wakefield. » Abby suspendit son manteau dans la penderie. « Et comment s'est passée ta journée ?

— Un anévrisme de l'aorte. Effusion sanguine de six unités avant qu'on n'ait pu rien faire. Je n'en suis sorti qu'à sept heures.

— Il s'en est tiré ?

— Non. On a fini par le perdre.

— C'est triste. Je suis navrée. » Elle referma la porte de la penderie. « Je suis crevée. Je crois que je vais monter prendre un bain. »

Elle s'arrêta et le regarda. L'espace de la pièce les séparait. Mais l'abîme entre eux était ô combien plus grand.

« Que t'est-il arrivé ? demanda-t-il. Qu'y a-t-il ?

— Tu le sais bien. Je m'inquiète pour mon avenir.

— Je parle de nous. Les choses ont changé entre nous. »

Elle ne répondit pas.

« Je ne te vois presque plus. Tu passes plus de temps avec Vivian qu'ici. Lorsque tu es à la maison, tu sembles être ailleurs.

— Je suis préoccupée, c'est tout. Ne peux-tu comprendre pourquoi ? »

Il s'enfonça plus profondément dans le canapé, l'air soudain terriblement las. « Je dois savoir, Abby. Est-ce que tu vois quelqu'un d'autre ? »

Elle écarquilla les yeux. De tout ce qu'elle avait imaginé, c'était la dernière chose à laquelle elle s'attendait. Elle faillit éclater de rire devant la banalité d'un tel soupçon. *Si seulement c'était aussi simple. Si seulement nos problèmes étaient ceux de n'importe quel couple.*

« Il n'y a personne d'autre, dit-elle. Crois-moi.

— Alors pourquoi ne me parles-tu plus ?

— Je te parle.

— Je n'appelle pas ça parler ! C'est *moi* qui m'efforce de retrouver l'ancienne Abby. La femme que j'ai perdue. Car je t'ai perdue, Abby. » Il secoua la tête et détourna les yeux. « Je veux que tu me reviennes. »

Elle s'approcha du canapé et s'assit à côté de lui. Pas assez près pour le toucher, mais suffisamment pour se sentir plus proche de lui, indirectement.

« Dis-moi ce qui se passe, Abby, je t'en prie. » Il plongea ses yeux dans les siens, et soudain ce fut le Mark des premiers jours qui lui apparut. L'homme qui lui avait souri à la table d'opération. L'homme qu'elle aimait tant. « Je t'en prie », répéta-t-il doucement. Il lui prit la main sans qu'elle la retire, l'enlaça sans qu'elle oppose de résistance. Mais même dans ses bras, où elle s'était toujours sentie en sécurité, elle fut incapable de se détendre. Elle resta immobile contre sa poitrine, angoissée et crispée.

« Dis-moi, demanda-t-il à nouveau, qu'y a-t-il de cassé entre nous ? »

Elle ferma les yeux, refoulant les larmes prêtes à jaillir. « Rien, dit-elle. Il n'y a rien de cassé. »

Elle sentit ses bras se raidir autour d'elle et n'eut pas besoin de regarder son visage pour savoir qu'il avait deviné qu'elle mentait.

Le lendemain à sept heures et demie du matin, Abby se gara dans son emplacement habituel devant l'hôpital de Bayside.

Elle s'attarda un moment dans sa voiture, contemplant l'asphalte mouillé, le crachin persistant. C'était seulement la mi-octobre et on sentait déjà un avant-goût maussade de l'hiver. Elle avait mal dormi la nuit dernière. À vrai dire, elle avait oublié à quoi ressemblait une véritable nuit de sommeil. Combien de temps tenait-on sans dormir ? Combien de temps avant que l'épuisement ne vous mène à la folie ? Un coup d'œil dans le rétroviseur lui renvoya l'image d'une étrangère hagarde. Elle avait pris dix ans en deux semaines. À ce rythme, elle serait ménopausée en novembre !

Un reflet bordeaux dans le miroir attira son attention.

Elle tourna brusquement la tête, à temps pour voir une camionnette s'éloigner derrière la rangée suivante de voitures. Elle attendit, espérant la revoir. Elle ne réapparut pas.

Rapidement elle sortit de sa voiture et se dirigea vers l'hôpital. Sa serviette lui parut peser une tonne au bout de son bras. Sur sa droite, un moteur se mit bruyamment en marche. Elle pivota sur elle-même, s'attendant à voir la camionnette, mais il s'agissait seulement d'un break qui quittait sa place.

Son cœur cognait dans sa poitrine. Elle ne se calma qu'une fois entrée dans le bâtiment. Elle emprunta l'escalier pour se rendre au sous-sol et pénétra dans le service des archives. Sa dernière visite ; il ne restait plus que quatre noms sur la liste.

Elle déposa sa demande sur le comptoir et dit : « Excusez-moi, pourrais-je avoir ces dossiers, je vous prie ? »

L'archiviste lui fit face. Était-elle victime de son imagination ? Abby crut voir son visage se figer. Elle avait eu affaire à elle précédemment, et l'avait toujours trouvée aimable à son égard. Aujourd'hui, elle ne lui offrait pas même un sourire.

« J'ai besoin de ces quatre dossiers », insista Abby.

La femme regarda l'imprimé. « Je regrette, docteur. Je ne peux pas vous communiquer ces dossiers.

— Pour quelle raison ?

— Ils ne sont pas disponibles.

— Mais vous n'avez même pas vérifié.

— J'ai reçu l'ordre de ne plus vous communiquer les dossiers. Ce sont les instructions du docteur Wettig. Il nous a prié, au cas où vous vous présenteriez, de vous envoyer immédiatement à son bureau. »

Abby se sentit blêmir.

« Il paraît qu'il ne vous a jamais autorisée à faire ces recherches. » Le ton de l'employée était clairement accusateur. *Vous nous avez menti, docteur DiMatteo.*

Abby n'avait aucune réponse à offrir. Elle eut l'impression qu'un silence soudain l'entourait. Elle se retourna et s'aperçut qu'il y avait trois autres médecins dans la pièce, et que tous les trois l'observaient.

Elle quitta la salle des archives.

Son premier mouvement fut de quitter les lieux. Échapper à l'inévitable confrontation avec Wettig, prendre sa voiture et s'en aller. Combien de temps lui faudrait-il pour atteindre la Floride, la plage et les palmiers ? Elle n'était jamais allée en Floride. Elle ne s'était jamais offert tous ces luxes auxquels les autres étaient habitués. Elle pouvait se le permettre dorénavant, elle pouvait quitter ce maudit hôpital, monter dans sa voiture, et dire : *Allez tous vous faire foutre. Vous avez gagné.*

Mais elle ne sortit pas du bâtiment. Elle prit l'ascenseur et appuya sur le bouton du premier étage.

Durant le court trajet entre le sous-sol et l'étage de l'administration, plusieurs choses lui apparurent clairement. Primo qu'elle était trop entêtée ou trop stupide pour s'enfuir. Deuxio qu'elle n'avait pas envie de se prélasser sur une plage. Ce qu'elle voulait, c'était retrouver son rêve.

Elle sortit de l'ascenseur et parcourut le couloir recouvert de moquette. Les bureaux de l'internat faisaient suite à ceux de Jeremiah Parr. En passant devant ces derniers, Abby vit la secrétaire de Jeremiah se dresser sur son siège et s'emparer du téléphone.

Elle tourna dans le couloir et franchit la porte de l'internat. Devant le bureau du secrétariat se tenaient deux hommes qu'elle voyait pour la première fois. L'employée qui leur faisait face aperçut Abby et eut le même sursaut de stupéfaction que la secrétaire de Parr. Elle balbutia : « Oh ! docteur DiMatteo...

— Il faut que je voie le docteur Wettig », dit Abby.

Les deux hommes se retournèrent. L'instant suivant, Abby fut éblouie par l'éclair d'un flash. Elle eut un mouvement de recul en voyant l'éclair se répéter.

« Que faites-vous ? demanda-t-elle.

— Docteur, avez-vous des commentaires à faire sur la mort de Mary Allen ?

— Comment ?

— Mme Allen était votre patiente, n'est-ce pas ?

— Qui êtes-vous, bon Dieu ?

— Gary Starke, du *Boston Herald*. Est-il vrai que vous êtes favorable à l'euthanasie ? Nous savons que vous avez fait des déclarations dans ce sens.

— Je n'ai jamais rien dit de...

— Pourquoi avez-vous été suspendue de votre service à l'hôpital ? »

Abby fit un pas en arrière. « Partez d'ici. Je ne vous parlerai pas.

— Docteur DiMatteo... »

Abby tourna le dos, prête à quitter le bureau. Elle faillit se cogner à Jeremiah Parr, qui venait de franchir la porte.

« J'exige que vous autres journalistes fichiez le camp de mon hôpital immédiatement », aboya-t-il. Puis il se tourna vers Abby. « Docteur, suivez-moi. »

Abby lui emboîta le pas. Ils parcoururent rapidement le couloir et entrèrent dans son bureau. Parr ferma la porte et se tourna vers elle.

« Le *Herald* a déjà téléphoné il y a une demi-heure. Puis le *Globe* a appelé, et ensuite une demi-douzaine d'autres journaux. Cela n'a pas cessé depuis.

— Est-ce Brenda Hainey qui les a avertis ?

— Je ne crois pas. Ils semblaient informés au sujet de la morphine. Et du flacon retrouvé dans votre casier. Des renseignements qu'elle-même ignorait. »

Abby secoua la tête. « Comment l'ont-ils appris, alors ?

— Il y a eu des fuites. » Parr s'assit lourdement dans son fauteuil. « Cette histoire va nous détruire. Une enquête criminelle. Les couloirs pleins de policiers. »

La police. Bien sûr. La police aussi était au courant.

Abby regarda fixement Parr. Elle avait la gorge trop serrée pour prononcer un seul mot. Était-ce *lui* qui avait organisé les fuites ? Non, c'était improbable. Le scandale ne pouvait que lui causer du tort.

Un coup sec fut frappé à la porte et Wettig entra. « Qu'est-ce que je dois faire de ces maudits journalistes ? gronda-t-il.

— Il va falloir préparer un communiqué, Major. Susan Casado va arriver d'une minute à l'autre. Elle nous aidera à le rédiger. En attendant, pas un mot à quiconque. »

Wettig eut un bref hochement de tête. Puis ses yeux se portèrent sur Abby. « Pouvez-vous me donner votre serviette, docteur DiMatteo ?

— Pourquoi ?

« — Vous le savez très bien. Vous n'étiez en aucune façon autorisée à consulter les dossiers de ces patients. Ils sont strictement privés et confidentiels. Je vous ordonne de me remettre toutes les notes que vous avez prises. »

Abby ne broncha pas.

« Je ne pense pas qu'une accusation de vol améliorerait votre cas.

— De vol ?

— Toute information recueillie au cours de cette recherche illégale constitue un vol. Donnez-moi cette serviette. *Donnez-la-moi.* »

Sans un mot, elle la lui tendit. Elle le regarda l'ouvrir, fouiller dans ses papiers et en retirer ses notes. Impuissante, elle ne pouvait que baisser la tête en signe de défaite. Une fois de plus, ils l'avaient vaincue. Ils avaient frappé les premiers, et elle s'était laissé surprendre. Elle aurait dû s'en douter. Elle aurait dû mettre ses notes en sûreté avant de venir. Mais elle était trop préoccupée par ce qu'elle allait dire pour se justifier aux yeux de Wettig.

Il referma la seviette et la lui rendit. « Est-ce tout ? » demanda-t-il.

Elle put seulement hocher la tête.

Le Major la regarda un moment en silence. Puis il soupira. « Vous auriez été un bon chirurgien, DiMatteo. Mais je crois qu'il est temps pour vous d'admettre que vous avez besoin d'une aide psychologique. Je vous conseille de demander un bilan psychiatrique. Et je vous exclus du programme d'internat, à compter d'aujourd'hui. » Étonnée, elle perçut une note de regret sincère dans sa voix quand il ajouta : « Je suis désolé. »

18

L'inspecteur Lundquist était le type même du beau blond à l'allure germanique. Il interrogeait Abby depuis déjà deux heures, posait ses questions tout en parcourant de long en large l'étroit bureau. S'il s'agissait d'une tactique pour l'intimider, le but était atteint. Dans la petite ville du Maine où Abby avait grandi, les flics vous faisaient un signe amical depuis leurs voitures, déambulaient dans les rues d'un air jovial, un trousseau de clés cliquetant à leur ceinture, et décernaient des diplômes d'éducation civique aux distributions des prix. Ils n'étaient pas censés vous effrayer.

Abby avait peur de Lundquist. Elle l'avait redouté dès l'instant où il était entré dans la pièce et avait installé l'enregistreur sur la table. Et son appréhension s'était accrue en le voyant sortir une fiche de sa vareuse et lui énumérer ses droits. C'était *elle* qui s'était rendue volontairement au commissariat. Elle avait demandé à parler à l'inspecteur Katzka. Mais ils avaient dépêché Lundquist qui s'était mis à l'interroger avec l'agressivité à peine retenue d'un policier procédant à une arrestation.

La porte s'ouvrit et Bernard Katzka entra enfin dans la pièce. La vue d'un visage connu aurait dû réconforter Abby, pourtant la physionomie impassible de Katzka ne la rassura guère. Debout en face d'elle, de l'autre côté de la table, il la regardait d'un air las.

« On m'a dit que vous n'aviez pas pris d'avocat, dit-il. Désirez-vous vous faire assister ?

— Suis-je en état d'arrestation ? demanda-t-elle.

— Pas pour le moment.

— Je puis donc partir si j'en ai envie ? »

Katzka ne répondit pas et regarda Lundquist, qui haussa les épaules. « Il s'agit seulement d'une enquête préliminaire.

— Ai-je besoin d'un avocat, inspecteur ? »

Katzka hésita encore. « C'est à vous de décider, docteur.

— Écoutez. Je suis venue ici de ma propre initiative. Je l'ai fait car je voulais vous parler. Vous raconter ce qui était arrivé. J'ai répondu de bon gré à toutes les questions de cet homme. Si vous m'arrêtez, alors oui, je ferai appel à un avocat. Mais soyons clairs, je n'ai rien accompli de répréhensible. » Elle fixa Katzka droit dans les yeux. « Cela dit, je pense que ma réponse est non ; je n'ai pas besoin d'un avocat. »

À nouveau Katzka et Lundquist échangèrent un regard, sans qu'Abby puisse en saisir la signification. Puis Lundquist dit : « Elle est à vous, Slug », et il alla se poster dans un angle de la pièce.

Katzka s'assit à la table.

« Je suppose que vous allez me poser les mêmes questions, dit Abby.

— J'ai raté le début. Mais je crois avoir entendu la plupart de vos réponses. »

D'un signe de tête, il indiqua la glace encastrée dans le mur opposé. C'était un miroir sans tain, comprit-elle. Il avait assisté à l'interrogatoire de Lundquist. Combien étaient-ils à l'observer derrière cette glace ? Elle se sentit exposée aux regards. Violée. Elle se déplaça sur sa chaise, détournant son visage de la glace, et affronta Katzka.

« Dans ce cas, qu'avez-vous à me demander ?

— Vous dites que quelqu'un cherche à vous piéger. Pouvez-vous nous dire qui ?

— J'ai cru qu'il s'agissait de Victor Voss. À présent, je n'en suis plus certaine.

— Avez-vous d'autres ennemis ?

— Apparemment oui.

— Quelqu'un qui vous détesterait au point d'assassiner une de vos patientes ? Dans le seul but de vous nuire ?

— Ce n'était peut-être pas un meurtre. Le taux de morphine n'a jamais été confirmé.

— Il l'a été. Mme Allen a été exhumée il y a

quelques jours, à la demande de Brenda Hainey. Le médecin légiste a effectué un test quantitatif ce matin. »

Abby enregistra la nouvelle sans piper. Elle entendait ronronner le magnétophone. Elle s'appuya au dossier de sa chaise. Il n'y avait plus aucun doute désormais, Mme Allen avait succombé à une overdose.

« Il y a quelques jours, vous m'avez dit qu'une camionnette rouge vous suivait.

— Bordeaux, corrigea-t-elle. C'était une camionnette de couleur bordeaux. Je l'ai revue aujourd'hui.

— Avez-vous relevé son numéro ?

— Elle ne s'est jamais approchée suffisamment près.

— Récapitulons. Quelqu'un administre une dose trop forte de morphine à votre patiente, Mme Allen. Puis il — ou elle — place un flacon de morphine dans votre casier. Et maintenant vous êtes suivie par une camionnette. Et d'après vous, c'est Victor Voss qui a tout manigancé ?

— C'est ce que je pensais. Mais c'est peut-être quelqu'un d'autre. »

Katzka ne la quittait pas des yeux. La lassitude semblait avoir gagné ses épaules qui s'étaient affaissées brusquement.

« Parlez-nous encore de ces transplantations.

— Je vous ai déjà tout dit.

— Je ne comprends pas très clairement comment elles sont liées à cette affaire. »

Abby soupira. Elle avait déjà passé les détails en revue avec Lundquist, elle lui avait raconté l'histoire de Josh O'Day et les curieuses circonstances de la transplantation de Nina Voss. À en juger par l'indifférence de Lundquist, elle avait perdu son temps. À présent on la priait de recommencer depuis le début, sans doute aussi inutilement. Découragée, elle ferma les yeux. « Puis-je avoir un verre d'eau ? »

Lundquist sortit de la pièce. Durant son absence, ni elle ni Katzka ne prononcèrent un mot. Elle resta assise les yeux fermés, souhaitant desespérément voir cette histoire se terminer. Mais il n'y aurait jamais de fin. Elle demeurerait dans cette pièce pour l'éternité, répondant indéfiniment à la même question. Peut-être aurait-elle dû faire appel à un avocat, au fond. Peut-être devrait-elle se lever et partir. Katzka lui avait affirmé qu'elle n'était pas en état d'arrestation. Pas encore.

Lundquist revint avec un gobelet d'eau. Elle l'avala en quelques gorgées et reposa le gobelet vide sur la table.

« Revenons à ces transplantations cardiaques », docteur, insista Katzka.

Elle poussa un soupir. « Je crois que c'est de cette façon qu'Aaron a gagné trois millions de dollars. En trouvant des cœurs pour de riches patients qui ne voulaient pas attendre leur tour sur la liste.

— Quelle liste ?

— Dans cette seule région, il y a cinq mille personnes en attente d'une greffe cardiaque. Beaucoup d'entre elles vont mourir parce qu'il n'y a pas assez de donneurs. Les donneurs doivent être jeunes et en bonne santé — c'est-à-dire que la grande majorité d'entre eux est constituée par des victimes d'accidents entrées dans un coma dépassé. Et leur nombre est insuffisant.

— Qui décide de l'attribution d'un cœur ?

— Il existe une liste informatique. Notre système régional est géré par la banque d'organes de Nouvelle-Angleterre. Il est totalement égalitaire. Les priorités sont liées à l'état de santé du malade. Et non à sa fortune. Cela signifie que si vous êtes en bas de la liste, l'attente sera longue. Supposons maintenant que vous soyez riche, et que vous ayez peur de mourir avant qu'on ne vous attribue un cœur. Naturellement, vous serez tenté de chercher un organe en dehors du système.

— Est-ce possible ?

— Il faudrait avoir recours à une organisation parallèle. Un système qui maintiendrait les donneurs en dehors de l'organisation officielle et attribuerait directement les cœurs à de riches patients. Il y a une autre possibilité, bien pire que la première.

— Qui est ?

— De provoquer l'existence de nouveaux donneurs.

— Vous voulez dire de *tuer* des gens ? dit Lundquist. Dans ce cas, où passent les cadavres ? Les procès-verbaux de disparition ?

— Je ne dis pas que cela se produit dans la réalité. Ce n'est qu'une éventualité. » Elle marqua une pause. « Je pense qu'Aaron Levi faisait partie de cette organisation. Ce qui expliquerait les trois millions de dollars en sa possession. »

L'expression de Katzka n'avait pratiquement pas changé. Son flegme commençait à irriter Abby.

Elle continua, d'un ton plus vif : « Vous ne comprenez donc pas ? Il me paraît logique que ces poursuites contre moi aient cessé. Ils espéraient probablement que je renonce à poser des questions. Mais je ne n'ai pas renoncé. J'ai continué de plus belle. Aujourd'hui, ils sont obligés de me discréditer, de peur que je ne dévoile leurs machinations. Je pourrais provoquer leur ruine.

— Alors pourquoi ne vous éliminent-ils pas ? » C'était Lundquist qui posait la question d'un ton franchement sceptique.

Elle réfléchit un instant. « Je l'ignore. Peut-être pensent-ils que je n'en sais pas assez. Ou ont-ils peur des répercussions. Si peu de temps après la mort d'Aaron.

— Quelle imagination ! » s'exclama Lundquist en riant.

D'un geste sec de la main, Katzka lui intima de se taire. « Docteur DiMatteo, dit-il je vais être franc avec vous. Votre scénario n'est pas crédible.

— Je n'en ai pas d'autre.

— Puis-je en proposer un ? dit Lundquist. Un scénario qui tienne la route ? » Il se rapprocha de la table, le regard rivé sur Abby. « Votre patiente, Mary Allen, souffrait terriblement. Elle vous a demandé de l'aider à franchir le pas. Vous avez pensé que c'était la solution la plus humaine. Et c'était bien la plus humaine. Une chose que tout médecin soucieux de ses malades peut envisager. Vous lui avez donc injecté une dose plus forte de morphine. Le problème est que l'une des infirmières vous a vue faire. Et elle a envoyé une lettre anonyme à la nièce de Mary Allen. Et tous ces ennuis vous tombent sur le dos, uniquement parce que vous avez voulu vous conduire humainement. Aujourd'hui, vous devez faire face à une accusation de meurtre. Vous risquez la prison. Un peu effrayant, non ? Alors vous inventez de toutes pièces une histoire de conspiration. Qu'on ne peut ni prouver, ni réfuter. Ce scénario n'est-il pas plus vraisemblable, docteur ?

— Peut-être, mais il ne reflète pas la réalité.

— Quelle est la réalité ?

— Je vous l'ai déjà dit. Je vous ai tout dit...

— Avez-vous tué Mary Allen ?

— Non. » Elle se pencha en avant, les poings serrés sur la table. « Je n'ai pas tué ma patiente. »

Lundquist regarda Katzka. « Elle n'est pas très douée pour mentir, hein ? » Il sortit de la pièce.

Abby et Katzka restèrent silencieux.

Puis elle demanda calmement : « Suis-je en état d'arrestation maintenant ?

— Non. Vous pouvez partir. » Il se leva.

Elle l'imita. Ils restèrent debout face à face, comme s'ils se demandaient si l'entrevue était vraiment terminée.

« Pourquoi me relâche-t-on ?

— En attendant un complément d'enquête.

— Croyez-vous que je suis coupable ? »

Il hésita. Elle savait qu'il n'avait pas à lui faire connaître sa pensée, et pourtant il parut chercher à lui répondre en toute honnêteté. En fin de compte, il préféra éviter la question.

« Le docteur Hodell vous attend, dit-il. Vous le trouverez au bureau d'accueil. » Il alla ouvrir la porte.

« Nous aurons l'occasion de nous revoir, docteur », dit-il, et il quitta la pièce.

Elle traversa le hall jusqu'à la salle d'attente.

Mark était là. « Abby ? » dit-il doucement.

Il la prit dans ses bras mais son corps demeura étrangement inerte à son contact. Détaché. Comme si elle-même restait en dehors de la scène, observant de loin deux étrangers qui s'enlaçaient, s'embrassaient.

Et, de loin, elle l'entendit dire : « Rentrons à la maison. »

À travers la vitre de sécurité, Bernard Katzka regarda le couple se diriger vers la porte, observa la façon dont Hodell serrait Abby contre lui. Ce n'était pas un spectacle courant pour un flic. L'affection. L'amour. Le plus souvent, il voyait des hommes et des femmes qui se querellaient, des visages tuméfiés, des lèvres fendues, des doigts accusateurs. Ou il assistait à l'étalage de la luxure, en pleine lumière, aussi éclatante que les putes qui arpentaient les trottoirs de la « Zone de combat » de Boston. Katzka, pour sa part, n'y était pas insensible ; il ne niait pas le besoin occasionnel d'un corps de femme.

Mais l'amour était un sentiment qu'il n'avait pas ressenti depuis longtemps. Et il envia Mark Hodell.

« Hé, Slug ! appela quelqu'un. On te demande sur la trois. »

Katzka décrocha le téléphone. « Inspecteur Katzka.

— Ici l'institut médico-légal. Je vous passe le docteur Rowbotham. »

Pendant qu'il attendait, Katzka dirigea à nouveau son regard vers la salle d'attente. Abby DiMatteo et Hodell étaient partis. Le couple béni des dieux, pensa-t-il. Ils avaient la beauté, l'argent, une carrière brillante. Une femme dans une situation aussi enviable risquerait-elle de tout perdre dans le seul but d'apaiser les souffrances d'une mourante ?

La voix de Rowbotham se fit entendre. « Slug ?

— Oui. Qu'y a-t-il ?

— Une surprise.

— Bonne ou mauvaise ?

— Disons imprévue. J'ai les résultats de la chromatographie gazeuse du docteur Levi. »

Couplée à une spectrométrie de masse, la chromatographie gazeuse était une méthode utilisée par les médecins légistes pour identifier les drogues et les toxines.

« Je croyais que vous aviez déjà exclu cette éventualité, fit remarquer Katzka.

— Nous avons exclu les drogues usuelles. Narcotiques, barbituriques. À l'aide de la chromatographie sur couche mince. Mais n'oubliez pas que nous avons affaire à un médecin, et j'ai cru bon de ne pas me limiter aux analyses habituelles. J'ai recherché la présence de Fentanyle, de Phencyclidine, certains éléments volatils. J'ai obtenu un résultat positif dans le tissu musculaire. De la Succinylcholine.

— Qu'est-ce que c'est ?

— Un agent bloquant neuromusculaire. Il s'oppose au neuromédiateur du corps, l'acétylcholine. L'effet est semblable à celui de la D-Tubocurarine.

— Du curare ?

— Exactement, mais la Succinylcholine agit différemment. On l'utilise couramment en salle d'opération. Pour immobiliser les muscles durant l'intervention. Elle permet une meilleure ventilation.

— Vous voulez dire qu'il était paralysé ?

— Totalement impuissant. Le pire, c'est qu'il était sûrement conscient, mais incapable de se débattre. » Rowbotham se tut, puis ajouta : « Quelle mort horrible, Slug.

— Comment administre-t-on cette drogue ?

— Par injection.

— Nous n'avons relevé aucune trace de piqûre sur le corps.

— Elle se trouvait peut-être dans le cuir chevelu. Il s'agit d'une pointe d'aiguille. Les altérations postmortem de la peau ont pu la masquer à nos yeux. »

Katzka resta songeur. Et il se souvint de la conversation qu'il avait eue avec Abby DiMatteo voilà à peine quelques jours ; elle lui avait rapporté quelque chose dont il ne s'était plus préoccupé par la suite.

Il dit : « Pourriez-vous vérifier deux anciens rapports d'autopsie pour moi ? L'un date d'environ six ans. Un type qui a sauté du pont Tobin. Le nom est Lawrence Kunstler.

— Voulez-vous l'épeler. C'est bon. Et l'autre ?

— Le docteur Hennessy. J'ignore le prénom. Sa mort remonte à trois ans. Un empoisonnement accidentel par monoxyde de carbone. Toute la famille a disparu en même temps.

— Je crois m'en souvenir. Il y avait un bébé.

— Exact. Je vais essayer d'obtenir l'autorisation d'exhumer.

— Qu'est-ce que vous recherchez, Slug ?

— Je n'en sais rien. Mais on a peut-être négligé quelque chose. Un truc que nous pourrions découvrir aujourd'hui.

— Avec un cadavre vieux de six ans ? » Le rire de Rowbotham trahissait son incrédulité. « On vous a changé en optimiste. »

« Encore des fleurs, madame Voss. On vient de les livrer. Voulez-vous que je les dispose ici. Ou dans le petit salon ?

— Mettez-les ici, s'il vous plaît. » Assise dans un fauteuil près de sa fenêtre préférée, Nina regarda la femme de chambre apporter le vase dans la chambre et le placer sur une table de nuit. Elle modifia l'arrangement des fleurs, et le parfum des sauges et des phlox parvint jusqu'à Nina.

— Je voudrais les avoir plus près de moi.

— Bien sûr, madame. » La femme de chambre porta le vase jusqu'à la petite table à thé, à côté du fauteuil de Nina. Elle en retira un vase de lis pour lui faire de la place. « Ce ne sont pas vos fleurs habituelles, n'est-ce pas ? » fit-elle remarquer, et sa voix contenait une note désapprobatrice tandis qu'elle contemplait le bouquet insolite.

« Non. » Nina sourit à la vue de l'assemblage foisonnant. Son œil de jardinière avait déjà identifié chaque tache de couleur. La sauge de Russie, les phlox roses. Le rouge des rudbeckias mêlé au jaune des tournesols. Et les marguerites. Une quantité de marguerites. Des fleurs courantes, ordinaires. Comment pouvait-on trouver des marguerites si tard en saison ?

Elle effleura des doigts les corolles délicates et respira les arômes de la fin de l'été, souvenirs parfumés du jardin que sa maladie l'avait empêchée de soigner. L'été s'était enfui et leur maison de Newport était fermée pour l'hiver. Elle détestait cette période de l'année. Voir le jardin perdre son éclat. Rentrer à Boston, dans cette maison aux plafonds rehaussés d'or, avec ses murs lambrissés et ses salles de bains en marbre de Carrare. Toutes ces boiseries sombres l'oppressaient. Leur maison d'été était un havre de lumière, d'effluves marins portés par un vent chaud. Mais leur résidence de Boston était le reflet de l'hiver. Nina prit une marguerite et respira son parfum piquant.

« Ne préférez-vous pas avoir les lis auprès de vous ? demanda la femme de chambre. Ils sentent si bon.

— Ils me donnent la migraine. Qui a envoyé ces fleurs ? »

La femme de chambre retira la petite enveloppe accrochée au bouquet et l'ouvrit. « Pour Mme Voss. Vœux de prompt rétablissement. Joy. » C'est tout.

Nina fronça les sourcils. « Je ne connais personne du nom de Joy.

— Cela vous reviendra peut-être. Voulez-vous vous recoucher à présent ? M. Voss dit qu'il faut vous reposer.

— J'en ai assez d'être couchée.

— Mais M. Voss dit...

— Je me remettrai au lit plus tard. Je veux rester assise ici un moment. Seule. »

La femme de chambre hésita. Puis, avec un signe de tête, elle quitta la chambre à regret.

Enfin seule, soupira Nina intérieurement.

Tous les jours de la semaine passée, depuis qu'elle avait quitté l'hôpital, elle avait été entourée d'une foule de gens. Des infirmières, des médecins, des femmes de chambre. Et Victor. Surtout Victor, qui ne cessait de tourner autour de son lit. Lui lisait à voix haute des cartes de vœux, filtrait les appels téléphoniques. La protégeant, l'isolant. L'emprisonnant dans sa propre maison.

Parce qu'il l'aimait. Peut-être l'aimait-il trop.

Lasse, elle se laissa aller au fond de son fauteuil et observa le tableau accroché au mur en face d'elle. C'était un portrait d'elle, peint peu de temps après leur mariage. Victor l'avait commandé, il avait choisi la robe qu'elle porterait, une robe longue de soie mauve ornée d'un semis de roses. Sur le portrait elle se tenait debout sous une tonnelle de verdure, une unique rose blanche dans une main, l'autre pendant gauchement à son côté. Elle avait un sourire timide, mal assuré, comme si elle pensait en son for intérieur : *Je n'existe qu'à travers le regard d'un autre.*

Aujourd'hui, en se regardant ainsi représentée, elle se rendait compte qu'elle avait peu changé depuis ce jour où, jeune mariée, elle avait posé dans le jardin. Les années l'avaient marquée physiquement, certes. Elle avait perdu sa robuste santé. Mais par bien des aspects, elle était restée la même. Toujours timide, toujours gauche. Toujours la femme dont Victor avait revendiqué la propriété.

Elle entendit ses pas et leva la tête au moment où il entrait dans la chambre.

« Louisa m'a dit que tu étais encore debout, dit-il. Tu devrais t'allonger.

— Je me sens bien, Victor.

— Tu n'as pas l'air bien forte.

— Plus de trois semaines se sont écoulées. Le docteur Archer dit que ses autres patients font déjà du tapis roulant.

— Tu n'es pas comme les autres patients. Tu devrais faire une sieste. »

Elle soutint son regard et déclara fermement : « Je préfère rester assise ici, Victor. J'ai envie de regarder par la fenêtre.

— Nina, je ne pense qu'à ta santé. »

Mais elle s'était déjà détournée de lui et contemplait le parc en contrebas. Les arbres, leurs derniers feux d'automne qu'estompaient les bruns de l'hiver. « J'aimerais faire un tour en voiture...

— C'est trop tôt.

— ... dans le parc. Du côté de la rivière. N'importe où, simplement sortir de cette maison.

— Tu ne m'écoutes pas, Nina. »

Elle soupira. Et dit d'une voix triste : « C'est toi qui n'écoutes pas. »

Ils gardèrent le silence. « Qu'est-ce que c'est ? demanda Victor au bout d'un moment, désignant le vase de fleurs près du fauteuil.

— Elles viennent d'arriver.

— Qui te les a envoyées ? »

Elle haussa les épaules. « Quelqu'un du nom de Joy.

— C'est le genre de fleurs qu'on ramasse au bord de la route.

— Ce sont des fleurs des champs. »

Il prit le vase et l'emporta à l'autre bout de la pièce, le remplaçant par les lis d'Orient. « Celles-ci au moins ne ressemblent pas à des mauvaises herbes. »

Elle regarda les lis. Ils étaient magnifiques. Exotiques et parfaits. Leur parfum entêtant l'écœurait.

Elle cligna des yeux pour chasser un voile soudain de larmes et concentra son attention sur la petite enveloppe posée sur la table. Celle qui accompagnait les fleurs.

Joy. Qui était Joy ?

Elle l'ouvrit et en retira la carte qu'elle contenait. Alors seulement elle remarqua l'inscription au dos.

Certains médecins disent toujours la vérité.
Au-dessous était noté un numéro de téléphone.

Abby était seule chez elle lorsque Nina Voss téléphona à cinq heures.

« Docteur DiMatteo ? murmura une voix étouffée. Qui dit toujours la vérité ?

— Madame Voss ? Vous avez reçu mes fleurs.

— Oui, je vous remercie. J'ai aussi lu votre étrange message.

— J'ai cherché par tous les moyens à vous contacter. Lettres. Téléphone.

— Je suis chez moi depuis plus d'une semaine.

— Pourtant, je n'ai pas réussi à vous joindre. »

Il y eut un silence, suivi d'un « Je comprends » prononcé à voix basse.

Elle n'a aucune idée de l'état d'isolement où on la tient, pensa Abby. *Elle ne voit pas que son mari l'a coupée du monde extérieur.*

« Quelqu'un écoute-t-il cette conversation ? demanda Abby.

— Je suis seule dans cette pièce. De quoi s'agit-il ?

— Il faut que je vous voie, madame Voss. À l'insu de votre mari. Pensez-vous que ce soit possible ?

— Dites-moi d'abord pourquoi.

— Ce n'est pas facile à expliquer au téléphone.

— Je n'accepterai de vous rencontrer qu'à cette condition. »

Abby hésita. « C'est à propos de votre cœur. Celui qui vous a été greffé à Bayside.

— Oui ?

— Personne ne semble savoir à qui appartenait ce cœur. Ni quelle était son origine. » Elle s'interrompit, puis demanda lentement : « Le savez-vous, madame Voss ? »

Seul s'entendit le bruit de la respiration de Nina, précipité et irrégulier.

« Madame Voss ?

— Je dois vous quitter.

— Attendez. Quand puis-je vous voir ?

— Demain.

— Comment ? Où ? »

Il y eut un autre silence. Juste avant que la ligne ne soit coupée, Nina souffla : « Je m'arrangerai. »

La pluie tambourinait sans relâche sur le vélum rayé qui abritait Abby. Depuis quarante minutes, elle attendait devant la grande épicerie Celucci, frissonnant sous l'étroit auvent de toile. Les camions de livraison s'étaient succédé pour décharger leurs marchandises, les hommes poussant chariots et cartons.

À quatre heures vingt, la pluie se mit à tomber plus dru, tourbillonnant dans le vent, pénétrant par rafales sous l'auvent, mouillant ses chaussures. Abby avait les pieds gelés. Une heure s'était écoulée. Nina Voss ne viendrait pas.

Un camion de surgelés démarra devant elle, lâchant un nuage d'échappement qui la força à fermer les yeux. Quand elle les rouvrit, elle aperçut une limousine noire arrêtée de l'autre côté de la rue. La fenêtre du conducteur s'abaissa de quelques centimètres et un homme appela : « Docteur DiMatteo ? Venez dans la voiture. »

Abby hésita. Les vitres teintées étaient trop sombres pour lui permettre de voir à l'intérieur, mais elle distingua une silhouette sur la banquette arrière.

« Nous avons peu de temps », la pressa le chauffeur.

Elle traversa la rue, courbée sous la pluie battante, et ouvrit la porte arrière. Clignant des paupières pour chasser l'eau de ses yeux, elle examina la passagère qui lui faisait face. Sa vue l'atterra.

Dans la pénombre de la voiture, Nina Voss lui apparut livide et squelettique. Sa peau était d'un blanc crayeux. « Je vous en prie docteur, montez », dit Nina.

Abby se glissa à ses côtés et referma la portière. La limousine démarra et se mêla silencieusement à la circulation.

Nina était emmitouflée dans un manteau et un foulard noirs, et son visage semblait flotter, désincarné, dans la pénombre de la voiture. Elle n'offrait certainement pas l'image de quelqu'un se remettant d'une greffe. Abby se rappela le visage coloré de Josh O'Day, son animation, son rire.

Nina Voss ressemblait à une morte vivante.

« Je m'excuse de ce retard, dit Nina. Nous avons eu un problème en quittant la maison.

— Votre mari sait-il que vous êtes venue me voir ?

— Non. » Nina se renfonça dans la banquette, son visage noyé dans ses lainages noirs. « J'ai appris au fil des années qu'il est des choses qu'il vaut mieux cacher à Victor. Le véritable secret d'un mariage heureux, docteur, est le silence.

— Votre mariage n'a pas l'air très heureux.

— Il l'est cependant. Curieusement. » Nina sourit et regarda par la fenêtre. La lumière glauque jetait des ombres déformées sur son visage. « Les hommes ont besoin d'être protégés de tant de choses. Surtout d'eux-mêmes, à vrai dire. Voilà pourquoi nous leur sommes nécessaires. Le plus drôle est qu'ils refusent de l'admettre. Ils sont persuadés de prendre soin de *nous*. Et nous, nous ne sommes pas dupes. » Elle se tourna vers Abby et son sourire s'effaça. « Je dois savoir, maintenant. Qu'a fait Victor ?

— J'espérais que vous me le diriez.

— C'est quelque chose qui a un rapport avec mon cœur, m'avez-vous précisé. » Nina posa sa main sur sa poitrine. Dans la pénombre de la voiture, son geste parut quasi religieux. Au nom du Père, du Fils et du Saint-Esprit. « Que savez-vous à ce sujet ?

— Je sais que votre cœur n'a pas été obtenu par les canaux habituels. Presque tous les organes de transplantation sont attribués aux receveurs par un système centralisé. Ce ne fut pas le cas pour le vôtre. Selon la banque d'organes, vous n'avez jamais reçu de cœur. »

La main de Nina, toujours posée sur sa poitrine, s'était refermée en une menue boule blanche. « Quelle est son origine, dans ce cas ?

— Je ne sais pas. Et vous ? »

Le visage cadavérique la fixa en silence.

« Je crois que votre mari le sait, dit Abby.

— Comment cela ?

— Parce qu'il l'a acheté.

— On n'achète pas un cœur.

— Avec suffisamment d'argent, on peut tout acheter. »

Nina ne répondit pas. Par son silence, elle admettait cette vérité première : *L'argent peut tout acheter.*

La limousine tourna dans Embankment Road. Ils se dirigeaient vers l'est, le long de la Charles River. La surface de l'eau était grise, piquetée par la pluie.

Nina demanda : « Comment êtes-vous informée ?

— J'ai eu beaucoup de loisirs ces derniers temps. C'est fou ce qu'on arrive à accomplir lorsqu'on est sans emploi. En l'espace de quelques jours, j'ai fait de nombreuses découvertes. Qui ne concernent pas seulement votre transplantation, mais d'autres également. Et plus j'en apprends, madame Voss, plus je suis atterrée.

— Pourquoi venir me voir ? Pourquoi ne vous adressez-vous pas aux autorités ?

— N'êtes-vous pas au courant ? J'ai un nouveau surnom depuis peu : *Docteur la Ciguë*. On dit que j'assassine mes patients par pitié. C'est faux, bien sûr, mais les gens sont toujours prêts à croire le pire. » Abby porta un regard sombre vers la rivière. « Je n'ai pas de job. Pas de crédibilité. Et aucune preuve.

— Qu'est-ce que vous avez ? »

Abby se tourna vers Nina Voss. « Je connais la vérité. »

La limousine passa dans une flaque. L'eau gicla bruyamment contre le plancher de la voiture. Ils ne longeaient plus la rivière et devant eux s'incurvait la route de Back Bay Ferns.

« À dix heures, le soir de votre transplantation, dit Abby, l'hôpital de Bayside a reçu un coup de téléphone indiquant qu'un donneur avait été trouvé à Burlington, dans le Vermont. Trois heures plus tard, le cœur arrivait à notre salle d'opération. Le prélèvement était censé avoir été effectué au Wilcox Memorial par un chirurgien nommé Timothy Nicholls. Votre transplantation a eu lieu tout à fait normalement. Par bien des aspects, elle ressemblait à n'importe quelle greffe pratiquée à Bayside. » Elle s'interrompit une seconde. « À une différence près. Personne ne sait d'où provient votre cœur ni quel est son donneur.

— Vous avez dit qu'il venait de Burlington.

— J'ai dit qu'il était supposé en venir. Mais le docteur Nicholls a disparu. Peut-être se cache-t-il. À moins qu'il ne soit mort. Et Wilcox Memorial n'a aucune trace d'un prélèvement effectué cette nuit-là. »

Nina s'était réfugiée dans le silence. Elle semblait disparaître dans son manteau de laine.

« Vous n'êtes pas la première. »

Le visage blafard lui renvoya un regard sans expression. « Il y en a eu d'autres ?

— Au moins quatre. J'ai examiné les archives des deux dernières années. Le processus est toujours le même. Bayside reçoit un coup de fil de Burlington mentionnant l'existence d'un donneur. Le cœur est livré à notre salle d'opération un peu après minuit. La transplantation a lieu. La routine, quoi. Mais quelque chose cloche dans ce schéma. Nous parlons de quatre cœurs, donc de quatre personnes décédées. Avec l'une de mes amies, j'ai passé en revue les notices nécrologiques de Burlington à ces dates. Aucun des donneurs n'y apparaît.

— Alors d'où venaient les cœurs ? »

Abby marqua un temps d'arrêt. Devant le regard incrédule de Nina, elle répondit : « Je l'ignore. »

La limousine avait accompli un demi-cercle et se retrouvait au bord de la Charles River. Ils regagnaient Beacon Hill.

« Je n'ai aucune preuve, dit Abby. Je ne peux m'adresser ni à la banque d'organes de Nouvelle-Angleterre ni à personne d'autre. Ils savent tous que je fais l'objet d'une enquête. À leurs yeux, j'ai l'esprit dérangé. Voilà pourquoi j'ai demandé à vous voir. Le soir où je vous ai vue en réanimation, j'ai pensé que j'aimerais vous avoir pour amie. » Elle s'interrompit à nouveau. « J'ai besoin de votre aide, madame Voss. »

Nina resta un long moment silencieuse, les yeux dans le vague, le visage blanc comme un linge. Puis elle poussa un long soupir, comme si elle avait enfin pris sa décision. « Il faut que nous nous quittions maintenant. Puis-je vous déposer à l'angle de cette rue ?

— Madame Voss, votre mari a acheté ce cœur. S'il l'a fait, d'autres peuvent le faire. Nous ne connaissons pas les donneurs ! Nous ignorons comment ils les obtiennent...

— *Ici* », ordonna Nina au chauffeur.

La limousine s'arrêta le long du trottoir.

« Veuillez descendre », dit Nina.

Abby ne bougea pas. Elle resta assise à sa place, sans parler. La pluie martelait le toit de la voiture.

« Je vous en prie, murmura Nina. Je pensais pouvoir compter sur vous. Je pensais... » Abby secoua lentement la tête. « Au revoir, madame Voss. »

Une main se posa sur son bras. Abby se retourna, croisa le regard égaré de l'autre femme.

« J'aime mon mari, dit Nina. Et il m'aime.

— Est-ce une raison qui légitime tout ? »

Nina ne répondit pas.

Abby descendit et referma la portière. La limousine démarra. En voyant la voiture s'éloigner silencieusement dans la nuit tombante, elle pensa : *Je ne reverrai jamais Nina Voss.*

Les épaules courbées, elle fit demi-tour et s'en alla sous la pluie.

« À la maison, madame Voss ? » La voix du chauffeur, neutre et métallique dans l'interphone de la voiture, tira Nina de ses pensées.

« Oui, dit-elle. À la maison. »

Elle s'emmitoufla encore plus étroitement dans son cocon de lainage noir et regarda la pluie ruisseler sur la vitre. Elle réfléchit à ce qu'elle allait dire à Victor.

Et à ce qu'elle ne dirait pas, ne pouvait pas dire. *Voilà donc ce qu'est devenu notre amour,* songea-t-elle. *Des secrets s'ajoutant aux secrets. Et il garde pour lui le plus terrible de tous.*

Elle baissa la tête et se mit à pleurer, sur Victor, sur leur mariage. Elle pleurait sur elle aussi, car elle savait ce qu'il lui restait à faire, et elle avait peur.

La pluie coulait comme des larmes le long de la fenêtre. Et la limousine la ramenait chez elle, vers Victor.

19

Chouchou avait besoin d'un bain. Les autres garçons passaient leur temps à le répéter, et ils avaient même menacé de balancer Chouchou à la mer si Aleksei ne débarbouillait pas son chien sérieusement. Il pue, disaient-ils, et ça n'a rien d'étonnant avec toute la morve qui lui a coulé dessus. Aleksei ne trouvait pas que Chouchou puait. Il aimait le sentir. Il ne l'avait jamais lavé, et de chaque odeur émanait un souvenir différent. L'odeur de la sauce qu'il avait renversée sur sa queue lui rappelait le dîner de la veille, quand Nadiya lui avait servi une double ration de chaque plat. (En lui souriant !) L'odeur de cigarette était celle de l'oncle Misha, âcre mais chaleureuse. L'odeur acide de betterave datait du matin de Pâques, où ils avaient ri et mangé des œufs durs et renversé de la soupe sur la tête de Chouchou. Et s'il fermait les yeux et respirait à fond, il décelait parfois un autre parfum. Il n'aurait su déterminer s'il était doux ou amer. Non, il le reconnaissait plutôt aux émotions qu'il faisait naître en lui. À la sensation qui montait jusqu'à son cœur. C'était un parfum qui émanait de l'époque où il était bébé, qui évoquait des caresses, des chansons, un temps où on l'aimait.

Serrant Chouchou contre lui, Aleksei s'enfonça plus profondément sous sa couverture. Je ne te donnerai jamais de bain, promit-il.

De toute manière, ils n'étaient plus nombreux à le tourmenter. Cinq jours plus tôt, un autre bateau était apparu dans le brouillard, venant lentement se mettre bord à bord avec eux. Pendant que tous les garçons se précipitaient le long du bastingage pour regarder, Nadiya et Gregor avaient arpenté le pont, appelant un nom après l'autre. *Nikolaï Alekseyenko ! Pavel Prebrazhensky !* À chaque fois, il y avait eu des hourrahs de triomphe, des poings levés. *Ouais ! J'ai été choisi !*

Plus tard, ceux qui n'avaient pas été retenus, les laissés-pour-compte, étaient restés agglutinés sur le pont, contemplant en silence la chaloupe qui emportait les élus vers l'autre navire.

« Où vont-ils ? avait demandé Aleksei.

— Dans des familles de l'Ouest, avait répondu Nadiya. Maintenant écartez-vous du bastingage. Il fait trop froid, ici. »

Les garçons n'avaient pas bougé. Au bout d'un moment, Nadiya n'avait plus semblé se soucier d'eux et avait disparu à l'intérieur.

« Ces familles dans l'Ouest doivent être stupides », avait marmonné Yakov.

Aleksei s'était tourné vers lui. Yakov fixait intensément l'horizon, le menton levé comme s'il s'apprêtait à se battre. « Tu trouves toujours que tout le monde est stupide, avait dit Aleksei.

— C'est vrai. Tout le monde l'est sur ce bateau.

— Toi aussi, alors. »

Yakov n'avait pas répondu. Il avait seulement serré la rambarde de son unique main, sans quitter des yeux l'autre bateau qui disparaissait dans la brume. Puis il était rentré.

Durant les jours suivants, Aleksei l'avait à peine vu.

Ce soir-là, comme d'habitude, Yakov avait disparu

tout de suite après le dîner. Il était probablement dans son stupide Pays des merveilles, se dit Aleksei. Caché dans cette caisse pleine de crottes de souris.

Aleksei tira la couverture sur sa tête. Et il s'endormit, blotti dans sa couchette avec son Chouchou crasseux pressé contre son visage.

Une main le secoua. Une voix l'appela doucement dans le noir : « Aleksei, Aleksei.

— Maman ?

— Aleksei, réveille-toi. J'ai une surprise pour toi. »

Lentement il émergea de plusieurs couches de sommeil et fit surface dans l'obscurité. La main le secouait toujours. Il reconnut le parfum de Nadiya.

« Il est l'heure de partir, chuchota-t-elle.

— Où ?

— Il faut te préparer à rencontrer ta nouvelle maman.

— Elle est là ?

— Je vais te conduire jusqu'à elle, Aleksei. Parmi tous les autres garçons, c'est toi qui as été choisi. Tu as beaucoup de chance. Viens maintenant. Mais ne fais pas de bruit. »

Aleksei s'assit dans son lit. Il n'était pas encore complètement réveillé, pas certain de ne pas rêver. Nadiya tendit la main et l'aida à descendre de sa couchette.

« Chouchou », dit-il.

Nadiya lui mit le chien en peluche dans les bras. « Bien sûr que tu peux emmener ton Chouchou. » Elle le prit par la main. C'était la première fois qu'elle le tenait par la main. Une bouffée de bonheur le réveilla tout à fait. Il serrait la main de Nadiya dans la sienne et ils marchaient côte à côte, pour aller à la rencontre de sa mère. Il faisait noir et il avait peur dans le noir, mais Nadiya était là pour le protéger. Un souvenir lui revenait, un souvenir confus. *C'est l'impression que l'on ressent quand on tient la main de sa mère.*

Ils sortirent de la cabine et parcoururent une coursive mal éclairée. Il trébuchait dans une agréable hébétude, ne prêtait pas attention à la direction qu'ils prenaient, parce que Nadiya était là pour s'occuper de tout. Ils tournèrent dans un autre couloir qu'il ne reconnut pas. Poussèrent une porte et entrèrent.

Le Pays des merveilles.

La passerelle métallique s'étendait devant eux. Au bout, il y avait la porte bleue.

Aleksei s'arrêta.

« Qu'y a-t-il ? demanda Nadiya.

— Je ne veux pas entrer dans cet endroit.

— Mais il le faut.

— Il y a des gens qui vivent là.

— Aleksei, ne fais pas la mauvaise tête. » Nadiya accentua la pression de sa main. « C'est là que tu dois aller.

— *Pourquoi ?* »

Soudain elle sembla comprendre qu'il lui fallait changer de tactique. Elle s'accroupit pour pouvoir le regarder droit dans les yeux et le prit fermement par les épaules. « Veux-tu tout gâcher ? Veux-tu qu'elle soit fâchée contre toi ? Elle espère trouver un petit garçon obéissant, et voilà que tu te montres désagréable. »

Ses lèvres tremblaient. Il essayait de toutes ses forces de ne pas pleurer, car il savait que les adultes détestaient les larmes des enfants. Mais elles se mettaient à couler malgré lui, et il avait probablement tout gâché. Comme l'avait dit Nadiya. Il bousillait toujours tout.

« Rien n'est encore complètement décidé, dit Nadiya. Elle peut choisir un autre garçon. C'est ce que tu veux ? »

Aleksei sanglota. « Non.

— Alors pourquoi refuses-tu d'obéir ?

— J'ai peur des gens aux cailles.

— Qu'est-ce que tu racontes ? Tu es ridicule ! Je ne serais pas étonnée que *personne* ne veuille jamais de toi. » Elle se releva et le tira à nouveau par la main. « *Viens.* »

Aleksei contempla la porte bleue. Il murmura :
« Porte-moi.

— Tu es trop grand. Je vais me faire mal au dos.

— S'il te plaît, porte-moi.

— Tu dois marcher, Aleksei. Dépêche-toi mainte-nant, nous allons être en retard. » Elle passa son bras autour de ses épaules.

Il se mit à marcher, uniquement parce qu'elle était à côté de lui, qu'elle le tenait serré contre elle. Tout comme il tenait serré Chouchou. Tant qu'ils restaient ensemble tous les trois, il n'arriverait rien de mal.

Nadiya frappa à la porte.

Elle s'ouvrit brutalement.

Yakov les entendit sur la passerelle au-dessus de lui. La voix gémissante d'Aleksei. Les injonctions impa-tientes de Nadiya. Il rampa jusqu'à l'ouverture de la caisse et jeta un regard prudent vers le haut. Ils entraient par la porte bleue. Un instant plus tard, ils avaient disparu à l'intérieur.

Pourquoi font-ils entrer Aleksei là-dedans, et pas moi ?

Yakov se glissa hors de la caisse et gravit l'escalier jusqu'à la porte bleue. Il essaya de l'ouvrir, mais comme toujours elle était fermée à clé.

Frustré, il regagna sa caisse. C'était devenu une cachette très confortable. La semaine précédente, il avait déniché une couverture, une lampe de poche, et des magazines avec des photos de dames nues. Il avait aussi chipé à Koubichev un briquet et un paquet de cigarettes. De temps en temps il en fumait une, mais il y en avait si peu qu'il préférait les économiser. Une fois, il avait mis le feu aux copeaux. Quelle panique ! La plupart du temps, cependant, il se contentait de tenir le paquet à la main, lisant et relisant l'étiquette à la lumière de la lampe torche.

C'était précisément ce qu'il faisait lorsqu'il avait entendu Aleksei et Nadiya sur la passerelle.

Maintenant, il attendait qu'ils ressortent. Ça durait drôlement longtemps. Qu'est-ce qu'ils fabriquaient ?

Yakov jeta les cigarettes par terre. Ce n'était pas juste.

Il regarda quelques photos dans les magazines. Fit fonctionner le briquet à plusieurs reprises. Puis décida qu'il avait sommeil. Il se mit en boule dans un coin et s'assoupit.

Un peu plus tard, il fut réveillé par un vrombissement. Il pensa d'abord qu'il y avait quelque chose d'anormal dans la machinerie du bateau, puis il se rendit compte que le bruit s'amplifiait, et ne provenait pas de l'Enfer, mais du pont au-dessus.

C'était un hélicoptère.

Gregor lia le haut du sac plastique et le déposa dans la glacière portative qu'il tendit à Nadiya. « Prends ça. »

Elle ne parut pas l'entendre. Puis elle tourna vers lui un visage livide et il se dit : *Cette conne n'a rien dans le ventre.* « Il faut y mettre de la glace. Grouille-toi. » Il poussa la glacière vers elle.

Elle eut un recul horrifié. Puis, respirant profondément, elle prit le récipient, traversa la pièce, le posa sur le comptoir et commença à le remplir de glace. Gregor la vit vaciller légèrement sur ses jambes. Ça faisait toujours un choc au début. Même lui avait passé un moment difficile la première fois. Nadiya s'y ferait.

Il se tourna vers la table d'opération. L'anesthésiste avait déjà refermé le rideau et rassemblait les champs ensanglantés. Le chirurgien n'avait pas fait un geste pour l'aider. Au contraire, il était affalé contre le comptoir, comme s'il essayait de reprendre sa respiration. Gregor le regarda avec mépris. C'était répugnant et grotesque de voir un praticien devenir aussi gros. Il ne paraissait pas dans son assiette ce soir. Pendant toute la séance, il avait semblé respirer avec peine et ses mains tremblaient plus qu'à l'habitude.

« J'ai mal à la tête, grogna-t-il.

— Vous buvez trop. Vous avez probablement une gueule de bois carabinée. » Gregor se rapprocha de la table et saisit une extrémité du drap. Ensemble, l'anesthésiste et lui soulevèrent leur fardeau et le firent glisser sur le chariot. Ensuite Gregor ramassa la pile de vêtements sales et les rajouta sur le chariot. Il faillit oublier le chien en peluche. Il gisait sur le sol, sa fourrure mitée trempée de sang. Il le jeta par-dessus les vêtements, puis les deux hommes poussèrent le chariot jusqu'au toboggan. Ils ouvrirent le panneau et y jetèrent le linceul, les vêtements et le chien.

Le chirurgien gémit : « C'est la pire saloperie de mal de tête... »

Gregor ne lui prêta pas attention. Il ôta ses gants et alla se laver les mains dans le lavabo. Qui sait ce qu'on pouvait attraper à manipuler ces vêtements crasseux. Des poux, peut-être. Il se nettoya aussi soigneusement qu'un chirurgien avant une opération.

Il y eut soudain un bruit de chute, un fracas d'instruments métalliques s'entrechoquant. Gregor se retourna.

Le chirurgien était étendu par terre, le visage écarlate, les membres agités de soubresauts comme une marionnette désarticulée.

Nadiya et l'anesthésiste semblaient frappés de stupeur.

« Qu'est-ce qui lui prend ? demanda Gregor.

— Je n'en sais rien, répondit l'anesthésiste.

— Bon Dieu, faites quelque chose ! »

L'anesthésiste s'agenouilla à côté de l'homme saisi de convulsions et fit quelques vaines tentatives pour le ranimer. Il dégrafa sa blouse chirurgicale, lui appliqua un masque à oxygène sur le visage. Les convulsions empiraient, ses bras battaient comme des ailes d'oie.

« Tenez le masque ! Je vais lui faire une injection. »

Gregor s'accroupit près de lui et s'empara du masque. Le visage du chirurgien était répugnant, bouffi et luisant. De la bave avait coulé de sa bouche, la peau commençait à bleuir. Voyant la cyanose s'assombrir, Gregor comprit que leurs efforts étaient vains.

Quelques minutes plus tard, l'homme était mort.

Ils restèrent tous les trois à contempler le cadavre. Il paraissait encore plus gros, encore plus grotesque. Le ventre était distendu et les plis du visage s'étalaient comme une méduse.

« Qu'est-ce qu'on va foutre maintenant ? demanda l'anesthésiste.

— Il nous faut un autre chirurgien, dit Gregor.

— Pas facile d'en faire sortir un de la mer. Nous devrons relâcher dans un port plus tôt que prévu.

— Ou transborder notre chargement vivant... » Gregor leva la tête. Nadiya et l'anesthésiste l'imitèrent. Ils l'entendaient tous, à présent. Le vrombissement de l'hélicoptère. Gregor jeta un coup d'œil à la glacière sur le comptoir. « C'est prêt ? »

— J'ai mis la glace, dit Nadiya.

— Vas-y. Apporte-le-leur. » Il regarda derrière lui le corps du chirurgien mort, le frappa du pied d'un air dégoûté. « On va s'occuper de cette baleine. »

L'œil bleu étincelait sur le pont.

De sa cachette sous l'escalier de la timonerie, Yakov avait vu la lueur bleue s'allumer en premier, suivie du cercle de lumières blanches. Elles brillaient toutes à présent, d'un éclat si vif qu'il avait du mal à les regarder. Il leva les yeux vers le ciel, vers l'hélicoptère en suspension au-dessus du pont. L'appareil émergea lentement de l'obscurité, et Yakov ferma les yeux en sentant le souffle du rotor fouetter son visage. Lorsqu'il les rouvrit, l'hélicoptère avait atterri.

La porte s'ouvrit, mais personne ne descendit. On attendait que quelqu'un monte à bord.

Yakov s'avança en rampant et surveilla la scène depuis son poste d'observation entre deux marches. *Ce veinard d'Aleksei,* pensa-t-il. *Il va sans doute partir cette nuit.*

Il entendit le claquement métallique d'une porte, et une silhouette apparut à la lisière du cercle lumineux. C'était Nadiya. Elle franchit le pont, pliée en deux, les fesses pointées en l'air. Elle avait peur que le rotor ne lui tranche sa tête d'idiote. Elle se pencha à l'intérieur de l'appareil, le cul toujours levé pendant qu'elle parlait au pilote. Puis elle se recula et regagna la lisière du cercle lumineux.

Une minute après, l'hélicoptère décolla.

Les lumières s'éteignirent, plongeant le pont dans le noir.

Yakov sortit de sa cachette pour regarder l'hélicoptère prendre de la hauteur. Il vit sa queue pivoter comme un pendule géant suspendu à un fil. Puis l'appareil s'éloigna dans un bruit assourdissant, descendit au ras de l'eau, avant de disparaître dans la nuit.

Une main saisit Yakov par le bras, l'attira en arrière. Il pivota sur lui-même en poussant un cri.

« Qu'est-ce que tu fous ici ? gronda Gregor.

— Rien.

— Qu'est-ce que tu as vu ?

— Juste l'hélicoptère...

— *Qu'est-ce que tu as vu ?* »

Yakov le regarda d'un air hébété, trop effrayé pour répondre.

Nadiya avait entendu leurs voix. Elle vint vers eux. « Que se passe-t-il ?

— Ce môme était encore en train d'espionner. Je croyais que tu avais verrouillé la cabine.

— C'est ce que j'ai fait. Il a dû s'échapper avant. » Elle dévisagea Yakov. « C'est toujours lui. Je ne peux pas passer mon temps à le surveiller.

— J'en ai marre de celui-là, de toute façon. » Gregor tira brutalement le bras de Yakov, l'entraînant vers la descente qui menait à l'intérieur du bateau. « Pas question qu'il rejoigne les autres. » Il se retourna pour ouvrir la porte.

Yakov lui flanqua un coup de pied dans le pli du genou.

Gregor poussa un hurlement et lâcha prise.

Yakov s'enfuit en courant. Il entendit les appels de Nadiya, l'écho des pas qui le poursuivaient. Puis

d'autres bruits de pas, ébranlant l'escalier de la timonerie. Il fonça devant lui, en direction de l'étrave. Il
s'aperçut trop tard qu'il s'était engagé sur l'aire d'atterrissage.

Un *clang* résonna dans la nuit, et le pont s'éclaira.

Yakov était pris au piège, cerné par les projecteurs.
Se protégeant les yeux, il courut à l'aveuglette, cher-
chant désespérément à échapper à ses poursuivants.
Mais ils l'entouraient de toutes parts, se rapprochaient.
Le saisissaient par sa chemise. Il se débattit.

Quelqu'un le gifla. Le coup projeta Yakov par terre.
Il tenta de s'enfuir à quatre pattes, mais un coup de
pied dans les jambes l'arrêta.

« Ça suffit, cria Nadiya. Vous n'allez quand même
pas le tuer !

— Petite ordure », gronda Gregor.

Yakov fut soulevé du sol par les cheveux. Gregor le
poussa à travers le pont vers le panneau de descente,
le tirant par les cheveux chaque fois qu'il trébuchait.
Vers où l'entraînaient-ils ? Il n'y voyait rien. Il enregistra seulement qu'ils descendaient des marches, longeaient une coursive. Gregor ne cessait de jurer. Il
boitait légèrement, ce qui remplit Yakov d'une certaine
satisfaction.

Une porte s'ouvrit et Yakov fut précipité à l'intérieur.

« Tu peux pourrir là-dedans », dit Gregor. Et il claqua la porte.

Yakov entendit le bruit du verrou. Les pas qui s'éloi-
gnaient. Il était seul dans le noir.

Il ramena ses genoux contre sa poitrine et se coucha,
recroquevillé sur lui-même. Un long frisson s'empara
de son corps, d'étranges soubresauts qu'il essaya en
vain de contenir. Il entendait ses dents claquer, non pas
à cause du froid, mais d'un tremblement qui venait du
plus profond de son être. Il ferma les yeux et revit la
scène à laquelle il venait d'assister. Nadiya traversant
le pont, glissant, flottant presque dans un champ de
lumière irréelle. L'hélicoptère qui attendait, la porte

ouverte. Puis Nadiya qui se penchait, tendait quelque chose au pilote.

Une boîte.

Yakov ramena ses jambes plus près de sa poitrine, mais le tremblement ne s'arrêta pas.

Avec un gémissement, il mit son pouce dans sa bouche et se mit à le sucer.

20

Pour Abby, le pire était le matin. Elle se réveillait, et, encore ensommeillée, elle pensait à la journée qui l'attendait. Puis elle se souvenait. *Je n'ai nulle part où aller.* Cette vérité l'atteignait aussi cruellement qu'une blessure physique. Elle restait au lit, écoutant Mark s'habiller. Elle l'entendait se déplacer dans la chambre encore obscure, et se sentait tellement déprimée qu'elle ne lui disait pas un mot. Ils partageaient une maison et un lit, et s'étaient à peine parlé depuis des jours. *C'est ainsi que meurt l'amour,* pensa Abby en l'entendant franchir la porte d'entrée. *Pas avec des paroles de fureur, mais dans le silence.*

Lorsqu'elle avait douze ans, son père avait perdu son emploi à la tannerie. Ensuite, pendant des semaines entières, il était parti tous les matins comme s'il se rendait à son travail, comme à l'habitude.

Abby n'avait jamais su où il allait, ni ce qu'il faisait. Jusqu'au jour de sa mort, il ne le lui avait jamais révélé. Elle savait uniquement que son père était terrifié à l'idée de rester à la maison, et d'affronter son propre échec. Alors il continuait à jouer cette comédie, à fuir la maison jour après jour.

Comme Abby aujourd'hui.

Elle n'avait pas pris sa voiture, préférant marcher, une rue à la suite de l'autre, sans se soucier de la direction qu'elle prenait. Le temps s'était refroidi pendant la nuit, et lorsqu'elle finit par s'arrêter dans un café, elle avait le visage glacé. Elle commanda un café et un petit pain au sésame, et se glissa dans un box. Elle avait à peine avalé deux bouchées quand son attention s'arrêta sur l'homme assis à la table voisine. Il lisait le *Boston Herald*.

Sa photo s'étalait en première page.

Elle eut envie de ramper jusqu'à la porte. Elle jeta un regard furtif autour d'elle, s'attendant presque à voir tout le monde la dévisager, mais personne ne s'intéressait à elle.

Elle quitta hâtivement sa place, jeta son petit pain dans la poubelle, et sortit. Elle n'avait plus faim. Dans un kiosque, une rue plus loin, elle acheta le *Herald* et s'abrita en frissonnant sous une porte cochère pour lire l'article.

LE STRESS CHEZ UN JEUNE CHIRURGIEN PEUT CONDUIRE À LA TRAGÉDIE

Au dire de tout le monde, le docteur Abby DiMatteo était une interne exceptionnelle — l'un des plus brillants éléments de l'hôpital de Bayside, selon le docteur Colin Wettig, président du département. Mais au cours des derniers mois, peu après que le docteur DiMatteo eut entamé sa deuxième année d'internat, les choses se sont mises à évoluer dangereusement...

Abby dut s'interrompre ; la respiration lui manquait. Il lui fallut un moment avant de se calmer et de pouvoir reprendre sa lecture. Une fois parvenue à la fin, elle avait le cœur au bord des lèvres.

Le journaliste n'avait rien omis. Les actions en justice. La mort de Mary Allen. L'altercation avec Brenda. Rien qui puisse être réfuté. Tous les éléments, mis bout à bout, donnaient l'image d'un caractère instable, voire dangereux. Une image qui entretenait dans le public la crainte secrète de se trouver à la merci d'un médecin déséquilibré.

Je n'arrive pas à croire qu'ils parlent de moi.

Même si elle conservait le droit d'exercer, même si elle finissait le programme d'internat, un tel article la suivrait toute sa vie. Et les interrogations. Aucun patient sain d'esprit n'oserait se confier au scalpel d'une psychopathe.

Combien de temps tourna-t-elle en rond dans les rues, le journal froissé dans la main ? Elle n'aurait su le dire. Lorsqu'elle finit par s'arrêter, elle se trouvait sur le Common de Harvard, et avait les oreilles douloureuses à cause du froid. L'heure du déjeuner était passée depuis longtemps. Elle avait marché toute la matinée. Elle ne savait pas où aller maintenant. Tous les gens qu'elle croisait sur le Common — les étudiants avec leurs sacs à dos, les professeurs barbus vêtus de tweed — tous avaient un but. Pas elle.

Elle jeta à nouveau un coup d'œil au journal. La photo qu'ils avaient utilisée venait de l'annuaire de l'hôpital, un cliché pris alors qu'elle était en première année d'internat. Elle souriait face à l'appareil, un visage frais et ardent, celui d'une jeune femme prête à travailler avec acharnement pour réaliser son rêve.

Elle fourra le journal dans la poubelle la plus proche et rentra chez elle à pied, pensant : *Contre-attaquer. Il faut que je contre-attaque.*

Mais Vivian et elle ne savaient plus quelle piste suivre. La veille, Vivian avait pris l'avion pour Burlington. Elle avait appelé Abby le soir même pour lui communiquer de mauvaises nouvelles. Le cabinet de Tim Nicholls avait fermé, et personne ne savait ce qu'il était devenu. Première impasse. De plus, le Wilcox Memorial n'avait enregistré aucun prélèvement aux quatre dates fatidiques. Deuxième impasse. En désespoir de cause, Vivian s'était adressée à la police locale, sans trouver aucun rapport de personnes disparues ou de corps non identifiés dont le cœur eût été prélevé. Impasse finale.

Ils ont brouillé leurs pistes. Nous ne les démasquerons jamais.

Dès la porte d'entrée franchie, elle vit le répondeur clignoter. Un message de Vivian lui demandant de la rappeler. Elle avait laissé un numéro à Burlington. Abby composa le numéro, mais n'obtint pas de réponse.

Elle appela ensuite la banque d'organes de Nouvelle-Angleterre, mais comme prévu ils refusèrent de lui passer Helen Lewis. Personne, manifestement, n'avait envie d'entendre les dernières théories de cette malheureuse DiMatteo. Elle ne savait vers qui se tourner. Elle passa en revue la liste de toutes les personnes qu'elle connaissait à Bayside. Le docteur Wettig. Mark. Mohandas et Zwick. Susan Casado. Jeremiah Parr. Elle ne leur faisait pas confiance. À *aucun* d'entre eux.

Elle décrochait le téléphone dans l'intention de rappeler Vivian quand elle jeta un coup d'œil par la fenêtre. Une camionnette bordeaux était garée au bout de la rue.

Salaud. Cette fois, tu ne m'échapperas pas !

Elle courut jusqu'à la penderie du couloir et en sortit une paire de jumelles qu'elle mit au point depuis la fenêtre, jusqu'à ce qu'elle distingue le numéro minéralogique.

Je te tiens, pensa-t-elle triomphante, *je te tiens.*

Elle s'empara du téléphone et composa le numéro de Katzka. C'était étrange, s'étonna-t-elle en attendant qu'il décroche, qu'elle fasse appel à lui en ces circonstances. Peut-être était-ce une sorte de réflexe. Vous avez besoin d'aide, vous appelez un flic. Et il était le seul flic de sa connaissance.

« Inspecteur Katzka, dit-il de son habituel ton neutre.

— La camionnette est encore là !

— Pardon ?

— Abby DiMatteo à l'appareil. La camionnette qui me suivait — elle est garée devant ma maison. Le numéro est 539 TDV, une plaque du Massachusetts. »

Il y eut un silence pendant qu'il notait. « Vous habitez dans Brewster Street, je crois ?

— Oui. Envoyez quelqu'un tout de suite, s'il vous plaît. Je ne sais pas ce qu'il va faire.

— Ne bougez pas et verrouillez toutes les portes. Compris ?

— D'accord. » Elle poussa un soupir angoissé. « D'accord. »

Elle savait que les portes étaient déjà verrouillées, mais elle les vérifia encore pour plus de sûreté. Tout était fermé. Elle regagna le salon et s'assit près du rideau, jetant un coup d'œil à l'extérieur de temps à autre pour s'assurer que la camionnette se trouvait toujours au même emplacement. Il fallait qu'elle reste là. Abby voulait observer la réaction du chauffeur à l'arrivée des policiers.

Un quart d'heure plus tard, elle vit une Volvo verte s'arrêter devant le trottoir, du côté opposé à la camionnette. Elle n'avait pas prévu que Katzka viendrait en personne, mais c'était bien lui qui sortait rapidement de sa voiture. Dès qu'elle le vit, Abby se sentit envahie d'un profond sentiment de soulagement. Il saurait quoi faire, pensa-t-elle. Katzka était assez intelligent pour faire face à n'importe quelle situation.

Il traversa la rue en direction de la camionnette.

Abby se pressa contre la fenêtre, palpitante. Elle se demanda si le cœur de Katzka battait aussi vite que le sien. Il s'approcha, avec une sorte de naturel tranquille, de la porte du conducteur. Ce n'est qu'au moment où il se tourna légèrement dans sa direction qu'Abby se rendit compte qu'il tenait son revolver à la main. Elle ne l'avait pas vu le saisir.

Elle avait presque peur de regarder maintenant. Peur pour *lui*.

Il se pencha en avant et regarda par la fenêtre. Apparemment il ne vit rien d'anormal. Il fit le tour de la camionnette et jeta un coup d'œil par la vitre arrière. Puis il rengaina son arme et scruta la rue.

La porte d'une maison voisine s'ouvrit brusquement

et un homme en salopette grise descendit quatre à quatre les marches du perron, criant et gesticulant. Katzka réagit avec son flegme coutumier et tendit son badge. L'autre y jeta un coup d'œil et le lui rendit. Il sortit ensuite son portefeuille et montra ses papiers.

Tous deux restèrent un moment à discuter, désignant parfois d'un geste la maison et la camionnette. L'homme à la salopette finit par rentrer à l'intérieur.

Katzka se dirigea vers la maison d'Abby.

Elle lui ouvrit la porte. « Que s'est-il passé ?

— Rien.

— Qui conduit cette voiture ? Pourquoi m'a-t-il suivie ?

— Il dit ne pas savoir de quoi vous parlez. »

Elle le précéda dans le salon. « Je ne suis pas aveugle ! J'ai vu déjà vu cette camionnette par ici. Dans la rue.

— Le chauffeur affirme que c'est la première fois qu'il vient par ici.

— Qui est ce type, de toute façon ? »

Katzka sortit son calepin. « John Doherty, trente-six ans, résidant dans le Massachusetts. Plombier. Il dit que c'est son premier déplacement dans Brewster Street. La camionnette appartient à la société Back Bay Plumbing. Et elle est pleine d'outils. » Il referma son calepin et le glissa dans la poche de sa veste. Puis il la regarda avec son détachement habituel.

« J'en étais pourtant si sûre, murmura-t-elle. J'étais si sûre que c'était la même.

— Vous persistez à affirmer qu'il y avait une camionnette ?

— Oui, bon sang ! explosa-t-elle. Il y avait une camionnette ! »

Il accueillit son exclamation avec un léger haussement de sourcils. Elle se força à respirer plus calmement. Un accès de colère était la dernière chose capable d'impressionner cet homme. Il était pure logique, pure raison.

M. Spock avec une plaque de policier.

Elle dit plus calmement : « Je ne suis pas du genre à avoir des visions. Et je n'invente rien.

— Si vous croyez voir cette camionnette à nouveau, relevez son numéro.

— Si je *crois* la voir ?

— Je vais appeler Back Bay Plumbing, pour vérifier les informations de Doherty. Mais je suis persuadé qu'il est vraiment plombier. » Katzka jeta un regard dans le salon. Le téléphone sonnait. « Vous ne répondez pas ?

— Ne partez pas, je vous prie. Pas tout de suite. J'ai d'autres choses à vous dire. »

Il tendait déjà la main vers le bouton de la porte. Il s'arrêta, l'observant tandis qu'elle décrochait le téléphone.

« Allô ? » dit-elle.

Une voix de femme répondit doucement : « Docteur DiMatteo ? »

Abby tourna les yeux vers Katzka. Il comprit à son regard, que l'appel était important. « Madame Voss ? dit Abby.

— J'ai appris certaines choses, dit Nina. J'ignore ce qu'elles signifient. Ni même si elles ont une signification. »

Katzka rejoignit Abby. Il s'était déplacé si rapidement, si doucement, qu'elle l'avait à peine senti s'approcher. Il se pencha vers le récepteur pour écouter.

« Qu'avez-vous découvert ?

— J'ai donné quelques coups de téléphone. À la banque, et à notre conseiller financier. Le 23 septembre, Victor a fait transférer des fonds à une société du nom d'Amity Corporation. À Boston.

— Vous êtes sûre de la date ?

— Oui. »

Le 23 septembre, pensa Abby. Un jour avant la transplantation.

« Que savez-vous d'Amity ?

— Rien. Victor n'en a jamais mentionné le nom. S'agissant d'une transaction de cette importance, il aurait normalement dû en discuter... » Il y eut un silence. Abby entendit des voix à l'arrière-plan, des mouvements précipités. La voix de Nina se fit entendre à nouveau. Tendue. Plus basse. « Il faut que je raccroche.

— Vous avez parlé d'une transaction importante. De quelle importance ? »

Pendant un moment il n'y eut pas de réponse. Abby pensa que Nina avait raccroché. Elle l'entendit alors murmurer : « Il a transféré cinq millions de dollars. »

Nina reposa le téléphone. Elle entendit les pas de Victor, mais ne leva pas les yeux au moment où il entra dans la chambre.

« À qui parlais-tu ? demanda-t-il.

— À Cynthia. Je la remerciais pour ses fleurs.

— Quelles fleurs ?

— Les orchidées. »

Il jeta un coup d'œil au vase posé sur la commode. « Ah, oui. Très jolies.

— Cynthia m'a dit qu'ils comptent aller en Grèce au printemps prochain. Je pense qu'ils sont fatigués des Caraïbes. » Comme elle lui mentait facilement. Depuis quand lui mentait-elle ? Quand avaient-ils cessé de se dire la vérité ?

Il s'assit sur le lit à côté d'elle. Elle sentit qu'il l'étudiait. « Quand tu seras complètement remise, dit-il, nous partirons en Grèce. Peut-être avec Cynthia et Robert. Cela te ferait-il plaisir ? »

Elle hocha la tête et contempla la courtepointe. Ses mains, dont les doigts décharnés s'amenuisaient. *Mais je n'irai jamais mieux. Nous le savons tous les deux.*

Elle glissa ses jambes hors du lit. « Il faut que j'aille à la salle de bains, dit-elle.

— Veux-tu que je t'aide ?

— Non. Ça ira. » Au moment où elle se mettait debout, elle eut un bref étourdissement. Elle en avait fréquemment depuis peu, chaque fois qu'elle se levait ou faisait un effort, même minime. Elle n'en dit rien à

Victor, attendit seulement que la sensation disparaisse avant de se diriger vers la salle de bains.

Elle l'entendit qui soulevait le téléphone.

Ce n'est qu'après avoir refermé la porte qu'elle se rendit compte de son erreur. Le dernier numéro appelé était encore dans la mémoire de l'appareil. Victor n'avait qu'à appuyer sur la touche *bis* pour s'apercevoir qu'elle lui avait menti. C'était exactement le genre de chose qu'il était capable de faire. Il saurait qu'elle n'avait pas téléphoné à Cynthia. Il découvrirait, il finirait par découvrir, que c'était Abby DiMatteo qu'elle avait appelée.

Nina resta le dos appuyé à la porte de la salle de bains, tendant l'oreille. Elle l'entendit raccrocher brutalement. Appeler : « Nina ? »

Elle eut un autre éblouissement, baissa la tête, luttant contre le voile qui obscurcissait sa vision. Ses jambes se dérobèrent sous elle. Elle se sentit glisser.

Il gratta à la porte. « Nina, il faut que je te parle.

— Victor », murmura-t-elle, mais elle savait qu'il ne pouvait pas l'entendre. Personne ne pouvait l'entendre.

Elle resta étendue sur le sol de la salle de bains, trop faible pour bouger, trop faible pour appeler.

Son cœur palpitait dans sa poitrine, comme les ailes d'un papillon.

« Nous nous sommes sûrement trompés d'endroit », dit Abby.

Katzka et elle étaient garés dans un quartier misérable de Roxbury. Des façades nues et des locaux occupés par des sociétés au bord de la faillite. Une seule entreprise semblait fonctionner, un gymnase un peu plus bas dans la rue. À travers les fenêtres ouvertes, ils entendaient le bruit des haltères et par intermittence un rire masculin. Mitoyen du gymnase, un bâtiment inoccupé portait un écriteau : À LOUER. Venait ensuite l'immeuble d'Amity, une construction de pierre brune de trois étages. Au-dessus de la porte d'entrée un panneau indiquait :

Amity : Fournitures médicales
Service commercial et après-vente

Derrière les vitrines à barreaux de la façade s'étalaient des échantillons défraîchis des articles de la société. Des béquilles et des cannes. Des bouteilles d'oxygène. Des coussins de caoutchouc mousse contre les escarres. Des tables de chevet. Un mannequin revêtu d'un uniforme d'infirmière et d'une coiffe sortis tout droit des années soixante.

Abby contempla la vitrine minable et dit : « Ce ne peut pas être l'Amity en question.

— C'est la seule société de ce nom dans l'annuaire du téléphone, dit Katzka.

— Pourquoi transférer cinq millions de dollars à *ce genre* d'affaire ?

— C'est peut-être la filiale d'un grand groupe. Peut-être y a-t-il vu une opportunité d'investissement. »

Elle secoua la tête. « Ça ne colle pas. Mettez-vous à la place de Voss. Sa femme est mourante. Il est prêt à tout pour obtenir la transplantation dont elle a besoin. Ce n'est certes pas le moment de faire des investissements.

— Tout dépend de l'importance qu'a sa femme pour lui.

— Elle compte énormément.

— Comment le savez-vous ? »

Elle le regarda. « Je le sais. »

Il la dévisagea de sa manière tranquille. C'était étrange, s'étonna-t-elle, que ce regard ne la mette plus mal à l'aise.

Il ouvrit la portière de la voiture. « Je vais voir ce que je peux trouver.

— Qu'allez-vous faire ?

— Regarder. Poser quelques questions.

— Je vous accompagne.

— Non, vous restez dans la voiture. » Elle le retint au moment où il s'apprêtait à descendre.

« Écoutez, dit-elle. C'est moi qui ai tout à perdre. J'ai déjà perdu mon job. Je n'ai plus le droit d'exercer. Et maintenant on me prend pour une meurtrière ou une névrosée, quand ce n'est pas les deux à la fois. C'est *ma* vie qu'ils ont fichu en l'air. C'est peut-être ma dernière chance de leur rendre la pareille.

— Alors ne gâchez pas tout, d'accord ? Quelqu'un pourrait vous reconnaître. Ils auraient immédiatement la puce à l'oreille. Voulez-vous courir ce risque ? »

Elle s'enfonça dans son siège. Katzka avait raison. Comme toujours ! Il avait d'abord refusé qu'elle l'accompagne, mais elle avait insisté. Elle lui avait dit qu'elle viendrait ici toute seule, avec ou sans lui. Et maintenant qu'elle était là, elle ne pouvait même pas entrer dans le bâtiment. Elle ne pouvait même plus livrer sa propre bataille. Ils l'avaient privée de ça, aussi. Elle resta assise à sa place, secouant la tête, furieuse de se sentir impuissante. Furieuse contre Katzka qui lui en avait fait la démonstration.

Il dit : « Verrouillez les portes. » Et sortit de la voiture.

Elle le regarda traverser la rue, s'engager dans l'entrée délabrée. Elle imaginait ce qu'il trouverait à l'intérieur. Un étalage déprimant de fauteuils roulants et de vieilles cuvettes. Des rangs d'uniformes d'infirmière sous des housses de plastique jauni. Des boîtes de chaussures orthopédiques. Elle imaginait chaque détail parce qu'elle était déjà entrée dans ce genre d'établissement pour y acheter ses premières blouses blanches.

Cinq minutes passèrent. Puis dix.

Katzka. Katzka. Qu'est-ce que vous fabriquez ?

Il avait dit qu'il poserait des questions, sans éveiller les soupçons. Elle avait confiance en son jugement. Un flic était peut-être plus malin qu'un chirurgien, décida-t-elle. Mais sans doute moins qu'un bon clinicien. C'était un vieux sujet de plaisanterie parmi le personnel hospitalier : la stupidité des chirurgiens. Les cliniciens se servaient de leur cerveau, les chirurgiens comptaient sur leurs précieuses mains. Si un clinicien se trouve dans un ascenseur et que la porte se referme prématurément, il met sa main pour l'arrêter. Un chirurgien y met la tête. Ha-ha !

Vingt minutes s'étaient écoulées. Il était cinq heures passées à présent, et le soleil anémique avait déjà disparu dans un crépuscule maussade. Par l'entrebâillement de la fenêtre, Abby entendait le vrombissement continu des voitures sur le Martin Luther King Boulevard. L'heure de pointe. Au bout de la rue, deux hommes baraqués sortirent du gymnase et se dirigèrent d'un pas athlétique vers leurs voitures.

Elle continua à surveiller l'entrée de l'immeuble où s'était introduit Katzka.

Cinq heures vingt.

La circulation devenait plus dense dans la rue. À travers le flot de voitures, Abby ne voyait plus la porte d'entrée d'Amity que par intermittence. Soudain, une accalmie dans le trafic lui permit de voir un homme sortir par la porte latérale du bâtiment. Il s'arrêta sur le trottoir et consulta sa montre. Lorsqu'il releva la tête, Abby retint un cri. Elle reconnaissait ce visage. Le front proéminent. Le nez en bec d'aigle.

C'était le docteur Mapes. Le convoyeur qui avait apporté en salle d'opération le cœur destiné à Nina Voss.

Mapes commença à s'avancer dans la rue. À mi-chemin, il s'immobilisa à la hauteur d'une Trans Am bleue stationnée le long du trottoir, tira de sa poche un trousseau de clés.

Le regard d'Abby revint au bâtiment d'Amity, impatiente de voir Katzka apparaître. *Vite, je vais perdre la trace de Mapes !* Elle reporta son attention sur la Trans Am. Installé au volant, Mapes bouclait sa ceinture et mettait le moteur en marche. Se dégageant du trottoir, il attendit de pouvoir s'intercaler entre deux voitures.

Abby jeta un regard affolé au démarreur. Katzka avait laissé la clef de contact.

C'était peut-être sa seule chance. Sa dernière chance.

La Trans Am bleue s'engagea sur la chaussée.

Elle n'avait plus le temps de réfléchir.

Abby se glissa rapidement à la place du conducteur et démarra. La voiture fit une embardée pour entrer dans le flot de la circulation, déclenchant un hurlement de pneus et un coup de klaxon furieux de la part de la voiture derrière elle.

Un bloc plus loin, Mapes franchit un croisement au moment où le feu passait au rouge.

Abby freina brutalement. Quatre voitures la séparaient du croisement et elle était dans l'impossibilité de les dépasser. Le feu devenu vert, Mapes serait déjà loin. Elle compta les secondes, maudissant les feux de circulation, les conducteurs de Boston et sa propre indécision. Si seulement elle avait démarré plus tôt ! La Trans Am était à peine visible à présent, un point bleu dans un fleuve de voitures. Combien de temps lui faudrait-il encore attendre ?

Le feu passa enfin au vert, mais personne n'avança. Le conducteur de tête devait dormir au volant. Abby appuya de toutes ses forces sur son avertisseur d'où sortit un beuglement assourdissant. Les voitures qui la précédaient se mirent enfin en branle. Elle appuya sur l'accélérateur, puis le relâcha.

Quelqu'un frappait frénétiquement le flanc de la voiture.

Jetant un regard sur sa droite, elle aperçut Katzka qui courait du côté du passager. Elle freina.

Il ouvrit brutalement la portière. « Bon Dieu, qu'est-ce que vous fichez ?

— Montez.

— Non, arrêtez-vous d'abord.

— Montez, bordel ! »

Il écarquilla les yeux de surprise. Et monta.

Abby enfonça l'accélérateur, et la voiture franchit d'un bond le croisement. Deux blocs devant eux, un éclair bleu filait vers la droite. La Trans Am s'engageait dans Cottage Street. Si elle ne lui collait pas au train, elle risquait de la perdre dans le trafic qui venait en sens inverse. Elle fit un écart sur la gauche, coupant une ligne jaune, et dépassa trois voitures d'un coup avant de revenir juste à temps dans sa file. Elle entendit Katzka boucler sa ceinture. Bon. La balade risquait d'être mouvementée. Ils s'engagèrent dans Cottage.

« Allez-vous me dire enfin ce qui se passe ? dit Katzka.

— Il est sorti par la porte latérale du bâtiment. Le type de la voiture bleue.

— Qui est-ce ?

— Le convoyeur d'organes. Un dénommé Mapes. » Elle repéra un autre intervalle dans le trafic, gagna à nouveau quelques places et revint dans sa file.

« Je ferais mieux de conduire, dit Katzka.

— Il arrive au rond-point. Où va-t-il filer maintenant ?

— Il prend la direction de l'autoroute, dit Katzka.

— Nous aussi, dans ce cas. » Abby s'engagea sur le rond-point et se lança à la poursuite de la Trans Am.

Katzka avait deviné juste. Mapes se dirigeait vers l'entrée de l'autoroute. Elle le suivit, son cœur tambourinant dans sa poitrine, ses mains moites glissant sur le volant. C'était maintenant qu'elle risquait de perdre sa trace. À cinq heures et demie du soir, les voitures roulaient à cent à l'heure, pare-chocs contre pare-chocs, chaque malade du volant ne pensant qu'à rentrer chez lui. Elle se mêla au flot des véhicules, et loin devant elle distingua Mapes qui se déportait sur la voie de gauche.

Elle essaya de passer sur la même voie. Un camion lui refusait le passage. Abby mit son clignotant, se rapprochant de la voie extérieure. Le camion réduisit l'espace entre lui et la voiture qui le précédait. Le jeu prenait un tour dangereux, Abby se rapprochant du camion, le camion refusant de ralentir. Mais la montée d'adrénaline l'empêchait d'avoir peur et elle était trop décidée à suivre Mapes. Derrière le volant, elle était une autre femme, acharnée, mal embouchée, une femme qu'elle reconnaissait à peine. Elle était passée à l'attaque, et ne s'en portait que mieux.

Elle écrasa l'accélérateur, déboîta sur la gauche et fit une queue de poisson au camion.

« Bon Dieu, hurla Katzka, vous voulez nous tuer ou quoi ?

— Je m'en fous. Je veux ce type.

— Êtes-vous comme ça en salle d'opération ?

— Bien sûr. Je suis une vraie terreur. Vous ne le saviez pas ?

— J'espère ne pas tomber malade.

— Qu'est-ce qu'il fout maintenant ? »

Devant eux la Trans Am avait encore une fois changé de ligne. Elle prenait la voie de droite, vers la sortie du tunnel Callahan.

« *Merde !* » s'exclama Abby. Elle se rabattit brusquement en coupant les deux voies de droite, et ils entrèrent dans les entrailles du tunnel. Des graffiti défilaient. Les murs de béton répercutaient le grondement des pneus sur la chaussée, le sifflement des carrosseries fendant l'air. À la sortie, la pâle lumière du crépuscule frappa leurs yeux.

La Trans Am quitta l'autoroute. Abby en fit autant.

Ils étaient dans la partie est de Boston à présent, aux abords de l'aéroport Logan International. Voilà probablement où il se rend, pensa-t-elle. À l'aéroport.

Ce fut alors avec étonnement qu'elle le vit traverser une voie de chemin de fer et se diriger vers l'ouest, à l'opposé de l'aéroport. Il s'engagea dans un réseau compliqué de rues.

Abby ralentit, laissant une certaine distance entre eux. La décharge d'adrénaline qu'elle avait ressentie durant la poursuite sur l'autoroute commençait à s'atténuer. Elle n'allait quand même pas perdre la Trans Am dans cette banlieue. Il lui fallait seulement éviter de se faire repérer. Ils longeaient les docks du port intérieur de Boston. Derrière une clôture métallique, des conteneurs maritimes entassés sur trois rangs formaient une sorte de Lego géant. Plus loin, s'étendait le port de commerce et dans le soleil couchant se dressaient les silhouettes des grues de chargement et des navires à quai. La Trans Am tourna à gauche, franchit un portail ouvert et entra dans le parc des conteneurs.

Abby se gara près de la clôture, regarda la Trans Am continuer jusqu'au départ d'une jetée et s'arrêter. Mapes sortit de sa voiture. Il s'avança sur le quai le long duquel un bateau était amarré. Un petit cargo — d'une soixantaine de mètres, estima Abby.

Mapes appela. Un moment plus tard, un homme apparut sur le pont et lui fit signe de monter à bord. Mapes gravit la passerelle d'embarquement et disparut à l'intérieur du bâtiment.

Elle se tourna vers Katzka. « Pourquoi vient-il ici ? Sur un bateau ?

— Êtes-vous sûre qu'il s'agit du même homme ?

— Si ce n'est pas lui, Mapes a un sosie qui travaille à Amity. » Elle s'interrompit, se rappelant soudain que Katzka venait de passer une demi-heure dans le magasin. « Au fait, qu'avez-vous découvert là-bas ?

— Vous voulez dire avant de m'apercevoir qu'on était en train de faucher ma voiture ? » Il haussa les épaules. « Rien de particulier. Ils vendent des fournitures médicales. Je leur ai dit que j'avais besoin d'un lit pour ma femme, et ils m'ont montré leurs derniers modèles.

— Il y avait combien d'employés sur place ?

— J'en ai vu trois. Un type dans le magasin d'exposition. Deux au premier étage qui prenaient des commandes au téléphone. Aucun d'eux n'avait l'air particulièrement heureux de travailler dans cet endroit.

— Et les étages supérieurs ?

— Je suppose qu'on y entrepose le matériel. Il n'y a franchement rien dans ce bâtiment qui mérite plus d'investigation. »

Le regard d'Abby se fixa à nouveau sur la Trans Am bleue, de l'autre côté de la clôture. « Vous pourriez demander un contrôle de leur comptabilité. Voir où sont passés les cinq millions de dollars de Voss.

— Nous ne disposons d'aucun élément permettant de délivrer un mandat de perquisition.

— Quel genre de preuve vous faut-il ? Je *sais* que cet homme était le convoyeur ! Je sais ce que font ces gens.

— Votre témoignage n'impressionnera aucun juge. Pas dans les circonstances actuelles. » Sa réponse était honnête — brutale mais honnête. « Je regrette, Abby. Mais vous savez aussi bien que moi que vous avez un sacré problème de crédibilité. »

Elle se renferma, se drapa dans sa colère. « Vous avez raison, lui lança-t-elle. Qui pourrait me croire ? C'est encore cette névrosée de DiMatteo qui raconte n'importe quoi. »

Il ne réagit pas à son accès de frustration. Dans le silence qui suivit, elle regretta de s'être laissé emporter. L'écho de sa voix rageuse sembla flotter entre eux.

Un avion passa en grondant au-dessus de leurs têtes, étendant ses ailes comme un oiseau de proie. Il prit de l'altitude, miroitant dans les derniers rayons du couchant. Katzka attendit que le bruit se fût éloigné pour parler à nouveau.

« Je n'ai pas dit que je ne vous croyais pas. »

Elle se tourna vers lui. « Personne d'autre ne me croit. Pourquoi vous ?

— À cause du docteur Levi. Et de la façon dont il est mort. » Il gardait le regard fixé sur la route que l'obscurité gagnait peu à peu. « Les gens se tuent rarement de cette façon. Dans une pièce où personne ne vous trouvera avant des jours. Nous n'aimons pas imaginer notre propre corps en pleine décomposition. Nous voulons que l'on nous retrouve avant que les vers nous aient rongés, avant d'être noirs et boursouflés. Pendant que nous avons encore forme humaine. Par ailleurs, il y a tous les projets qu'il avait formés. Le voyage aux Caraïbes. Thanksgiving avec son fils. Il était tourné vers l'avant, il pensait à l'avenir. » Katzka jeta un regard en biais vers un réverbère qui venait de s'allumer dans le soir tombant. « Et enfin il y a sa femme, Elaine. Je suis souvent obligé d'interroger les conjoints survivants. Certains sont en état de choc, d'autres accablés de chagrin. D'autres encore sont simplement soulagés. Je suis moi-même veuf. Après la mort de ma femme, je me souviens qu'il me fallait faire un effort énorme pour m'extraire de mon lit chaque matin. Que fait Elaine Levi pour sa part ? Elle appelle un déménageur, emballe ses affaires et quitte la ville. Ce n'est certainement pas le comportement d'une épouse éplorée. C'est celui de quelqu'un qui est coupable. Ou qui a peur. »

Abby hocha la tête. C'était aussi ce qu'elle avait pensé. Qu'Elaine avait peur.

« Puis vous m'avez parlé de Kunstler et d'Hennessy. Et brusquement je n'ai plus une seule mort à considérer, mais toute une série... Et il semble de moins en moins plausible qu'Aaron Levi se soit suicidé. »

Un autre jet décolla, empêchant toute conversation. Il s'inclina vers la gauche, effleurant la brume du soir qui se levait sur la baie. Longtemps après qu'il eut disparu vers l'ouest, Abby continua d'entendre son vrombissement.

« Le docteur Levi ne s'est pas pendu lui-même », dit Katzka.

Abby fronça les sourcils. « Je croyais que l'autopsie avait confirmé le suicide.

— Nous avons trouvé quelque chose en toxicologie. Les résultats du labo nous sont parvenus la semaine dernière.

— Qu'est-ce qu'ils ont relevé ?

— Dans le tissu musculaire. Des traces de Succinylcholine. »

Elle le regarda effarée. *De la Succinylcholine.* Une substance qu'utilisaient couramment les anesthésistes pour provoquer la relaxation musculaire pendant les interventions. En salle d'opération c'était un produit d'une importance vitale. En dehors du bloc, son administration pouvait causer la plus horrible des morts. Une paralysie totale chez un sujet qui a toute sa connaissance. Éveillée et parfaitement consciente, la victime est incapable de remuer et de respirer. Elle a l'impression de se noyer dans un océan d'air.

La gorge brusquement sèche, Abby avala difficilement sa salive. « Ce n'était pas un suicide.

— Non. »

Elle inspira et souffla lentement, trop horrifiée pour parler. Elle n'osait pas même imaginer ce qu'avait dû être la mort d'Aaron. Elle regarda du côté de la jetée. La brume se formait sur la baie, dérivant en traînées cotonneuses à la surface de l'eau. Mapes n'avait pas réapparu. Le cargo se dressait, noir et silencieux dans la lumière mourante.

« Je veux savoir ce qu'il y a sur ce bateau, dit-elle. Je veux savoir pourquoi ce type est monté à bord. » Elle posa la main sur la poignée de la porte.

Il l'arrêta. « Pas encore.

— Quand ?

— Allons nous poster un bloc plus loin. Nous attendrons là-bas. » Il examina le ciel, le brouillard qui s'épaississait sur l'eau. « La nuit va tomber. »

21

« Depuis combien de temps sommes-nous là ?

— À peine une heure », répondit Katzka.

Abby se recroquevilla sur elle-même en frissonnant. La température s'était refroidie avec la tombée de la nuit, et leur haleine embuait les fenêtres de la voiture. Dehors, dans le brouillard, un réverbère dispensait une vague lumière d'un jaune sulfureux.

« C'est intéressant de vous entendre dire *À peine une heure*. J'ai l'impression d'attendre depuis des lustres.

— C'est une question de point de vue. J'ai passé

beaucoup de temps à faire le guet. Au début de ma carrière. »

Katzka jeune — c'était étonnant, elle l'imaginait mal en débutant à l'air juvénile. « Pourquoi avez-vous choisi de devenir policier ? »

Il haussa les épaules, silhouette indistincte dans l'ombre de la voiture. « Ça me convenait.

— Je suppose que c'est la meilleure raison.

— Pourquoi avez-vous choisi d'être médecin ? »

Elle essuya un peu de la buée qui couvrait le pare-brise et contempla les rangées de conteneurs. « Je ne sais comment l'expliquer exactement.

— Est-ce une question si délicate ?

— La réponse est compliquée.

— Ce n'était donc pas quelque chose qui coulait de source. Pour le bien de l'humanité par exemple. »

Ce fut le tour d'Abby de hausser les épaules. « L'humanité ne s'apercevra guère de mon absence.

— Vous faites des études qui durent huit ans. Vous suivez une formation pendant cinq ans. Ce n'est sûrement pas sans raison bien précise. »

La vitre s'était à nouveau couverte de buée. Elle l'essuya et la condensation lui parut curieusement chaude sous ses doigts. « Si je devais donner une raison, je pense que c'est à cause de mon frère. À l'âge de dix ans, il a dû être hospitalisé. Pendant des jours entiers, j'ai observé ses médecins. Je les ai regardés travailler. »

Katzka attendit d'autres détails. Comme elle ne poursuivait pas, il interrogea doucement : « Votre frère n'a pas survécu ? »

Elle secoua la tête. « C'était il y a longtemps. » Elle regarda les traces d'humidité sur sa main. Chaudes comme des larmes, pensa-t-elle. Et elle eut soudain peur de pleurer. Dieu soit loué, Katzka resta silencieux ; elle ne souhaitait pas répondre à davantage de questions, se sentait incapable de revivre les images de la salle des urgences, de Pete étendu sur un chariot, ses chaussures de tennis neuves maculées de sang. Comme elles lui avaient semblé petites, ces chaussures, bien trop petites pour un garçon de dix ans. Et il y avait eu ces mois passés à son chevet alors qu'il était dans le coma, à voir sa chair se rétrécir, ses membres s'amoindrir. La nuit où il était mort, Abby l'avait soulevé de son lit et l'avait gardé dans ses bras. Il lui avait paru sans poids, aussi frêle qu'un nouveau-né.

Elle n'en dit rien à Katzka, mais sentit qu'il la comprenait à demi-mot. Par une sorte d'empathie. Une faculté qu'elle ne s'attendait pas à trouver chez lui. Mais il y avait tant de choses chez Katzka qui la surprenaient.

Il jeta un regard au-dehors dans la nuit. Et dit : « Je crois qu'il fait suffisamment sombre maintenant. »

Ils sortirent de la voiture, franchirent la grille et pénétrèrent dans le parc des conteneurs. Le cargo se dressait, menaçant dans le brouillard. On voyait une seule lumière à bord, une lueur bleuâtre qui venait d'un hublot inférieur. Sinon le bateau semblait abandonné. Ils s'avancèrent sur la jetée, passèrent devant un amas de caisses vides empilées sur une palette de chargement.

Ils s'arrêtèrent devant la passerelle d'embarquement, écoutant le clapotis de l'eau le long de la coque, les grincements du métal et des câbles. Le sifflement aigu d'un avion en train de décoller les fit sursauter. Abby leva les yeux vers le ciel et regarda les feux de l'appareil s'éloigner, soudain saisie d'une impression de malaise, comme si c'était elle qui se déplaçait à travers l'espace et le temps. Elle tendit la main, cherchant l'appui de Katzka. *Comment en suis-je arrivée là, à me retrouver sur ce quai, avec cet homme ?* s'étonnat-elle. *Quelle étrange succession d'événements m'a conduite jusqu'à ce moment inattendu de ma vie ?*

Katzka lui effleura le bras d'un geste rassurant. « Je vais faire un tour à bord. » Il s'engagea sur la passerelle. Il avait à peine fait quelques pas en direction du navire qu'il s'arrêta et regarda derrière lui.

Des phares étaient apparus de l'autre côté de la

grille. Le véhicule roulait dans leur direction, traversait la zone des conteneurs. C'était une camionnette.

Abby n'eut pas le temps de se jeter derrière les caisses. Les projecteurs l'avaient déjà repérée, coincée à l'extrémité de la jetée.

La camionnette pila net. Se protégeant les yeux contre la lumière éblouissante, Abby n'y voyait guère, mais elle entendit les portes s'ouvrir et claquer, puis un crissement de pas sur le gravier. Des hommes s'avançaient vers elle, lui coupant toute issue.

Katzka apparut à ses côtés. Elle ne l'avait pas entendu descendre au pas de course de la passerelle, mais soudain il fut là, s'interposant entre elle et la camionnette. « Ça va, laissez tomber, dit-il. Nous ne sommes pas ici pour créer des ennuis. »

Les deux hommes dans la lumière des phares hésitèrent un instant. Puis continuèrent à avancer.

« Laissez-nous passer ! » ordonna Katzka.

La vue d'Abby était en partie masquée par le dos de Katzka. Elle ne distingua pas ce qui se passait ensuite. Elle se rendit compte qu'il s'accroupissait, entendit des détonations simultanées et le sifflement d'un projectile qui ricochait derrière elle sur le béton du quai.

Katzka et elle plongèrent en même temps derrière les caisses. Il lui maintint la tête baissée tandis que d'autres coups étaient tirés, faisant voler des éclats de bois.

Katzka tira à son tour. Trois coups rapprochés.

Il y eut des pas précipités qui battaient en retraite. Un bref échange de mots.

Puis le bruit de la camionnette qui démarrait, le hurlement des pneus qui soulevaient le gravier en accélérant.

Abby leva la tête pour regarder. Horrifiée, elle vit la camionnette rouler dans leur direction, fonçant droit vers les caisses comme un bélier.

Katzka ajusta son arme et fit feu. Quatre coups qui pulvérisèrent le pare-brise.

La voiture continua sa course folle vers la jetée, fit

un écart à droite, un autre à gauche, comme privée de contrôle.

Désespérément, Katzka tira deux derniers coups.

La camionnette continua.

Éblouie par l'éclat des phares, Abby s'élança du haut du quai et se jeta dans l'obscurité sans fond.

Le plongeon dans l'eau glaciale la saisit. Elle remonta à la surface en crachotant, à moitié asphyxiée par le liquide saumâtre et le fuel, battant des bras et des jambes dans l'eau noire. Elle entendit des hommes crier au-dessus d'elle sur la jetée, puis un gigantesque plouf. Une vague lui recouvrit la tête. Elle refit surface, toussant. Au bout de la jetée, l'eau prenait un éclat vert phosphorescent. La camionnette. Elle s'enfonçait sous la surface, projetant deux faisceaux de lumière trouble. L'éclat disparut peu à peu, laissant la place à l'obscurité.

Katzka. Où était Katzka ?

Abby nagea en rond, cherchant à percer l'obscurité. Des vaguelettes agitaient encore la surface de l'eau, lui frappant le visage, et elle tentait désespérément d'y voir quelque chose en dépit du sel qui lui brûlait les yeux.

Elle entendit un bruit d'éclaboussures et une tête jaillit de l'eau noire à quelques mètres d'elle. Katzka jeta un coup d'œil dans sa direction, s'assura qu'elle s'en sortait seule, puis leva la tête en entendant d'autres voix. Provenaient-elles du bateau ? Il y avait deux hommes, peut-être trois ; leurs pas résonnaient d'un bout à l'autre de la jetée. Ils s'interpellaient, mais leurs paroles étaient inintelligibles.

Ce n'est pas de l'anglais, se dit Abby, incapable d'identifier le langage.

Un faisceau lumineux apparut au-dessus de leurs têtes, trouant le brouillard, balayant lentement la surface de l'eau.

Katzka plongea. Abby en fit autant. Elle nagea sous l'eau aussi longtemps qu'elle pût garder son souffle, le plus loin possible de la jetée, cherchant à gagner l'obscurité. À plusieurs reprises elle fit surface, aspira une bouffée d'air, pour replonger aussitôt. À la cinquième fois, tout était noir autour d'elle.

Il y avait à présent deux projecteurs sur la jetée, fouillant le brouillard comme une paire d'yeux implacables. Abby entendit un remous non loin d'elle, puis un halètement, et elle comprit que Katzka avait surgi à ses côtés.

« Perdu mon revolver, dit-il d'une voix entrecoupée.

— Que se passe-t-il, bon sang ?

— Continuez à nager. Jusqu'à la jetée suivante. »

Soudain la nuit s'embrasa. Le cargo venait d'allumer toutes ses lumières de pont, éclairant le moindre détail du quai. Un homme se tenait sur la passerelle d'embarquement, et un autre était accroupi au bord de la jetée avec un projecteur. Au-dessus d'eux se dressait un troisième individu, son fusil pointé vers la surface de l'eau.

« *Allons-y* », dit Katzka.

Abby plongea, fendant l'obscurité liquide. Elle n'avait jamais été bonne nageuse. L'eau profonde la terrifiait. Et maintenant il lui fallait nager dans une eau si noire qu'elle paraissait sans fond. Elle remonta pour respirer, s'efforçant désespérément d'avaler le maximum d'air.

« Abby, continuez ! la pressa Katzka. Il faut atteindre l'autre jetée ! »

Abby se retourna pour regarder le cargo. Les projecteurs décrivaient des cercles de plus en plus larges et leurs rayons allaient les atteindre.

Elle disparut à nouveau sous l'eau.

Quand ils atteignirent la terre ferme, Abby pouvait à peine remuer ses membres. Elle se hissa péniblement sur les rochers glissants, couverts de pétrole et d'algues, et penchée dans l'obscurité, s'écorchant les genoux sur les berniques, elle vomit.

Katzka la tint par le bras. Elle tremblait si fort qu'elle se serait probablement écroulée d'épuisement sans son soutien.

Enfin il ne resta plus rien dans son estomac. Elle leva la tête faiblement.

« Ça va mieux ? murmura-t-il.

— Je suis transie.

— Trouvons un endroit à l'abri. » Il regarda la jetée au-dessus d'eux. « Je pense que nous pouvons grimper le long des piles. Venez. »

Ensemble ils escaladèrent tant bien que mal les rochers, dérapant, retombant sur la mousse et les algues. Katzka arriva le premier en haut, lui tendit la main et la hissa à sa suite.

Le projecteur fendit le brouillard et les surprit dans son faisceau.

Une balle ricocha derrière Abby.

« *Courez* », lui cria Katzka.

Ils s'élancèrent. Le projecteur les poursuivait, son rayon zigzaguant à travers l'obscurité. Ils avaient quitté la jetée et fuyaient à présent vers le parc de conteneurs. Des balles ricochaient sur le gravier autour d'eux. Devant se dressaient les piles de conteneurs, comme un gigantesque labyrinthe d'ombres. Ils se mirent à l'abri dans la première rangée, entendirent l'impact des balles sur le métal. Puis le tir cessa.

Abby ralentit pour reprendre son souffle. La traversée à la nage l'avait épuisée, et les nausées n'avaient rien arrangé. Maintenant elle tremblait si fort que ses jambes fléchissaient.

Des voix se rapprochèrent. Elles semblaient provenir de deux directions à la fois.

Katzka lui saisit la main et l'attira plus profondément à l'intérieur du labyrinthe.

Ils coururent jusqu'à l'extrémité de la rangée, tournèrent à gauche, et continuèrent leur course. Soudain, ils s'immobilisèrent.

En face d'eux, une lumière clignotait.

Ils sont devant nous !

Katzka tourna sur sa droite, s'engagea dans une autre rangée. Les conteneurs les dominaient de part et d'autre comme les murailles d'un canyon. Des voix leur parvinrent et ils changèrent de direction à nouveau. Ils avaient si souvent modifié leur parcours qu'Abby aurait juré qu'ils tournaient en rond, qu'ils étaient déjà passés au même endroit quelques secondes plus tôt.

Une lumière dansa devant eux.

Ils s'arrêtèrent, pivotèrent sur eux-mêmes pour rebrousser chemin. Et virent une autre torche clignoter. Elle balayait l'obscurité à droite et à gauche, progressant dans leur direction.

Ils sont devant nous. Et derrière nous.

Prise de panique, Abby trébucha en arrière. En étendant le bras pour se rattraper, elle sentit un vide entre deux conteneurs. L'espace était à peine suffisant pour s'y faufiler.

Le pinceau lumineux se rapprochait.

Agrippant Katzka par le bras, elle se glissa dans l'ouverture, et l'entraîna à sa suite, s'enfonçant le plus profondément possible, écartant les toiles d'araignées, jusqu'au moment où elle heurta la paroi du conteneur voisin. Il n'y avait plus d'issue. Ils étaient bloqués là, coincés dans un espace plus étroit que l'intérieur d'un cercueil.

Le crissement des pas se rapprochait.

La main de Katzka saisit la sienne, mais son contact ne suffit pas à calmer son effroi. Son cœur tambourinait dans sa poitrine. Les pas arrivaient à leur hauteur.

Elle entendait des voix à présent — un homme en appelait un autre, qui répondait dans une langue inconnue. À moins que le bourdonnement du sang dans ses oreilles brouillât leurs paroles et les rendît incompréhensibles ?

Une lueur balaya l'ouverture de leur cachette. À quelques pas, les deux hommes s'entretenaient d'un ton perplexe. Il leur suffisait d'éclairer l'intérieur de l'interstice pour repérer leurs proies. L'un deux donna un coup de pied dans le gravier qui alla heurter le conteneur.

Abby ferma les yeux, trop terrifiée pour regarder.

Elle ne voulait pas voir le faisceau lumineux au moment où il illuminerait leur repaire. L'étreinte de Katzka se resserra autour de sa main. Elle avait les bras et les jambes paralysés par l'angoisse, le souffle court et précipité. Elle entendit un autre raclement sur le sol, et des graviers ricocher.

Puis les pas s'éloignèrent.

Abby n'osa pas bouger. Elle craignait d'être incapable de faire un seul mouvement ; ses jambes semblaient à jamais raidies dans leur position. *Dans des années,* se dit-elle, *on me retrouvera debout à cette même place, mon squelette figé de terreur.*

Katzka fut le premier à remuer. Il s'avança vers l'ouverture et s'apprêtait à passer la tête à l'extérieur quand ils entendirent un léger *frrt !* Une étincelle brilla une seconde. Quelqu'un venait de craquer une allumette. Katzka s'immobilisa. Une odeur de tabac flotta dans le noir.

Au loin, un homme appela.

Le fumeur grommela une réponse, puis le bruit de ses pas s'éloigna.

Katzka ne bougea pas.

Ils restèrent cloués à la même place, sans desserrer leurs mains, sans même murmurer un mot. À deux reprises, ils entendirent leurs poursuivants passer près d'eux ; chaque fois, les hommes continuèrent leur chemin.

Un grondement lointain se fit entendre, comme un roulement de tonnerre à l'horizon.

Et ils n'entendirent plus rien.

Des heures s'étaient écoulées lorsqu'ils émergèrent de leur cachette. Ils longèrent prudemment la rangée de conteneurs, s'immobilisèrent pour fouiller du regard les abords du quai. Un silence inquiétant pesait sur la nuit. Le brouillard s'était levé, et les étoiles brillaient faiblement dans un ciel que pâlissaient les lumières de la ville.

La jetée devant eux était plongée dans l'obscurité. Il

n'y avait pas un être humain, pas le moindre hublot éclairé. Seule s'offrait à leurs yeux la longue étendue de la jetée de béton qui s'avançait dans la mer, et le scintillement de la lune sur l'eau.

Le cargo s'était volatilisé.

22

L'alarme du moniteur cardiaque s'affolait tandis qu'une ligne échevelée parcourait l'écran.

« Monsieur Voss. » Une infirmière saisit le bras de Victor, tentant de l'écarter du lit de Nina. « Les médecins n'ont pas assez de place.

— Je ne la quitterai pas.

— Monsieur Voss, ils ne pourront pas s'occuper d'elle si vous vous obstinez à rester ici. »

Victor l'écarta avec une violence qui la fit grimacer, comme s'il l'avait frappée. Il resta debout au pied du lit, cramponné aux barreaux, les serrant si fort entre ses doigts que ses phalanges semblaient dépouillées de leur chair.

« Reculez ! ordonna une voix. Tout le monde en arrière ! »

« Monsieur Voss ! » Le docteur Archer s'adressait à lui, sa voix forte dominait le tumulte ambiant. « Nous allons tenter de faire repartir le cœur de votre femme. Veuillez vous éloigner de ce lit *immédiatement*. »

Victor lâcha les barreaux et recula de quelques pas.

Le choc fut administré. Une secousse unique, barbare, parcourut le corps de Nina. Elle était trop menue, trop fragile pour être brutalisée de cette façon ! Fou furieux, Victor s'avança, prêt à arracher les électrodes. Puis il s'immobilisa.

Sur le moniteur placé au-dessus du lit, le tracé irrégulier avait repris un rythme normal. Il entendit quelqu'un pousser un soupir et sentit sa propre poitrine se soulever et s'abaisser avec un halètement.

« Pression systolique soixante. Monte à soixante-cinq...

— Le rythme semble se maintenir. »

— Pression à soixante-quinze.

— OK, arrêtez la perf.

— Elle remue le bras. Faut-il lui mettre un brassard ? »

Victor repoussa les infirmières et s'avança jusqu'au bord du lit de Nina. Il lui prit la main et la pressa contre ses lèvres, sentant le goût salé de ses larmes sur la peau de sa femme.

Reste avec moi. Je t'en supplie, reste avec moi.

« Monsieur Voss ? » Il lui sembla que la voix lui parvenait de très loin. Se retournant, il distingua le visage du docteur Archer.

« Pouvons-nous sortir un instant ? »

Victor refusa d'un signe de tête.

« Elle va bien pour l'instant, dit Archer. Toutes les personnes ici présentes vont s'occuper d'elle. Nous resterons près de sa chambre. Mais il faut que je vous parle. Maintenant. »

Victor finit par accepter. Tendrement il reposa la main de Nina et suivit Archer hors de la chambre.

Ils se retirèrent dans un coin tranquille du service de réanimation. On avait baissé les lumières pour la nuit, et la silhouette de l'infirmière se détachait silencieuse et immobile sur la mosaïque verte des écrans de contrôle.

« La greffe a été retardée, dit Archer. Nous avons eu un problème avec le prélèvement.

— Que voulez-vous dire ?

— Il n'a pu être pratiqué ce soir. Nous devons reporter l'opération à demain. »

Victor tourna son regard vers le box où reposait sa femme. À travers la vitre dépourvue de rideaux, il la voyait remuer la tête. Elle se réveillait. Elle avait besoin de sa présence à ses côtés.

Il dit : « Il n'y aura pas de problème demain soir ?

— Aucun.

— C'est ce que vous m'aviez assuré après la première transplantation.

— Le rejet d'organe est un phénomène que nous ne pouvons pas toujours maîtriser. En dépit de tous nos efforts, c'est un accident qui arrive parfois.

— Comment puis-je savoir que cela ne se reproduira pas ? Avec un deuxième cœur ?

— Je ne peux rien promettre. Mais au point où nous en sommes, monsieur Voss, nous n'avons pas le choix. La Cyclosporine a été inopérante. Et votre femme fait une réaction anaphylactique à l'OKT-3. Une seconde transplantation est la seule solution.

— Elle *aura vraiment lieu* demain ? »

Archer hocha la tête. « Nous ferons en sorte qu'elle soit faite. »

Nina n'était pas complètement consciente lorsque Victor revint au chevet de son lit. Il l'avait tant de fois observée pendant son sommeil. Au fil des années il avait enregistré les changements qui marquaient son visage. Les fines rides qui s'étaient formées aux coins de sa bouche. L'affaissement progressif de sa mâchoire. Les fils gris récemment apparus dans sa chevelure. Il avait souffert de chacune de ces modifications, car elles lui rappelaient que leur voyage commun n'était qu'un passage éphémère à travers une éternité glacée et solitaire.

Et pourtant, parce que c'était *son* visage, il avait aimé jusqu'à la plus petite de ces altérations.

Elle n'ouvrit les yeux que bien plus tard. Il ne s'aperçut pas tout de suite qu'elle était réveillée. Il était assis sur une chaise près de son lit, les épaules voûtées sous l'effet de la fatigue, quand une impulsion lui fit lever la tête et se tourner vers elle.

Elle le regardait. Elle ouvrit la main comme si elle avait besoin de son contact. Il la saisit, l'embrassa.

« Tout ira bien », murmura-t-elle.

Il sourit. « Oui. Oui, bien sûr.

— J'ai eu beaucoup de chance, Victor. Vraiment beaucoup...

— Nous en avons eu tous les deux.

— Mais désormais, tu dois me laisser partir. »

Le sourire de Victor s'effaça. Il secoua la tête. « Ne dis pas ça.

— Tant de choses t'attendent encore.

— Et *nous* ? » Il avait saisi l'une de ses mains entre les siennes à présent, comme un homme s'efforçant de retenir l'eau qui fuit à travers ses doigts. « Toi et moi ! Nina, nous ne sommes pas comme les autres ! C'est ce que nous disions toujours. Te souviens-tu ? Nous disions que nous étions différents. Un couple pas comme les autres. Que rien ne pourrait jamais nous arriver.

— Mais quelque chose est arrivé, Victor. Quelque chose m'est arrivé, murmura-t-elle.

— Et *je vais m'en occuper*. »

Elle ne dit rien, se contenta de secouer tristement la tête. À l'instant où les paupières de Nina se refermaient, Victor eut l'impression de voir une expression de calme défi traverser son regard. Il contempla sa main qu'il avait tenté de retenir entre les siennes. Et vit qu'elle s'était refermée, le poing serré.

Il était près de minuit quand l'inspecteur Lundquist déposa Abby épuisée devant sa porte. La voiture de Mark n'était pas dans l'allée. En pénétrant dans la maison, elle ressentit le vide qui régnait à l'intérieur, aussi clairement que l'on sent un gouffre s'ouvrir sous ses pieds. Sans doute une urgence à l'hôpital, pensa-t-elle. Il n'était pas inhabituel qu'il se rende à Bayside tard dans la soirée pour y soigner une blessure par balle ou un coup de couteau. Elle chercha à l'imaginer tel qu'elle l'avait vu si souvent en salle d'opération, le visage masqué de bleu, le regard rivé sur la table du bloc, mais l'image lui échappait. Comme si le souvenir, l'ancienne réalité, avait été effacée.

Elle se dirigea vers le répondeur, espérant qu'il avait

laissé un mémo sur la machine. Il n'y avait que deux messages téléphoniques. Tous deux provenaient de Vivian, et le numéro qu'elle avait laissé comportait l'indicatif d'un État voisin. Elle se trouvait encore à Burlington. Il était trop tard pour la rappeler. Elle essaierait le lendemain matin.

À l'étage, elle ôta ses vêtements mouillés, les fourra dans la machine à laver et entra dans la cabine de douche. Elle remarqua que les carreaux étaient secs ; Mark ne s'était pas servi de la douche ce soir. Était-il même rentré à la maison ?

Laissant l'eau chaude lui fouetter longuement les épaules, elle ferma les yeux et réfléchit. Elle redoutait ce qu'il lui faudrait dire à Mark. C'était pour cette raison qu'elle était rentrée. Le moment était venu de l'affronter, de lui demander des explications. L'incertitude n'était plus supportable.

Une fois sortie de la douche, elle s'assit sur le lit et laissa un appel à l'intention de Mark sur son bip. Elle sursauta en entendant le téléphone sonner tout de suite après.

« Abby ? » Ce n'était pas Mark, mais Katzka. « Je voulais seulement m'assurer que tout allait bien. J'ai appelé il y a un moment sans parvenir à vous joindre.

— J'étais sous la douche. Tout va bien, Katzka. J'attends le retour de Mark. »

Un silence. « Vous êtes seule ? »

Son ton inquiet amena un sourire sur les lèvres d'Abby. Grattez la carapace et vous trouverez l'homme en dessous.

« J'ai fermé les portes et les fenêtres, dit-elle. Comme vous me l'avez recommandé. » Elle entendait des bruits de voix dans l'appareil, les appels de la radio de la police, et elle l'imagina sur le quai, le visage éclairé par les lumières intermittentes des gyrophares. « Que se passe-t-il de votre côté ? demanda-t-elle.

— Nous attendons les plongeurs. Le matériel est déjà installé.

— Vous croyez vraiment que le conducteur est encore dans la voiture ?

— J'en ai peur. » Il soupira, et il émanait de ce soupir une telle lassitude qu'elle eut un murmure de sympathie.

« Vous devriez rentrer chez vous, Katzka. Prendre une douche chaude et avaler un bol de bouillon. C'est le médicament que je vous prescris. »

Il rit. Un son surprenant, qu'elle n'avait jamais entendu venant de lui. « Ah, si je pouvais trouver une pharmacie pour me le préparer. » Elle entendit quelqu'un lui parler. Un autre policier, probablement, qui posait une question concernant les trajectoires de balles. Katzka lui répondit, puis revint en ligne. « Je dois vous quitter. Vous êtes certaine que tout va bien de votre côté ? Vous ne préférez pas passer la nuit à l'hôtel ?

— Ça ira.

— Bon. » À nouveau, elle l'entendit soupirer. « Mais je veux que vous fassiez venir un serrurier dès demain matin. Faites installer des verrous à toutes les portes. Surtout si vous passez plusieurs nuits seule.

— Je vais le faire. »

Suivit un court silence. Il avait des affaires urgentes à régler, et cependant semblait hésiter à interrompre la communication. « Je vous rappelerai demain matin, dit-il enfin. Pour prendre de vos nouvelles.

— Merci, Katzka. » Elle raccrocha.

Elle chercha à nouveau à joindre Mark. Puis elle s'allongea en attendant son appel. Rien.

Les heures passant, elle s'efforça de calmer son inquiétude en examinant l'une après l'autre toutes les raisons pouvant expliquer son silence. Il s'était endormi dans l'une des salles de repos de l'hôpital. Son bip était tombé en panne. Il était en salle d'op' et injoignable.

Ou il était mort. Comme Aaron Levi. Comme Kunstler et Hennessy.

Elle fit une autre tentative. Une autre encore. Et encore.

À trois heures du matin, le téléphone sonna enfin. En un instant, elle se réveilla et s'empara du récepteur.

« Abby, c'est moi. » La voix de Mark grésillait à l'autre bout du fil, comme s'il appelait de très loin.

« Je cherche à te joindre depuis des heures, dit-elle. Où es-tu ?

— En voiture, en route pour l'hôpital. » Il marqua une pause. « Abby, il faut que nous parlions. Les choses ont... changé. »

Elle dit d'une voix étouffée : « Entre nous, veux-tu dire ?

— Non, non, cela n'a rien à voir avec toi. C'est quelque chose qui *me* concerne. Tu as simplement été prise au piège dans cette histoire, Abby. J'ai tenté de les faire reculer, mais ils sont allés trop loin.

— Qui ça ?

— L'équipe. »

Elle craignit de poser la question qui lui venait aux lèvres, mais elle n'avait plus le choix. « Vous tous ? Vous êtes tous impliqués ?

— Plus maintenant. » La communication se brouilla un moment et elle entendit un bruit qui ressemblait au grondement de la circulation. La voix de Mark s'entendit clairement à nouveau. « Mohandas et moi avons pris une décision ce soir. J'étais chez lui. Nous avons discuté, comparé nos notes. Abby, nous allons nous jeter dans la gueule du loup. Mais nous avons décidé qu'il était temps d'en finir. Nous ne pouvons continuer plus longtemps. Nous allons tout faire éclater au grand jour, Mohandas et moi. Et que les autres aillent se faire foutre. Que Bayside aille se faire foutre. » Il se tut, la voix soudain cassée. « J'ai été un lâche. Je regrette. »

Elle ferma les yeux. « Tu savais. Pendant tout ce temps, tu savais.

— J'en savais *une partie* — pas tout. J'ignorais qu'Archer voulait aller si loin. Je ne *voulais* pas le savoir. Puis tu t'es mise à poser toutes ces questions.

Et je n'ai pas pu me cacher la vérité plus longtemps... »
Il poussa un long soupir et murmura : « Je crois que je
suis foutu, Abby. »

Elle avait gardé les yeux fermés. Elle le voyait dans
l'obscurité de sa voiture, une main sur le volant, l'autre
accrochée au téléphone. Elle imaginait le désespoir
peint sur son visage. Et le courage, par-dessus tout, le
courage.

« Je t'aime, murmura-t-il.

— Rentre à la maison, Mark. Je t'en prie.

— Pas encore. J'ai rendez-vous avec Mohandas à
l'hôpital. Nous allons chercher les dossiers des donneurs.

— Vous savez donc où ils se trouvent ?

— Nous en avons une idée. N'étant que deux, nous
mettrons peut-être un certain temps à tous les compul-
ser. Si tu venais nous aider, nous pourrions en avoir
fini plus rapidement. »

Elle s'assit sur son lit. « Je ne dormirai plus beaucoup, de toute façon. Où dois-tu retrouver Mohandas ?

— Aux archives. Il a la clé. » Mark hésita. « Es-tu
certaine de vouloir te mêler à ça, Abby ?

— Je veux être partout où tu seras. Nous allons agir
ensemble. D'accord ?

— D'accord, répondit-il doucement. À tout de
suite. »

Cinq minutes plus tard, Abby sortait de la maison et
montait dans sa voiture.

Les rues de West Cambridge étaient désertes. Elle
tourna dans Memorial Drive, contourna la Charles
River en prenant la direction du sud-est, vers le pont
de River Street. Il était trois heures et quart, mais elle
ne se souvenait pas de s'être jamais sentie aussi réveillée. Aussi en forme.

*Enfin nous allons les démasquer ! Et nous le ferons
ensemble. Comme nous aurions dû le faire dès le
commencement.*

Elle franchit le pont et s'engagea sur la bretelle qui

menait à l'autoroute. Il y avait peu de voitures à cette heure, et elle se mêla facilement à la circulation.

L'autoroute prenait fin cinq kilomètres plus loin. Abby changea de voie, se préparant à emprunter la bretelle qui conduisait au Southeast Expressway. Au moment où elle amorçait son virage, elle aperçut deux phares qui se rapprochaient d'elle à l'arrière.

Elle accéléra et rejoignit l'autoroute en direction du sud.

Les phares se rapprochaient, l'éblouissant dans le rétroviseur. Depuis combien de temps la suivaient-ils ? Elle n'en avait aucune idée. Mais ils fonçaient sur elle à présent, comme deux oiseaux de proie.

Elle força l'allure.

L'autre voiture en fit autant. Soudain elle se déporta sur la gauche et vint se placer à sa hauteur.

Abby jeta un coup d'œil en biais. Vit la fenêtre de la voiture se baisser lentement. Aperçut la silhouette d'un homme sur le siège du passager.

Prise de panique, elle enfonça à fond l'accélérateur.

Elle s'aperçut trop tard que la voiture devant elle avait ralenti. Elle pila. Sa voiture fit un tête-à-queue et heurta brutalement la glissière de béton. Soudain le monde bascula, tout se mit à tournoyer. Elle vit la nuit succéder à la lumière. La nuit, la lumière.

La nuit.

« ... je répète, ici unité mobile quarante et un. Arrivons dans trois minutes. Compris ?

— Compris, quarante et un. Quels sont les signes vitaux ?

— Pression systolique stable à quatre-vingt-quinze. Pouls à cent. Injectons du sérum physiologique dans une voie de perf périphérique. Hé, on dirait qu'elle bouge.

— Empêchez-la de faire un seul mouvement.

— Elle a le cou et la colonne immobilisés.

— OK. Nous sommes prêts, nous vous attendons.

— Serons là dans une minute, Bayside... »

... La lumière.

Et la douleur. Des explosions brèves, aiguës dans son crâne.

Elle voulait crier, mais aucun son ne sortait de sa bouche. Elle essaya de se détourner de cette lumière aveuglante, mais son cou semblait coincé dans un étau. Si seulement elle pouvait échapper à cette lumière, s'enfoncer dans l'obscurité, peut-être la douleur disparaîtrait-elle. Rassemblant toutes ses forces, luttant contre la paralysie qui avait envahi ses membres, elle parvint à tourner la tête.

« Restez tranquille, Abby, ordonna une voix. Il faut que j'examine vos yeux. »

Elle se tordit de l'autre côté, sentit les brassards qui enserraient ses poignets, ses chevilles. Et elle comprit que ce n'était pas la paralysie qui l'empêchait de bouger. Elle était attachée, ses quatre membres solidement maintenus sur le brancard.

« Abby, c'est le docteur Wettig. Regardez-moi. Regardez la lumière. Allons, ouvrez les yeux. *Ouvrez-les, bon sang.* »

Elle lui obéit, se forçant à garder les paupières levées malgré le rayon de la lampe qui lui perçait le crâne comme un stylet.

« Suivez la lumière. Bon. C'est bien. Les deux pupilles réagissent. L'EO est normale. » La torche, grâce au ciel, s'éteignit. « Je veux quand même un scanner. »

Abby distinguait de vagues silhouettes à présent. Elle voyait le profil de la tête du docteur Wettig se détacher dans la lumière diffuse des plafonniers. D'autres têtes se déplaçaient à la périphérie de sa vision, et un rideau blanc se gonflait comme un nuage un peu plus loin. Une douleur aiguë lui transperça le bras gauche ; elle sursauta.

« Du calme, Abby. » C'était une voix de femme, douce, apaisante. « Je dois vous faire une prise de sang. Ne bougez pas. J'ai une quantité de tubes à remplir. »

Puis une troisième voix. « Docteur Wettig, on l'attend à la radio.

— Une minute, dit Wettig. Je veux une perf de plus gros calibre. Du seize. Allez, remuez-vous. »

Abby sentit une autre piqûre, cette fois dans le bras droit. La douleur pénétra le brouillard qui l'enveloppait, chassa toute confusion dans son esprit. Elle comprit où elle se trouvait. Elle ne se rappelait pas comment elle y était arrivée, mais elle savait qu'elle était aux urgences de Bayside et qu'il s'était produit quelque chose de terrible.

« Mark, murmura-t-elle, et elle tenta de se lever.

— Ne bougez pas ! Nous allons perdre la perf ! »

Une main se referma sur son coude, lui plaquant le bras contre le brancard. L'étreinte était trop ferme pour être bienveillante. Ils étaient tous rassemblés autour d'elle pour lui faire mal, la transperçant d'aiguilles, la maintenant entravée comme un animal captif.

« Mark ! cria-t-elle.

— Abby, écoutez-moi. » C'était Wettig à nouveau, sa voix basse et impatiente. « Nous essayons de joindre Mark. Je suis convaincu qu'il va arriver d'une minute à l'autre. Mais pour l'instant vous devez coopérer, sinon nous ne pourrons pas vous aider. Est-ce que vous m'entendez, Abby ? Est-ce que vous me comprenez ? »

Elle leva les yeux vers lui, et s'immobilisa. Si souvent au cours de ses années d'internat elle s'était sentie intimidée par son regard bleu. Aujourd'hui, ligotée, réduite à l'impuissance, elle était plus qu'intimidée, elle avait peur. Elle jeta un coup d'œil autour d'elle dans la pièce, cherchant un visage amical, mais ils étaient tous trop occupés à surveiller les perfusions, les tubes et les signes vitaux.

Elle entendit qu'on tirait le rideau, sentit une secousse au moment où le brancard s'ébranlait. Le plafond défilait au-dessus de sa tête comme une succession d'éclairs lumineux, et elle comprit qu'on la conduisait dans les entrailles mêmes de l'hôpital, au cœur de la zone ennemie. Elle n'essaya même pas de se défendre : comment lutter contre les brassards qui la retenaient. *Réfléchir.* Elle devait *réfléchir.*

Le couloir fit un angle et ils pénétrèrent dans la salle de radiologie. Un autre visage, masculin, apparut au-dessus du brancard. Le technicien du scanner. Ami ou ennemi ? Comment savoir ? Ils la portèrent sur la table et l'attachèrent au niveau de la poitrine et des hanches.

« Restez immobile, ordonna le technicien, sinon nous serons obligés de tout recommencer. »

Au moment où le scanner glissa au-dessus de sa tête, Abby éprouva une soudaine sensation de claustrophobie. Elle se souvint de la description que certains de ses patients lui en avaient faite : *l'impression d'avoir la tête prise dans un taille-crayon.* Abby ferma les yeux. L'appareil ronronna autour d'elle. Elle essaya de penser, de se remémorer l'accident.

Elle était montée dans sa voiture. S'était engagée sur l'autoroute. Ses souvenirs s'arrêtaient là. Amnésie rétrospective ; l'accident lui-même était un blanc total. Mais les faits qui l'avaient précédé s'éclaircissaient peu à peu.

Une fois l'examen terminé, elle était parvenue à reconstituer suffisamment de fragments pour comprendre ce qui lui restait à faire. Si elle voulait rester en vie.

Elle se montra coopérative avec le technicien du scanner, qui l'aida à remonter sur le brancard — si coopérative, en réalité, qu'il retira les brassards de ses poignets et ne boucla que la sangle de poitrine. Puis il la poussa jusqu'à la salle d'attente de la radio.

« Les urgences vont venir vous chercher, dit-il. Si vous avez besoin de quelque chose, appelez-moi. Je suis à côté. »

Par la porte ouverte, elle l'entendit qui parlait au téléphone.

« Ici le scanner. Nous avons fini. Le docteur Blaise est en train d'examiner les données. Voulez-vous venir la chercher ? »

Abby étendit la main et lentement déboucla la sangle

qui lui enserrait la poitrine. Lorsqu'elle voulut s'asseoir, la pièce se mit à tourner autour d'elle. Elle pressa ses mains contre ses tempes et tout se remit en place.

La perfusion.

Avec une grimace, elle arracha le sparadrap de son bras, et retira l'aiguille. Le sérum dégoutta sur le sol. Elle le laissa se répandre, s'efforçant plutôt de stopper le sang qui jaillissait de la veine. Un diamètre de seize crée un orifice important et il continua à suinter malgré ses tentatives pour en diminuer le débit. Mais elle n'avait pas le temps de s'en préoccuper davantage. Ils étaient à ses trousses.

Elle descendit du brancard, posant ses pieds nus dans une flaque de sérum. Dans la pièce voisine, le technicien du scanner nettoyait la table d'examen. Elle entendait le frottement de la serviette en papier, le bruit métallique d'une poubelle.

Elle décrocha une blouse de laboratoire derrière la porte et l'enfila sur sa chemise d'hôpital. Ce simple effort suffit à l'épuiser. Elle s'efforçait de se concentrer, cherchant à surmonter la vague douloureuse qui la submergeait tandis qu'elle se dirigeait vers la porte. Ses jambes lui obéissaient à peine, comme prises dans des sables mouvants. Elle sortit dans le couloir.

Il était désert.

Le pas lourd, elle progressa lentement le long du couloir, prenant appui sur le mur pour reprendre son équilibre. Il y avait un coude à un certain endroit. Au bout, une sortie de secours. Elle s'exhorta à avancer : *Si je parviens jusqu'à cette porte, je serai sauvée.*

Dans son dos, loin derrière elle lui sembla-t-il, lui parvint l'écho de plusieurs voix. Un bruit de pas précipités.

Elle s'élança vers la porte de secours qui s'ouvrit dans la nuit. Une seconde après les alarmes retentirent et elle se mit à courir, fuyant dans l'obscurité, en proie à la panique. Elle trébucha sur le bord de trottoir à l'entrée du parking. Le gravier et des éclats de verre blessaient ses pieds nus. Elle n'avait aucun plan d'évasion, elle ne savait où aller ; elle savait seulement qu'elle devait s'échapper de Bayside.

Des cris se firent entendre derrière elle. Des appels.

Tournant la tête, elle aperçut trois gardes de la sécurité qui s'élançaient par l'entrée des urgences.

Elle se dissimula derrière une voiture — trop tard. Ils l'avaient repérée.

Elle se redressa et se remit à courir. Ses jambes ne la portaient pas. Elle zigzaguait entre les voitures, trébuchant, se rattrapant.

Les pas de ses poursuivants se rapprochaient, venant de deux directions à la fois.

Elle tourna à gauche, entre deux voitures en stationnement.

Ils l'encerclèrent. Un garde la saisit par le bras gauche, l'autre par le droit. Elle se débattit à coups de pied et de poing, chercha à les mordre.

Mais ils étaient trois, et ils la ramenaient aux urgences. Au docteur Wettig.

« Ils vont me tuer ! hurla-t-elle. Laissez-moi partir ! Ils vont me tuer !

— Personne ne vous fera du mal, ma petite dame.

— Vous ne comprenez pas. *Vous ne comprenez donc pas !* »

Les portes des urgences s'ouvrirent sans bruit. Abby fut entraînée à l'intérieur, dans le halo de lumière, poussée sur un brancard. Fermement attachée, bien qu'elle ne cessât de se démener.

Le visage du docteur Wettig lui apparut, pâle et tendu au-dessus d'elle. Il ordonna sèchement : « Cinq milligrammes de Haldol IM.

— Non ! hurla Abby. *Non !* »

Une infirmière s'approcha, une seringue à la main. Elle décapuchonna l'aiguille.

Abby se débattit, cherchant à se dégager des brassards qui l'immobilisaient.

« Maintenez-la, dit Wettig. Bon Dieu, ne peut-on pas la faire tenir tranquille ? »

Des mains s'abattirent sur ses poignets. Elle se retrouva sur le côté, la fesse droite dénudée.

« Je vous en prie, implora Abby, en regardant l'infirmière. Ne le laissez pas faire. Je vous en supplie. »

Elle sentit le contact glacé de l'alcool, puis la piqûre de l'aiguille.

« Je vous en supplie », murmura-t-elle. Mais elle savait qu'il était déjà trop tard.

« Tout va bien », dit l'infirmière. Elle sourit à Abby. « Tout va bien. »

23

« Aucune trace de pneus sur la jetée, rapporta l'inspecteur Carrier. Le pare-brise est en miettes. Et le conducteur semble avoir pris une balle au-dessus de l'œil droit. Tu connais la musique, Slug. Je regrette, mais nous allons être obligés de te demander ton revolver. »

Katzka acquiesça d'un signe. Il contempla d'un air las la surface de l'eau. « Dis au plongeur qu'il se trouve probablement par ici. À moins que le courant ne l'ait emporté.

— Tu crois avoir tiré huit coups ?

— Peut-être davantage. Je sais que le chargeur était plein au début. »

Carrier hocha la tête, puis donna une tape sur l'épaule à Katzka. « Rentre chez toi. Tu as l'air au bout du rouleau, mon vieux.

— À ce point ? » fit Katzka. Et, laissant derrière lui les types du labo de la criminelle, il retourna sur la jetée. La camionnette avait été retirée de l'eau quelques heures plus tôt, et placée en bordure du parc de conteneurs. Des algues s'étaient emmêlées dans le pont arrière. Elle s'était retournée sous l'eau, et son toit s'était enfoncé dans la vase. Le pare-brise était couvert de boue. Ils avaient déjà retrouvé son immatriculation, celle du service de transport de l'hôpital de Bayside. D'après le chef de service, la camionnette faisait partie des trois véhicules appartenant à l'hôpital qui servaient à transporter les fournitures et le personnel vers des centres de soins extérieurs. Il n'avait pas remarqué qu'il en manquait un jusqu'à l'appel de la police une heure auparavant.

La porte du conducteur était grande ouverte, et un photographe se penchait à l'intérieur, prenant des photos du tableau de bord. Le corps avait été retiré une demi-heure plus tôt. Il avait été identifié grâce à son permis de conduire. Il s'agissait d'un certain Oleg Boravoy, âgé de trente-neuf ans, résidant à Newark, New Jersey. On attendait un supplément d'information.

Katzka préféra ne pas s'approcher du véhicule. Son action faisait l'objet d'une investigation et il devait se tenir à l'écart des éléments matériels de l'enquête. Il traversa le parc des conteneurs et regagna sa voiture stationnée à l'extérieur de la clôture. Un grognement lui échappa au moment où il se glissait à l'intérieur. À deux heures du matin, il était rentré chez lui pour prendre une douche et dormir quelques heures. Peu après le lever du jour, il était retourné sur le quai. *Je suis trop vieux pour ça,* pensa-t-il, *trop vieux d'au moins dix ans.* Toutes ces poursuites, ces coups de feu dans le noir, c'était bon pour les jeunes lions, pas pour un flic vieillissant. Et il se sentait réellement vieillir.

Quelqu'un frappait à la fenêtre. C'était Lundquist. Katzka baissa la vitre.

« Hé, Slug, ça va ?

— Je vais rentrer dormir un peu.

— Ouais, mais avant, j'ai pensé que vous voudriez avoir des informations sur le conducteur.

— On a trouvé sa trace ?

— Ils ont cherché au nom d'Oleg Boravoy sur l'ordinateur. Et toc ! voilà qu'il s'y trouve. Un immigrant russe, débarqué ici en quatre-vingt-neuf. Dernière rési-

362

dence connue : Newark, New Jersey. Trois arrestations, pas de condamnation.

— Quels chefs d'inculpation ?

— Enlèvements avec demandes de rançon. Les
accusations n'ont jamais tenu parce que les témoins se
volatilisent à chaque fois. » Lundquist se pencha vers
lui et murmura : « Vous avez mis les pieds dans un
vrai merdier, hier soir. D'après les flics de Newark,
Boravoy fait partie de la mafia russe.

— En sont-ils vraiment sûrs ?

— J'imagine qu'ils le savent. C'est dans le New
Jersey que la mafia russe a son quartier général. Slug,
comparés à ces types-là, les Colombiens c'est le
Rotary-Club. Ils ne se bornent pas à descendre les
gens. Ils vous coupent d'abord les doigts de pieds et
des mains, histoire de rigoler. »

Katzak fronça les sourcils, se souvenant de la
panique qui s'était emparée de lui et d'Abby la nuit
dernière, du plongeon dans l'eau pendant que des
hommes couraient sur la jetée au-dessus, s'interpellant
dans une langue inconnue. S'y ajoutaient à présent des
visions de doigts et d'orteils amputés, de rues de Boston jonchées de membres éparpillés. De scalpels. De
salle d'opération.

« Quel rapport entre Boravoy et Bayside ? demanda-
t-il.

— On ne sait pas.

— Il conduisait leur camionnette.

— Et elle est bourrée de fournitures médicales, dit
Lundquist. Il y en a pour près de deux mille dollars.
C'est peut-être une histoire de marché noir. Boravoy
pouvait avoir des complices à Bayside qui détournaient
des fournitures et des médicaments. Et vous l'avez surpris en train de livrer sa cargaison au bateau.

— À propos du cargo, avez-vous interrogé le capitaine du port ?

— Le bâtiment est la propriété d'une société du
New Jersey, la Sigayev Company. Pavillon panaméen.
Dernière escale : Riga.

— Où est-ce ?

— En Lettonie. Une de ces ex-républiques soviétiques qui ont fait sécession. »

Encore les Russes, pensa Katzka. S'il s'agissait vraiment de la mafia russe, ils avaient alors affaire à des hors-la-loi connus pour leur cruauté impitoyable. Derrière chaque vague d'immigrants légitimes surgissait une vague parallèle de truands, des réseaux criminels qui suivaient leurs compatriotes au pays de toutes les opportunités. Au pays des proies faciles.

Il pensa à Abby DiMatteo, et son inquiétude soudain redoubla. Il ne lui avait pas parlé depuis son appel à une heure du matin. Peu auparavant, il avait failli la rappeler. Mais au moment où il composait son numéro, il avait senti son cœur battre plus vite. Et il avait reconnu cette sensation. C'était le signe d'une attente. D'une envie joyeuse, douloureuse, totalement irrationnelle d'entendre sa voix. Un sentiment qu'il n'avait pas éprouvé depuis des années, et il avait compris, douloureusement, sa signification.

Il avait tout de suite raccroché. Et passé l'heure suivante à broyer du noir.

Il laissa son regard errer en direction de la jetée. Ce maudit bateau se trouvait peut-être à cent milles en mer maintenant. Même s'ils le repéraient, il faudrait s'en tenir aux règles du droit maritime.

Il dit à Lundquist : « Trouvez-moi tout ce qui existe sur la société Sigayev. Et ses liens éventuels avec Amity et l'hôpital de Bayside.

— Comptez sur moi, Slug. »

Katzka mit le contact. Il regarda Lundquist. « Votre frère est toujours garde-côte ?

— Non. Mais il a des copains qui le sont restés.

— Faites-leur passer l'information. Voyez s'ils ont visité ce cargo récemment.

— J'en doute. S'il vient juste d'arriver en provenance de Riga. » Lundquist s'interrompit, leva la tête. L'inspecteur Carrier venait dans leur direction en faisant des signes de la main.

« Hé, Slug. Avez-vous reçu le message concernant DiMatteo ? »

Katzka coupa instantanément le moteur. Mais il ne put stopper l'accélération subite de son pouls. Il regarda Carrier, s'attendant au pire.

« Elle a eu un accident. »

Un chariot de repas passa en bringuebalant le long du couloir. Abby se réveilla en sursaut et constata que ses draps étaient trempés de sueur. Son cœur battait encore à coups redoublés à la suite de son cauchemar. Elle voulut se retourner dans son lit, mais en vain : ses mains étaient attachées, ses poignets douloureux à cause du frottement. Et elle comprit qu'il ne s'agissait pas d'un rêve. Le cauchemar était bel et bien réel, et elle ne pouvait pas s'en échapper.

Avec un sanglot de désespoir, elle se renfonça dans son oreiller, et fixa le plafond. Elle entendit une chaise craquer. Tourna la tête.

Katzka était assis près de la fenêtre. Dans la lumière crue du matin, son visage mal rasé paraissait plus âgé et plus las qu'elle ne l'avait jamais vu.

« Je leur ai demandé d'ôter les brassards, dit-il. Mais ils m'ont répondu que vous aviez arraché vos perfusions. » Il se leva et s'approcha de son lit, resta un moment à la regarder. « Heureux de vous voir à nouveau parmi nous, Abby. Vous revenez de loin, jeune fille.

— Je ne me souviens de rien.

— Vous avez eu un accident. Votre voiture a fait plusieurs tonneaux sur la Southern Expressway.

— Quelqu'un d'autre... »

Il secoua la tête. « Non. Personne d'autre n'a été blessé. Mais votre voiture est pratiquement bonne pour la casse. » Il y eut un silence. Elle se rendit compte qu'il ne la regardait plus. Il fixait un point dans le vague.

« Katzka ? demanda-t-elle doucement. Était-ce de ma faute ? »

À contrecœur il hocha la tête. « D'après les traces sur la chaussée, il semble que vous rouliez à grande vitesse. Vous avez probablement freiné pour éviter un véhicule immobilisé dans votre file. Votre voiture a été déportée vers la barrière de sécurité. Puis elle a fait un tonneau, traversant trois voies. »

Elle ferma les yeux. « Oh mon Dieu ! »

Il s'interrompit à nouveau. « Je suppose que vous ne connaissez pas la suite, dit-il enfin. J'ai parlé au policier chargé de l'enquête. Je dois vous dire qu'on a trouvé une bouteille de vodka brisée dans votre voiture. »

Elle écarquilla les yeux, effarée. « C'est impossible.

— Abby, il est normal que vous n'ayez aucun souvenir. La nuit dernière, sur la jetée, vous avez subi un choc. Peut-être avez-vous eu besoin de vous détendre. De prendre quelques verres chez vous.

— C'est une chose dont je me souviendrais ! Je me souviendrais d'avoir bu...

— Écoutez, ce qui est important désormais...

— C'est important ! Ne comprenez-vous pas, Katzka ? Ils essayent encore de me coincer ! »

Il se frotta les yeux, du geste machinal d'un homme qui lutte contre le sommeil. « Je suis navré, Abby, murmura-t-il. Je sais que c'est difficile à admettre. Mais le docteur Wettig vient de me montrer le taux d'alcool que vous aviez dans le sang. Le prélèvement a été fait hier soir aux urgences. Il était de deux grammes dix. »

Il s'était détourné à présent et regardait d'un air absent par la fenêtre, comme si le seul fait de poser les yeux sur elle lui coûtait un trop gros effort. Elle ne pouvait même pas se retourner dans sa direction. Elle tira violemment sur ses liens, et la douleur qui lui brûla les poignets lui amena les larmes aux yeux. Elle n'allait pas se mettre à pleurer. Sûrement pas.

Elle ferma les paupières et se concentra sur la rage qui montait en elle. C'était sa seule arme pour contre-attaquer. Ils lui avaient retiré tout le reste. Ils lui avaient même retiré Katzka.

Elle dit, en articulant chaque mot : « Je n'avais pas bu. Il faut me croire. Je n'étais pas ivre.

— Pouvez-vous me dire où vous alliez à trois heures du matin ?

— Je venais ici, à Bayside. Je me souviens au moins de ça. Mark m'avait téléphoné, et je venais le... » Elle s'interrompit. « Est-ce qu'il est passé ? Pourquoi n'est-il pas là ? »

Son silence la glaça. Elle essaya de tourner la tête mais ne parvint pas à voir son visage.

« Katzka ?

— Mark Hodell ne répond pas aux messages laissés sur son bip.

— Qu'est-ce que vous dites ?

— Sa voiture n'est pas dans le parking de l'hôpital. Personne ne semble savoir où il se trouve. »

Elle voulut parler, mais aucun son ne sortit de sa gorge serrée, seul s'en échappa un faible murmure : « Non.

— Il est trop tôt pour en tirer des conclusions, Abby. Son bip peut être en panne. Nous ne savons rien de précis pour le moment. »

Mais Abby savait. Elle savait avec une certitude immédiate, dévastatrice. Tout son corps lui sembla soudain anesthésié. Sans vie. Elle ne s'aperçut pas qu'elle pleurait, ne sentit même pas les larmes rouler sur ses joues, jusqu'à ce que Katzka se lève et les essuie doucement avec un Kleenex.

« Je regrette », murmura-t-il. Il repoussa les cheveux qui lui tombaient sur le front, et pendant un court instant ses doigts s'attardèrent sur son front, bienveillants et protecteurs. « Je regrette », répéta-t-il avec encore plus de douceur.

« Retrouvez-le, souffla-t-elle. Je vous en prie. Je vous en supplie, retrouvez-le.

— Oui, je vais le retrouver. »

Un moment plus tard, elle l'entendit sortir de la pièce. Alors seulement, elle s'aperçut qu'il l'avait détachée. Elle était libre de se lever, de quitter la chambre. Mais elle ne bougea pas.

Elle tourna son visage contre l'oreiller et pleura.

À midi, une infirmière vint retirer la perfusion et lui apporter un repas. Abby ne jeta pas même un regard à la nourriture. On enleva le plateau un peu plus tard, sans qu'elle l'eût touché.

À deux heures, le docteur Wettig entra dans la chambre. Il resta debout près du lit, feuilleta son dossier, examina en grommelant les résultats des analyses. Il finit par lever les yeux sur elle. « Docteur DiMatteo ? »

Elle ne répondit pas.

Wettig soupira. « Le premier pas sur la voie de la guérison est d'admettre que vous avez un problème. Moi-même, j'aurais dû m'en rendre compte. Comprendre contre quoi vous luttiez pendant tout ce temps. Mais maintenant que nous savons contre quoi lutter, il est temps de passer à l'action. »

Elle le regarda tristement. « À quoi bon ?

— Il vous reste un avenir à préserver. Vous êtes une femme intelligente. D'autres carrières peuvent s'ouvrir à vous en dehors de la médecine. »

Elle resta silencieuse. La ruine de sa carrière en ce moment lui paraissait presque insignifiante, comparée à la douleur que lui causait la disparition de Mark.

« J'ai demandé au docteur O'Connor de venir vous voir, dit Wettig. Il va passer dans la soirée.

— Je n'ai pas besoin d'un psychiatre.

— Je crois que si, Abby. Je crois que vous avez besoin d'un véritable soutien. Il faut que vous arriviez à surmonter votre manie de la persécution. Je ne donnerai mon autorisation à votre sortie qu'à la condition d'avoir l'approbation de O'Connor. Il peut décider de vous faire transférer en psychiatrie. C'est à lui de juger. Il est hors de question que nous vous laissions vous détruire vous-même, comme vous avez tenté de le faire la nuit dernière. Nous sommes tous inquiets à votre sujet, Abby. Moi le premier. C'est pourquoi j'ai demandé cette évaluation psychiatrique. C'est pour votre bien, croyez-moi. »

Elle le regarda droit dans les yeux. « Allez vous faire foutre, Major. »

À son immense satisfaction, il eut un haut-le-corps et recula de quelques pas. Il referma la pancarte d'un geste sec. « Je reviendrai vous voir plus tard, docteur DiMatteo », dit-il, et il quitta la pièce.

Elle resta longtemps songeuse, le regard rivé au plafond. À peine quelques minutes auparavant, avant l'arrivée de Wettig, elle s'était sentie trop faible pour lutter. Maintenant, chacun de ses muscles était tendu comme un arc et elle avait l'estomac noué. Ses mains lui faisaient mal. Elle les regarda et s'aperçut que ses poings étaient crispés.

Allez vous faire foutre, tous tant que vous êtes.

Elle s'assit. L'étourdissement ne dura que quelques secondes. Elle était restée trop longtemps couchée. Il était temps de se remuer. De reprendre le contrôle de sa vie.

Elle traversa la chambre et ouvrit la porte.

Une infirmière assise à un bureau leva la tête et l'aperçut. Son nom était inscrit sur son badge : W.F. SORIANO, RN. « Avez-vous besoin de quelque chose ?

— Heu... non. » Abby battit en retraite et referma la porte derrière elle.

Merde, merde et merde, elle était toujours prisonnière.

Pieds nus, elle tourna en rond dans la pièce, cherchant une solution. Elle ne voulait pas penser à Mark pour l'instant. Sinon, elle allait se recoucher et pleurer. C'était ce qu'ils souhaitaient la voir faire, ce qu'ils attendaient d'elle.

Elle alla vers la chaise près de la fenêtre et s'y assit pour réfléchir. Quelle était sa marge de manœuvre ? Mark avait dit que Mohandas était de leur côté, mais maintenant Mark avait disparu. Pas question de faire confiance à Mohandas. Elle ne pouvait faire confiance à personne dans cet hôpital.

Elle revint à la table de nuit et décrocha le téléphone. Elle entendit la tonalité, composa le numéro de Vivian et tomba sur le message du répondeur. Elle se souvint alors que Vivian se trouvait encore à Burlington.

Elle téléphona à son propre domicile, tapa son code d'accès, et écouta les enregistrements. Vivian avait laissé un second message, et d'après le ton de sa voix, l'appel était urgent. Elle avait indiqué un numéro à Burlington.

Abby le composa.

Vivian en personne répondit. « Vous me joignez de justesse. J'étais sur le point de partir.

— Vous rentrez ?

— J'ai un vol à six heures à Logan. Écoutez, ce voyage n'a rien donné de concret. Il n'y a eu aucun prélèvement effectué à Burlington.

— Comment le savez-vous ?

— Je me suis renseignée ici, à l'aéroport. Et dans tous les terrains d'atterrissage de la région. Aux dates où ont eu lieu ces transplantations, aucun vol n'a été enregistré en pleine nuit à destination de Boston. Pas le moindre avion. Burlington n'est qu'une couverture pour eux. Et Tim Nicholls leur a probablement fourni les papiers officiels.

— Et aujourd'hui Nicholls est introuvable.

— À moins qu'ils ne s'en soient débarrassés. »

Elles restèrent momentanément silencieuses. Puis Abby ajouta à voix basse : « Mark a disparu.

— Quoi ?

— Personne ne sait où il est. L'inspecteur Katzka dit qu'ils ne trouvent pas trace de sa voiture. Et il ne répond à aucun des messages sur son bip. » Sa voix s'étrangla.

« Oh, Abby. Abby... »

Dans le bref silence qui suivit, Abby entendit un déclic. Elle serrait le récepteur à s'en faire mal aux doigts.

« Vivian ? » dit-elle.

Un autre déclic. Puis la communication fut interrompue.

Elle raccrocha et essaya de rappeler, mais il n'y avait plus de tonalité. Elle essaya d'obtenir le standard, raccrocha, appela à nouveau. Toujours pas de tonalité.

L'hôpital avait coupé sa ligne téléphonique.

Immobile sur l'étroit trottoir du pont Tobin, Katzka contemplait l'eau, loin en contrebas. Venant de l'ouest, la Mystic River allait se jeter dans la Chelsea River avant d'atteindre la baie de Boston puis la mer. La chute était longue jusqu'en bas, pensa Katzka, imaginant la force avec laquelle un corps atteindrait la surface de l'eau. À coup sûr une chute fatale.

Se retournant, il ignora le trafic qui s'intensifiait en cette fin d'après-midi, et se concentra sur le côté aval du pont. Il repassa en esprit la séquence probable des événements qui suivraient un tel plongeon. Le cadavre serait emporté par le courant jusqu'à l'intérieur de la baie. D'abord, il dériverait, flottant entre deux eaux, raclant peut-être la vase du fond. Ensuite les gaz se répandraient à l'intérieur du corps. Il leur faudrait des heures ou des jours. Tout dépendait de la température de l'eau et de la rapidité avec laquelle les bactéries se développeraient dans les intestins. À un moment donné, le corps réapparaîtrait à la surface.

C'était alors qu'on le découvrirait. Dans un jour ou deux. Boursouflé et méconnaissable.

Katzka se tourna vers le policier qui se tenait près de lui. Il lui fallut crier à cause du vacarme de la circulation. « À quelle heure avez-vous remarqué la voiture ?

— Vers cinq heures du matin. Elle était garée sur la voie de service nord. Là-bas. » Il désigna un endroit au-delà des files de voitures.

« Une jolie BMW verte. Je me suis arrêté immédiatement.

— Vous n'avez vu personne près de la voiture ?

— Personne, chef. Elle avait l'air abandonnée. J'ai fait vérifier le numéro d'immatriculation et j'ai eu confirmation qu'elle n'avait pas été volée. Je me suis dit que le conducteur était peut-être tombé en panne et parti chercher du secours. La voiture risquait de provoquer un accident, j'ai donc appelé la dépanneuse.

— Pas de clés dans la voiture ? Pas de notes ?

— Non, chef. Rien. L'intérieur était comme neuf. »

Katzka reporta son regard vers l'eau. Il se demanda quelle était la profondeur de la rivière à cet endroit, chercha à évaluer la vitesse du courant.

« J'ai essayé d'appeler le docteur Hodell à son adresse personnelle, mais sans obtenir de réponse, dit le policier. Je ne savais pas alors qu'il avait disparu. »

Katzka resta silencieux. Il continuait à contempler la rivière, pensait à Abby. Qu'allait-il lui dire ? Elle lui avait paru si désespérément fragile dans ce lit d'hôpital, il ne supportait pas la pensée de lui asséner un autre coup. De la faire encore souffrir.

Je ne vais rien lui dire. Pas encore, décida-t-il. *Pas avant que nous ayons trouvé un corps.*

Le policier fixa la rivière à son tour. « Mon Dieu. Vous croyez donc qu'il a sauté ?

— S'il est en bas, dit Katzka, ce n'est pas parce qu'il a sauté. »

Les téléphones n'avaient pas cessé de sonner de la journée, deux auxiliaires étaient malades, et l'infirmière de garde, Wendy Soriano, n'avait pas eu une minute pour déjeuner. Elle n'avait pas envie d'assurer un deuxième tour de garde. Et pourtant elle était encore là à trois heures et demie de l'après-midi, se préparant à rester huit heures de plus.

Ses enfants avaient déjà téléphoné à deux reprises. *Maman, Jeffy m'a encore tapé. Maman, à quelle heure papa rentre-t-il à la maison ? Maman, est-ce que je peux faire marcher le micro-ondes ? Je te promets qu'on ne mettra pas le feu à la maison.* Maman, maman, maman.

Pourquoi n'appellent-ils jamais leur père à son bureau ?

Parce que le travail de papa est tellement plus important.

Wendy se prit la tête dans les mains et examina la pile de pancartes portant les prescriptions des médecins. Les internes adoraient écrire leurs instructions. Ils passaient en vitesse, leurs stylos fantaisie à la main, et griffonnaient des remarques époustouflantes du genre : « Lait de magnésie contre la constipation » ou « relever les barreaux du lit pendant la nuit ». Puis ils tendaient la pancarte annotée à l'infirmière comme Dieu passant ses tables à Moïse. *Tu ne toléreras pas la constipation.*

Avec un soupir, Wendy s'empara de la première pancarte.

Le téléphone sonna. Pourvu qu'il ne s'agisse pas des enfants, pensa-t-elle. Pas un autre *Maman il m'a mordu !* Elle répondit par un laconique : « Est Six, Wendy.

— Docteur Wettig à l'appareil.

— Oh. » Automatiquement, elle se redressa sur sa chaise. On ne restait pas avachi quand on parlait au docteur Wettig. Même au téléphone. « Oui, docteur ?

— Je voudrais faire vérifier le taux d'alcoolémie du docteur DiMatteo. Et que l'analyse soit effectuée par les laboratoires MedMark.

— Pas par notre labo ?

— Non. Envoyez la prise directement à MedMark.

— Certainement, docteur, dit Wendy, en notant rapidement la demande. C'était une requête inhabituelle, mais on ne posait pas de questions au Major.

« Comment va-t-elle ? demanda-t-il.

— Un peu agitée.

— A-t-elle tenté de s'enfuir ?

— Non. Elle n'est même pas sortie de sa chambre.

— Bien. Assurez-vous qu'elle n'en bouge pas. Et pas de visite. Y compris de la part du personnel médical, à l'exception des personnes désignées dans mes instructions.

— Oui, docteur. »

Wendy raccrocha et resta pensive à son bureau. Durant sa conversation téléphonique, trois nouvelles pancartes avaient atterri devant elle. La barbe. Elle allait passer la soirée à transmettre les instructions. Elle se sentit prise de vertige. Elle n'avait toujours rien mangé, elle n'avait pas eu un seul instant de repos depuis des heures.

Elle regarda autour d'elle et vit deux auxiliaires qui bavardaient dans le couloir. Était-elle donc la seule ici à trimer comme une dingue ?

Elle détacha la demande de recherche de taux d'alcoolémie et la déposa dans la corbeille du labo. Au moment où elle se levait de son bureau, le téléphone sonna. Elle n'y prêta pas attention ; après tout, les secrétaires étaient là pour répondre.

Elle s'éloigna, sans se soucier des deux sonneries qui retentissaient derrière elle.

Pour une fois, quelqu'un d'autre répondrait à ces maudits appels.

Le vampire était de retour, portant son plateau encombré de tubes, de fiches de laboratoire et d'aiguilles. « Je suis désolée, docteur DiMatteo. Mais je dois à nouveau vous piquer. »

Debout à la fenêtre, Abby jeta à peine un regard à la préleveuse. Puis elle se tourna à nouveau vers l'extérieur. « L'hôpital m'a déjà tiré tout mon sang », fit-elle, et elle contempla la vue sinistre qui s'offrait à ses yeux. Dans le parking, des infirmières se hâtaient vers l'entrée du bâtiment, cheveux ébouriffés, imperméables battant au vent. À l'est, les nuages s'amoncelaient, noirs et menaçants. Le ciel s'éclaircirait-il un jour ?

Dans son dos elle entendit les tubes de verre s'entrechoquer. « Docteur, je dois effectuer cette prise de sang.

— À quoi bon d'autres analyses ?

— C'est le docteur Wettig qui l'a demandé. » L'infirmière prit un ton résigné : « Je vous en prie, ne me compliquez pas la vie. »

Abby se retourna pour la regarder. Elle semblait très jeune. Abby se revit à son âge, à une époque révolue depuis des lustres. À l'époque où, elle aussi, était terrifiée par Wettig, terrifiée de se tromper, de perdre tout ce qu'elle avait acquis à force de travailler. Elle s'en fichait complètement, à présent. Mais pas cette pauvre fille.

Avec un soupir elle retourna s'asseoir sur son lit.

L'infirmière déposa son plateau sur la table de nuit et commença à défaire les emballages stériles contenant les compresses, une aiguille, et une seringue. À en juger par le nombre de tubes pleins rangés sur le plateau, elle avait déjà effectué cette opération une douzaine de fois aujourd'hui. Il restait peu de logements vides.

« Allons-y. Quel bras préférez-vous ? »

Abby tendit son bras gauche et la regarda d'un air indifférent mettre en place le garrot de caoutchouc. Elle serra le poing. La veine antébrachiale saillit, meurtrie par toutes les piqûres précédentes. Quand l'aiguille perça la peau, Abby se détourna. Elle garda les yeux fixés sur le plateau de l'infirmière, avec tous ses tubes de sang bien étiquetés. Une véritable boîte à bonbons de vampire.

Soudain son regard s'arrêta sur un tube en particulier, cerclé de violet, et dont l'étiquette était tournée vers elle. Elle lut le nom :

VOSS, NINA
Soins intensifs, lit 8

« Et voilà », dit le vampire en retirant son aiguille. « Pouvez-vous maintenir la compresse en place ? »

Abby releva la tête. « Comment ?

— Tenez la compresse en attendant que j'applique un sparadrap. »

Abby appuya la compresse contre son bras et jeta à nouveau un coup d'œil au tube qui contenait le sang de Nina Voss. Le nom du médecin traitant était juste visible, au coin de l'étiquette : docteur Archer.

Nina Voss était de retour à l'hôpital. De retour en chirurgie cardiothoracique.

L'infirmière sortit.

Abby se dirigea lentement vers la fenêtre et contempla le ciel couvert. Des bouts de papier voletaient dans le parking. La fenêtre vibra, secouée par une bourrasque de vent.

La greffe du cœur n'a pas pris.

Elle aurait dû s'en rendre compte depuis longtemps, depuis le jour où elles s'étaient rencontrées dans la limousine. Elle se souvint de Nina Voss dans la pénombre de la voiture. Elle revit son visage pâli, la teinte bleuâtre de ses lèvres. Alors déjà, le rejet avait commencé.

Abby alla à l'armoire. Elle y trouva un sac de plastique étiqueté EFFETS DU PATIENT. Il contenait ses chaussures, son pantalon taché de sang, et son sac. Il y manquait son portefeuille. Probablement enfermé dans le coffre de l'hôpital. En fouillant, elle dénicha quelques pièces de monnaie au fond du sac. Elle en aurait besoin.

Elle enfila son pantalon, y rentra sa blouse d'hôpital et enfila ses chaussures. Puis elle entrebâilla la porte et jeta un coup d'œil à l'extérieur.

Wendy Soriano n'était pas à son bureau. Mais il y avait deux autres infirmières dans le couloir, l'une parlait au téléphone, l'autre était penchée sur des dossiers. Aucune ne regardait dans la direction d'Abby.

Inspectant le couloir, elle vit apparaître le chariot transportant les repas du soir, poussé par une bénévole vêtue de rose. La femme s'arrêta devant le PC des infirmières, prit deux plateaux et les apporta dans une chambre voisine.

Abby en profita pour se glisser dans le couloir. Le chariot du dîner la dissimulait à la vue des infirmières ; elle passa tranquillement devant le PC et sortit du service.

Ne pouvant prendre le risque d'être reconnue dans les ascenseurs, elle se dirigea directement vers l'escalier.

Six étages plus haut elle ressortit au niveau douze. Droit devant elle se trouvait l'aile du bloc opératoire ; un peu plus loin, les soins intensifs. Elle repéra le chariot de linge abandonné dans le couloir qui menait au bloc, prit une blouse chirurgicale, un bonnet à fleurs, et des protège-chaussures. Vêtue de bleu comme le reste du personnel, elle passerait inaperçue.

Elle tourna à l'angle du couloir et pénétra dans le service des soins intensifs.

Le branle-bas régnait à l'intérieur. Le patient du lit numéro deux faisait un arrêt cardiaque. À en juger par la tension des voix et l'empressement du personnel dans le box, la réanimation se présentait mal. Personne ne vit Abby passer devant le poste central de surveillance et se diriger vers le box numéro huit.

Elle s'arrêta un instant devant la vitre de séparation, s'assurant que l'occupant du lit était bien Nina Voss. Puis elle poussa la porte et entra. La porte se referma seule derrière elle, étouffant les voix de l'équipe de réanimation. Elle tira les rideaux intérieurs et se tourna vers le lit.

Nina était endormie, inconsciente de l'activité frénétique qui se déployait de l'autre côté de sa porte. Elle semblait s'être encore amenuisée depuis leur dernière rencontre, comme une bougie lentement consumée par la flamme de la maladie. Le corps sous les draps paraissait aussi menu que celui d'un enfant.

Abby prit la pancarte accrochée au pied du lit. D'un coup d'œil rapide, elle enregistra tous les paramètres qui y étaient notés. La pression capillaire pulmonaire en hausse. Le débit cardiaque décroissant lentement. Le taux de Dobutamine avait été augmenté, vaine tentative pour améliorer les performances du cœur.

Abby raccrocha la pancarte. En se redressant, elle s'aperçut que Nina avait ouvert les yeux.

« Bonjour, madame Voss », dit-elle.

Nina sourit et murmura : « Voilà le docteur qui dit toujours la vérité.

— Comment vous sentez-vous ?

— Mieux. Je me sens mieux. »

Abby s'approcha du lit. Elles se regardèrent sans parler.

Puis Nina déclara : « Vous n'avez pas besoin de me le dire. Je le sais déjà.

— Vous savez quoi, madame Voss ?

— Que c'est la fin. » Nina ferma les yeux et respira profondément.

Abby lui prit la main. « Je n'ai jamais eu l'occasion de vous remercier. D'avoir essayé de m'aider.

— C'est Victor que je voulais aider.

— Je ne comprends pas.

— Il ressemble à ce personnage de la légende grecque. Celui qui est parti à la recherche de sa femme dans le royaume d'Hadès.

— Orphée.

— C'est ça. Victor ressemble à Orphée. Il veut me ramener. Par n'importe quel moyen. À n'importe quel prix. » Son regard était incroyablement clair. « En fin de compte, murmura-t-elle, il le payera trop cher. »

Il ne s'agissait pas d'argent. Abby le comprit immédiatement. Il s'agissait de l'âme.

La porte du box s'ouvrit brusquement. Abby pivota sur elle-même et vit une infirmière qui la dévisageait avec stupéfaction.

« Mon Dieu ! Docteur DiMatteo, que faites... » Son regard alla des rideaux tirés aux moniteurs et aux perfusions. *Elle s'assure qu'il n'y a pas eu de sabotage.*

« Je n'ai touché à rien, dit Abby.

— Voulez-vous avoir l'amabilité de vous éloigner du lit de Mme Voss.

— Je suis juste passée la voir. J'ai entendu dire qu'elle était revenue aux soins intensifs et...

— Mme Voss a besoin de se reposer. » L'infirmière ouvrit la porte et fit sortir Abby du box. « N'avez-vous pas lu l'écriteau VISITES NON AUTORISÉES ? On doit l'opérer cette nuit. Il ne faut pas la déranger.

— Quelle opération ?

— Une transplantation. Ils ont trouvé un donneur. »

Abby contempla la porte fermée du numéro huit. Elle demanda : « Mme Voss est-elle au courant ?

— Comment ?

— A-t-elle signé le formulaire d'acceptation ?

— Son mari l'a signé à sa place. Maintenant veuillez vous éloigner. »

Sans prononcer un mot, Abby fit demi-tour et sortit du service. Elle ignorait si quelqu'un s'était aperçu de son absence ; elle parcourut le couloir jusqu'aux ascenseurs. Une porte s'ouvrit ; la cabine était pleine. Elle pénétra rapidement à l'intérieur et tourna le dos aux autres occupants, face à la porte.

Ils ont trouvé un donneur, pensa-t-elle tandis que l'ascenseur descendait. *Ils se sont arrangés pour en trouver un. Ce soir, Nina Voss aura un nouveau cœur.*

À son arrivée dans le hall d'entrée, elle s'était déjà entièrement représentée la séquence des événements qui se dérouleraient dans la nuit. Elle avait lu les rapports des autres transplantations effectuées à Bayside ; elle savait ce qui allait se passer. Aux environs de minuit, on amènerait Nina en salle d'opération, où l'équipe d'Archer la préparerait. Ensuite, ils attendraient l'appel. Et à ce moment précis, une autre équipe dans un autre bloc serait déjà rassemblée autour d'un autre patient. Ils saisiraient leurs scalpels et commenceraient à inciser la peau et les muscles. Les scies grinceraient. Les côtes seraient écartées, dévoilant le trésor qu'elles renfermaient. Un cœur vivant, battant.

Le prélèvement serait rapide et sans bavure.

Ce soir, pensa-t-elle, *tout se passera exactement comme les fois précédentes.*

La porte de l'ascenseur s'ouvrit. Elle sortit, la tête baissée, les yeux rivés au sol. Elle franchit les portes d'entrée et se retrouva happée par le vent.

Deux blocs plus loin, glacée et tremblante, elle se rua dans une cabine téléphonique. Utilisant ses précieuses pièces de monnaie, elle composa le numéro de Katzka.

Il n'était pas à son bureau. Le policier qui prit la communication lui offrit de prendre un message.

« C'est de la part d'Abby DiMatteo, dit-elle. Il faut que je lui parle immédiatement. Ne peut-on l'appeler par radio ou je ne sais comment ?

— Je vous passe le standard. »

Elle entendit deux déclics puis la voix du standardiste se fit entendre. « Je vais essayer de le contacter dans sa voiture. »

Un moment plus tard, l'opérateur revint en ligne. « Je regrette, nous attendons toujours que l'inspecteur Katzka réponde. Peut-il vous joindre à votre numéro habituel ?

— Oui. Enfin, je ne sais pas. J'essaierai plus tard. » Abby raccrocha. Elle n'avait plus de monnaie, elle ne pouvait plus appeler personne.

Elle se retourna et regarda à l'extérieur de la cabine téléphonique. Des feuilles de journaux s'envolaient. Elle n'avait pas envie de se retrouver dans ce vent. Elle ne savait plus quoi faire.

Si. Il y avait encore une personne qu'elle pouvait appeler.

La moitié de l'annuaire téléphonique avait été arraché. Contre tout espoir, elle feuilleta les pages restantes. Le nom *Ivan Tarasoff* y figurait.

Ses doigts tremblaient tandis qu'elle demandait le numéro en préavis. *Pitié, faites qu'il réponde. Qu'il accepte de prendre l'appel.*

À la quatrième sonnerie, elle entendit un « Allô ? » étouffé. Elle perçut des bruits de vaisselle, de verres et de couverts, les accords agréables d'une musique classique. Puis : « Oui, j'accepte le préavis. »

Son soulagement fut si soudain que les mots jaillirent précipitamment de sa bouche. « Je ne savais pas qui appeler ! Je n'arrive pas à joindre Vivian. Et personne d'autre n'acceptera de m'entendre. Il faut que vous avertissiez la police. Obligez-les à vous écouter.

— Calmez-vous, Abby. Racontez-moi ce qui se passe. »

Elle poussa un long soupir. Elle avait tellement besoin de partager son fardeau. « Nina Voss va subir une deuxième transplantation cardiaque cette nuit, dit-elle. Docteur Tarasoff, je pense avoir tout compris. Ils n'apportent pas les cœurs par avion depuis une autre ville. Les prélèvements sont effectués ici même, à Boston.

— Où ça ? Dans quel hôpital ? »

Abby aperçut soudain une voiture qui remontait lentement la rue. Elle retint son souffle, attendant de la voir disparaître au tournant suivant.

« Abby ?

— Oui. Je suis toujours en ligne.

— Écoutez-moi. Jeremiah Parr m'a laissé entendre que vous aviez été très secouée récemment. Se pourrait-il que...

— *Croyez-moi. Je vous en prie, croyez-moi.* » Elle ferma les yeux, se forçant à garder son calme. À parler de manière sensée. Il ne devait pas douter de sa santé mentale. « Vivian m'a téléphoné de Burlington. Elle a découvert que les organes ne provenaient pas du Vermont, qu'aucun prélèvement n'avait été effectué là-bas.

— Dans ce cas, où ont-ils lieu ?

— Je n'en suis pas complètement sûre. Mais je crois qu'ils sont pratiqués dans un bâtiment à Roxbury. Amity Medical Supply. Il faut que la police se rende sur place avant minuit. Avant que le prélèvement ne soit effectué.

— Je ne sais pas si je pourrais les convaincre.

— Il le faut ! Il y a un certain inspecteur Katzka, à la brigade criminelle. Si nous parvenons à le joindre, je pense qu'il nous écoutera. Docteur Tarasoff, il ne s'agit pas d'un simple trafic d'organes. Ils génèrent des donneurs. Ils tuent des gens. »

En arrière-fond, Abby entendit une voix de femme appeler : « Ivan, est-ce que tu viens ? Le dîner va refroidir.

— Je vais devoir m'en passer, chérie, dit Tarasoff. Il y a une urgence... » Il revint en ligne, dit d'une voix douce et pressante. « Je n'ai pas besoin de vous dire que toute cette histoire me terrifie, Abby.

— Elle me terrifie tout autant.

— Pourquoi ne pas aller directement trouver la police ? Les laisser se débrouiller avec ça. C'est trop dangereux pour que nous nous en occupions nous-mêmes.

— Tout à fait d'accord.

— Nous allons agir ensemble. Notre message en sera d'autant plus convaincant. »

Elle hésita. « Je crains que ma présence à vos côtés ne rende les choses moins crédibles.

— J'ignore tous les détails, Abby. Vous êtes seule à les connaître.

— Très bien, dit-elle au bout d'un instant de réflexion. D'accord, allons-y ensemble. Pouvez-vous venir me chercher. Je suis transie. Et morte de peur.

— Où êtes-vous ? »

Elle parcourut les alentours du regard. Deux rues plus loin, les lumières des tours de l'hôpital semblaient palpiter dans l'obscurité balayée par le vent. « Je suis dans une cabine téléphonique. Je ne sais pas dans quelle rue. À quelques blocs à l'ouest de Bayside.

— Je vous trouverai.

— Docteur Tarasoff ?

— Oui ?

— S'il vous plaît, murmura-t-elle. Faites vite. »

24

Au moment où l'avion touchait le sol à Logan International, Vivian Chao sentit son anxiété monter d'un cran. Ce n'était pas le vol qui avait ébranlé ses nerfs. Vivian n'avait jamais peur en avion, elle pouvait dormir au milieu des pires turbulences. Non, ce qui l'inquiétait en cet instant, au moment où l'appareil s'arrêtait devant la passerelle de débarquement et qu'elle prenait son bagage à main dans le casier au-dessus de sa tête, c'était sa conversation téléphonique avec Abby. Le fait qu'elle ait été interrompue brusquement. Qu'Abby n'ait jamais rappelé.

Vivian avait essayé en vain de la joindre chez elle. Elle ignorait d'où Abby l'avait appelée. La ligne avait été coupée trop tôt pour qu'elle ait eu le temps de le lui demander.

Sa valise à la main, elle pénétra dans le terminal et eut un mouvement de surprise à la vue de la foule qui attendait à la sortie. Il y avait une forêt de ballons multicolores, des groupes d'adolescents brandissant des pancartes où on lisait : *Bienvenue, Dave* et *Bravo mon vieux !* et encore *Notre gloire locale !*

Qui que fût le dénommé Dave, il avait un public enthousiaste. Vivian entendit des cris, et se retourna à temps pour voir un jeune homme au large sourire apparaître derrière elle. La foule se porta en avant, engloutissant Vivian dans son ardeur à accueillir son héros local. Elle dut naviguer au milieu d'une mêlée de gosses hurlant et piaillant.

Des gosses, mon œil. Ils avaient tous une tête de plus qu'elle.

Il lui fallut une énergie de trois-quarts de rugby pour fendre la foule. Quand elle en émergea, elle poussait avec une telle force qu'elle faillit renverser un homme qui se tenait légèrement à l'extérieur de la cohue. Elle marmonna un rapide « pardon » et continua d'avancer.

Elle ne s'aperçut qu'ensuite de son absence totale de réaction.

Elle fit d'abord un arrêt aux toilettes. Cette anxiété avait un effet manifeste sur sa vessie. Elle ressortit peu après.

Ce fut alors qu'elle revit l'homme — celui qu'elle avait bousculé un instant auparavant. Il se tenait près de la boutique de cadeaux en face des toilettes des femmes. Il paraissait lire un journal. Elle le reconnut au col de son imperméable retourné à l'intérieur. Quand elle s'était cognée contre lui, c'était son col qui avait attiré son regard.

Elle continua à marcher vers la livraison des bagages.

Soudain, durant le trajet, en passant devant une succession de portes d'embarquement désertes, un déclic se fit dans son esprit. Pourquoi cet homme attendait-il à la sortie à moins d'avoir quelqu'un à accueillir ? Et s'il était venu chercher un passager, pourquoi était-il seul à présent ?

Elle s'arrêta dans un kiosque à journaux, prit au hasard un magazine, et l'apporta à la caisse. Alors que la caissière enregistrait son achat, Vivian jeta un coup d'œil rapide autour d'elle.

L'homme était posté près d'un comptoir de souscription d'assurance de voyage. Il paraissait lire la notice.

Bon, Chao, il te suit. Peut-être est-ce le coup de foudre. Peut-être a-t-il décidé au premier regard qu'il ne pouvait passer le reste de sa vie sans toi.

En payant son magazine, elle sentit son cœur battre plus vite. *Sois sérieuse. Pour quelle raison te suit-il ?*

La réponse était simple. Le coup de téléphone d'Abby. Si quelqu'un l'avait intercepté, ils savaient que Vivian arrivait à Logan par le vol de six heures en provenance de Burlington. Juste avant l'interruption de la communication, elle avait entendu un déclic sur la ligne.

Elle décida de traîner un peu dans le kiosque à journaux. Elle s'attarda au rayon des livres de poche, étudiant les couvertures, l'esprit en ébullition. L'homme n'était probablement pas armé ; sinon il n'aurait pu franchir le contrôle de la sécurité. Tant qu'elle restait dans cette zone, elle ne risquait rien.

Elle jeta prudemment un coup d'œil par-dessus le rayonnage.

L'homme avait disparu.

Elle sortit de la boutique et regarda autour d'elle. Il n'était nulle part en vue.

Tu es complètement idiote. Personne ne te suit.

Elle reprit sa marche et s'engagea dans l'escalier qui descendait vers l'arrivée des bagages.

Les valises du vol de Burlington venaient d'apparaître sur le tapis roulant. Elle repéra sa Samsonite rouge et s'apprêtait à la saisir lorsqu'elle aperçut à nouveau l'homme à l'imperméable. Il se tenait près de la sortie du terminal, et paraissait plongé dans son journal.

Elle détourna immédiatement les yeux, sentant son pouls s'accélérer. Il attendait de la voir récupérer sa valise, passer devant lui et sortir dans la nuit.

Sa Samsonite rouge fit un second tour sur le tapis roulant. Vivian prit sa respiration et se faufila dans la foule des passagers qui attendaient leurs bagages. Sa Samsonite repassa à nouveau devant elle. Elle ne la ramassa pas mais la suivit négligemment dans son lent circuit. Une fois à l'autre extrémité du tapis roulant, le toboggan lui masqua la vue de l'inconnu.

Lâchant son bagage à main, elle prit ses jambes à son cou.

Il y avait deux tapis roulants devant elle, l'un et l'autre arrêtés pour le moment. Elle les dépassa au pas de course et se précipita dehors par la porte du fond du hall.

Elle émergea dans la nuit venteuse. Un bruit retentit sur sa gauche. L'homme à l'imperméable venait de sortir par une autre porte. Un deuxième homme le suivait de près. Il désigna Vivian du doigt et aboya quelque chose dans une langue étrangère.

Vivian s'élança, volant littéralement sur le trottoir. Elle savait que les hommes étaient à sa poursuite ; elle entendit le fracas d'un chariot à bagages renversé et les cris furieux d'un porteur.

Pan ! Vivian sentit quelque chose lui effleurer les cheveux.

Une balle.

Son cœur battait à tout rompre, elle haletait dans l'air vicié par les gaz d'échappement des autocars.

Il y avait une porte devant elle. Elle piqua un sprint jusqu'à l'escalier roulant le plus proche. Il fonctionnait dans le sens de la descente. Elle le gravit quatre à quatre. En parvenant à l'étage supérieur, elle entendit un deuxième *pan*. Cette fois-ci, la douleur lui déchira la tempe et elle sentit un liquide chaud dégouliner le long de sa joue.

Le comptoir d'American Airlines était juste en face. Tous les employés étaient à leur poste, une file de clients serpentait devant eux.

Des pas martelaient l'escalier roulant derrière elle. Elle entendit un des hommes crier des mots inintelligibles.

Elle s'élança vers les guichets, fit un écart pour éviter un homme et son chariot, et sauta par-dessus le comptoir. Dans son élan, elle atterrit violemment sur le tapis d'enregistrement des bagages.

Quatre employés ahuris se retournèrent vers elle.

Elle se releva, les jambes flageolantes, jeta un coup d'œil prudent par-dessus le comptoir et ne vit que la foule qui la contemplait, l'air stupéfait. Ses poursuivants avaient disparu.

Vivian s'adressa aux employés pétrifiés devant elle. « Eh bien, qu'attendez-vous pour appeler la sécurité ? »

Sans un mot, une femme saisit un téléphone.

« Et tant que vous y êtes, dit Vivian, prévenez aussi la police. »

Une Mercedes de couleur sombre s'avança lentement sur la chaussée et s'arrêta à la hauteur de la cabine. Abby eut du mal à reconnaître le profil du conducteur dans la lumière des phares des voitures venant en sens inverse. C'était Tarasoff.

Elle courut jusqu'à la portière du passager et monta. « Dieu soit loué, vous voilà !

— Vous devez être gelée. Prenez mon manteau sur la banquette arrière.

— Je vous en prie, partons vite. »

Comme Tarasoff s'écartait du trottoir, elle se retourna pour voir s'ils étaient suivis. La route derrière eux était sombre et déserte.

« Voyez-vous une voiture ? demanda-t-il.

— Non. Je crois que tout va bien. »

Tarasoff laissa échapper un soupir saccadé. « Je ne suis pas très doué pour ce genre d'exercice. Je ne suis même pas amateur de films policiers.

— Vous vous débrouillez très bien. Conduisez-nous seulement au poste de police. Nous demanderons à Vivian de nous y rejoindre. »

Tarasoff regarda nerveusement dans le rétroviseur. « Je crois avoir vu une voiture.

—. Vraiment ? » Abby se retourna, mais ne vit rien.

« Je vais tourner ici. Nous verrons si elle nous suit.

— Allez-y. Je fais le guet. »

Ils s'engagèrent dans le virage. Abby resta le regard fixé sur la route derrière eux. Elle ne vit ni phares, ni voiture. En le voyant ralentir et s'arrêter, elle se retourna. « Que se passe-t-il ?

— Rien. » Tarasoff éteignit les phares.

« Mais, pourquoi... ? » Ses mots s'étranglèrent dans sa gorge.

Tarasoff venait de dégager la condamnation des portières.

Prise de panique, elle regarda sur sa droite au moment où sa portière s'ouvrait brusquement. Des mains la saisirent brutalement et elle se sentit tirée à l'extérieur dans la nuit. Ses cheveux tombaient sur ses yeux, l'empêchant d'y voir. Aveuglée, elle se débattit désespérément, sans parvenir à desserrer l'étreinte de ses ravisseurs. Ses mains furent ramenées derrière son dos, ses poignets liés, un sparadrap collé sur sa bouche. Puis on la souleva de terre pour la jeter dans la malle d'une voiture à proximité.

Le couvercle claqua, l'enfermant dans l'obscurité.

Ils démarrèrent.

Elle roula sur le dos et tapa des pieds au-dessus d'elle. Elle frappa et frappa le couvercle de la malle, jusqu'à en avoir les cuisses douloureuses, jusqu'à ne plus pouvoir lever les jambes. À quoi bon, de toute façon. Personne ne pouvait l'entendre.

Épuisée, elle se mit en boule sur le côté et se força à réfléchir.

Tarasoff ? Comment était-il mêlé à tout ça ?

Lentement le puzzle se mit en place, morceau après morceau. Enfermée dans l'obscurité suffocante, avec le grondement de la route sous elle, Abby peu à peu commença à comprendre. Tarasoff était le chef de l'une des équipes de transplantation cardiaque les plus célèbres de la Côte Est. Sa réputation attirait des patients venant des quatre coins de la planète, des patients dans un état désespéré qui avaient la possibilité de s'adresser au chirurgien de leur choix. Ils exigeaient le meilleur, et avaient les moyens de le payer.

Ce qu'ils ne pouvaient pas acheter, ce que le système ne leur permettrait jamais d'acheter, c'était l'élément indispensable pour continuer à vivre : des cœurs. Des cœurs humains.

Et c'était ce que l'équipe de Bayside pouvait leur fournir. Elle se rappela les paroles de Tarasoff : *« J'envoie constamment des patients à Bayside. »*

Il assurait la liaison avec Bayside. Il était leur intermédiaire.

Elle sentit la voiture qui freinait et prenait un virage. Les pneus roulèrent sur du gravier, puis s'arrêtèrent. Elle entendit un grondement lointain, le bruit bien particulier d'un avion en train de décoller. Abby sut exactement où ils se trouvaient.

Le couvercle de la malle s'ouvrit. Elle fut soulevée hors du coffre, se retrouva dehors, giflée par un vent chargé d'une odeur de mazout et de mer. La portant à moitié, ils la traînèrent de force sur la jetée, gravirent la passerelle d'embarquement. Ses cris étouffés par le bâillon se perdaient dans le fracas du jet. Elle eut à peine le temps de distinguer le pont du cargo qui bougeait dans l'obscurité, des ombres géométriques, puis on lui fit descendre un escalier qui résonnait et vibrait. Un palier, un second.

Une porte s'ouvrit avec un grincement, et elle fut poussée brutalement dans le noir. Ses mains toujours liées derrière son dos ne lui permirent pas d'amortir sa chute. Son menton heurta le plancher métallique ; sous le choc, un éclair aveuglant lui troua le crâne. Elle resta affalée par terre, trop commotionnée pour bouger, pour pousser même un gémissement.

D'autres pas résonnèrent dans l'escalier. Elle entendit vaguement la voix de Tarasoff. « Au moins n'aurons-nous pas tout perdu. Otez-lui son bâillon. Il ne manquerait plus qu'elle s'étouffe. »

Abby roula sur le dos et s'efforça de percer l'obscurité. Elle distinguait la silhouette de Tarasoff, debout dans l'ouverture de la porte faiblement éclairée. Elle eut un mouvement de recul quand l'un des hommes se baissa et arracha le sparadrap de sa bouche.

« Pourquoi ? » murmura-t-elle. C'était la seule question qui lui venait à l'esprit. « *Pourquoi ?* »

La silhouette haussa les épaules, comme si la question était hors de propos. Les deux autres individus sortirent de la pièce. Ils s'apprêtaient à l'enfermer.

« Est-ce pour l'argent ? cria-t-elle. Est-ce seulement pour ça ?

— L'argent n'a aucune importance, dit Tarasoff. S'il ne peut acheter ce dont vous avez besoin.

— Un cœur par exemple ?

— La vie de votre enfant, par exemple. Ou de votre

femme, de votre sœur ou de votre frère. Vous, mieux que personne, devriez le comprendre, docteur DiMatteo. Nous sommes tous au courant de ce qui est arrivé à votre petit Pete. Il n'avait que dix ans, n'est-ce pas ? Nous savons quelle tragédie ce fut pour vous. Que n'auriez-vous pas donné, docteur, pour sauver la vie de votre frère ? »

Elle ne répondit pas. Son silence trahissait sa pensée.

« N'auriez-vous pas donné n'importe quoi ? Fait n'importe quoi ? »

Oui, s'avoua-t-elle sans réfléchir. *Oui.*

Il continua. « Imaginez alors la douleur de voir son enfant mourir. D'avoir tout l'argent du monde et de savoir qu'il faut attendre que son tour arrive sur la liste. Derrière les alcooliques et les drogués. Et les handicapés mentaux. Et les assistés de la Sécurité sociale qui n'ont même pas travaillé une seule journée de leur vie. » Il se tut et répéta doucement : « Imaginez. »

La porte se referma. Le pêne grinça dans la serrure.

Elle se retrouva dans le noir absolu. Elle entendit les vibrations de l'escalier tandis que les trois hommes remontaient sur le pont, le bruit sourd de l'écoutille qui se refermait. Puis il n'y eut plus que le bruit du vent et les grincements de la coque du navire qui tirait sur ses amarres.

Imaginez.

Elle ferma les yeux et essaya de ne pas penser à Pete. Mais il était là devant elle, fièrement vêtu de son uniforme de louveteau. Elle se rappela ce qu'il avait déclaré le jour de ses cinq ans : qu'Abby était la seule fille qu'il avait envie d'épouser. Et sa déception en apprenant qu'il ne pouvait pas se marier avec sa sœur...

Qu'aurais-je fait pour te sauver ? Tout. N'importe quoi.

Dans l'obscurité, quelque chose remua.

Abby écouta. Elle entendit à nouveau un bruit, comme un léger froissement. *Des rats.*

Elle se tortilla, cherchant à se reculer, et parvint à se redresser sur ses genoux. Elle n'y voyait rien, se figurait des rongeurs gigantesques grouillant sur le plancher tout autour d'elle. Elle se mit péniblement debout.

Il y eut un petit *clic*.

Une lumière soudaine l'éblouit. Elle fit un bond en arrière. Une ampoule nue se balançait au plafond, heurtant doucement le cordon d'allumage.

Ce n'était pas un rat qu'elle avait entendu bouger dans le noir. C'était un petit garçon.

Ils se regardèrent fixement, sans prononcer un mot. Bien qu'il se tînt parfaitement tranquille, elle lut l'inquiétude dans ses yeux. Ses jambes, maigres et nues sous le short, étaient tendues, prêtes à prendre la fuite. Mais il n'y avait nulle part où aller.

Âgé d'une dizaine d'années, il était très pâle avec des cheveux très clairs, d'un blond presque argenté sous l'ampoule du plafond. Elle remarqua une marque bleuâtre sur sa joue, et comprit avec un sentiment d'indignation que la marque n'était pas due à la saleté mais à une ecchymose. Ses yeux enfoncés dans leurs orbites ressemblaient à deux blessures dans son visage.

Elle fit un pas vers lui, le vit reculer immédiatement. « Je ne vais pas te faire de mal, dit-elle. Je veux seulement te parler. »

Un pli apparut sur son front. Il secoua la tête.

« Je te le promets. Je ne te ferai pas de mal. »

L'enfant dit quelques mots, mais elle ne put en saisir le sens. Ce fut son tour de plisser le front et de secouer la tête.

Ils se regardèrent mutuellement, décontenancés.

Soudain ils levèrent les yeux ensemble. Les machines du navire s'étaient ébranlées.

Abby se raidit en entendant le raclement de la chaîne, les sifflements du treuil hydraulique. Quelques minutes plus tard, elle sentit le balancement de la coque qui fendait l'eau. Ils avaient quitté la jetée et s'étaient mis en route.

Même si j'arrive à me dégager de ces liens, à m'échapper de cette pièce, je n'aurai nulle part où m'enfuir.

Désespérée, elle regarda l'enfant.

Il ne prêtait plus attention au bruit des machines. Son regard s'était porté sur la taille d'Abby. Lentement, il tourna autour d'elle, examinant ses poignets attachés et maintenus dans son dos. Il baissa les yeux sur son propre bras et Abby s'aperçut seulement alors qu'il n'avait plus de main gauche et que son avant-bras n'était qu'un moignon. Il l'avait tenu près de son corps jusque-là, dissimulant sa difformité. Maintenant, il semblait perplexe.

Il la regarda, lui parla à nouveau.

« Je ne comprends pas ce que tu dis. »

Il répéta, avec une certaine impatience dans la voix. Pourquoi ne le comprenait-elle pas ? Elle était sourde ou quoi !

Elle se borna à secouer la tête.

Ils se dévisagèrent, aussi frustrés l'un que l'autre. Puis le garçon pointa le menton. Elle comprit qu'il venait de prendre une décision. Il alla se placer derrière son dos et tira sur ses poignets, cherchant à détacher ses liens de sa main unique. Mais les nœuds étaient trop serrés. Il s'agenouilla sur le sol à côté d'elle et elle sentit ses dents l'effleurer, la chaleur de son haleine contre sa peau. À la lueur de l'ampoule qui se balançait régulièrement au-dessus de leurs têtes, il commença à ronger la corde, comme une petite souris, une souris obstinée.

« Je regrette mais les heures de visite sont terminées, dit l'infirmière. Vous ne pouvez pas entrer. Arrêtez ! »

Katzka et Vivian passèrent d'un pas déterminé devant le PC des infirmières et poussèrent la porte de la chambre six cent vingt et un. « Où est Abby ? » demanda Katzka.

Le docteur Colin Wettig se tourna vers eux. « Le docteur DiMatteo a disparu.

— Vous m'avez dit qu'elle était sous surveillance, dit Katzka. Vous m'avez assuré que rien ne pouvait lui arriver.

— Elle était en effet sous surveillance. Personne n'est entré ici sans mon autorisation.

— Alors, que lui est-il arrivé ?

— C'est une question qu'il faudra poser au docteur DiMatteo en personne. »

Ce fut le ton neutre de Wettig qui mit Katzka en rage. Son ton et son regard impassibles. Voilà un homme qui ne laissait rien transparaître, un homme qui contrôlait chacun de ses mouvements. Fixant le visage indéchiffrable du chirurgien, Katzka se reconnut lui-même, et cette brusque révélation l'effraya.

« Elle était placée sous votre responsabilité, docteur. Qu'est-ce que vous en avez fait ?

— Je n'aime pas vos insinuations. »

Katzka traversa la pièce, saisit Wettig par les revers de sa blouse et le poussa violemment contre le mur. « *Nom de Dieu ! Où l'avez-vous emmenée ?* »

Un éclair d'effroi passa enfin dans les yeux bleus de Wettig. « Je viens de vous le dire, j'ignore où elle est ! Les infirmières m'ont appelé à six heures et demie pour m'annoncer qu'elle n'était plus dans sa chambre. Nous avons alerté la sécurité. Ils ont déjà fouillé l'hôpital, sans rien trouver.

— Vous savez où elle est, n'est-ce pas ? »

Wettig secoua la tête.

« *N'est-ce pas ?* » Katzka le poussa plus violemment.

« Je n'en sais rien », souffla Wettig, suffoquant presque.

Vivian fit un pas en avant et tenta de les séparer. « Arrêtez ! Vous l'étranglez ! Katzka, lâchez-le ! »

Katzka relâcha brusquement Wettig qui chancela, faillit tomber en arrière et se retint au mur, le souffle court. « J'ai cru, en raison de son état obsessionnel, qu'elle serait plus en sécurité à l'hôpital. » Il se redressa et se frotta le cou où apparaissait une marque rouge sous le col de sa blouse. Katzka fixa la meurtrissure, stupéfait par la preuve de la violence qui l'habitait.

« Je n'ai pas cru qu'elle pouvait dire la vérité », dit Wettig. Il tira une fiche de la poche de sa blouse et la tendit à Vivian. « Les infirmières viennent de me la communiquer. »

« Qu'est-ce que c'est ? » demanda Katzka.

Vivian fronça les sourcils. « Le taux d'alcoolémie d'Abby. Il est négatif. »

« J'ai fait faire un nouveau prélèvement cet après-midi et je l'ai envoyé à un laboratoire indépendant, expliqua Wettig. Abby persistait à affirmer qu'elle n'avait pas bu une goutte. J'ai pensé qu'en la confrontant à une évidence indiscutable, je pourrais lui faire renoncer à son attitude...

— Ce sont les résultats d'un laboratoire extérieur ? »

Wettig hocha la tête. « Totalement indépendant de Bayside.

— Vous m'aviez dit que le taux était de deux grammes dix.

— C'était ce qu'indiquaient les analyses effectuées à quatre heures du matin par notre labo. »

Vivian dit : « La demi-vie de l'alcool dans le sang est comprise entre deux et quatorze heures. Si le taux était aussi élevé à quatre heures du matin, ces dernières analyses devraient au minimum indiquer des traces résiduelles.

— Mais il n'y a pas d'alcool dans son système, dit Katzka.

— Ce qui signifie deux choses : soit son foie est capable de métaboliser l'alcool à une vitesse étonnante, dit Wettig, soit Bayside a fait une erreur.

— Vous appelez ça une erreur ? » dit Katzka.

Wettig ne répondit pas. Il avait l'air vanné. Et très vieux. Il s'assit sur le lit défait. « Je ne croyais pas... Je ne voulais pas considérer la possibilité...

— Qu'Abby dise la vérité ? » répondit Vivian à sa place.

Wettig hocha la tête. « Mon Dieu, murmura-t-il. Il

faudrait fermer cet hôpital immédiatement. Si elle dit vrai. »

Katzka croisa le regard de Vivian.

Elle dit doucement : « Avez-vous encore des doutes désormais ? »

Le garçon dormait depuis des heures dans ses bras, son souffle tiède comme un doux murmure contre son cou. Il était complètement détendu, les bras et les jambes pendants, comme le sont les enfants quand ils dorment d'un sommeil confiant et profond. Au début, il s'était mis à trembler au moment où elle l'avait pris contre elle. Elle avait frictionné ses jambes nues et froides. Puis ses tremblements avaient cessé, sa respiration s'était calmée et elle avait senti une bouffée de chaleur l'envahir quand il s'était finalement endormi.

Elle aussi avait somnolé pendant quelque temps.

Le vent soufflait plus fort lorsqu'elle se réveilla. Elle le sentait dans les grincements de la coque. Au-dessus d'eux, l'ampoule nue continuait son va-et-vient.

Le petit garçon gémit et remua. Il y avait quelque chose d'émouvant dans l'odeur des jeunes garçons, pensa-t-elle, quelque chose qui évoquait l'été et l'herbe chaude, un parfum de jeune corps androgyne. Elle se souvint de son frère Pete, endormi contre son épaule sur le siège arrière de la voiture familiale. Pendant des kilomètres, tandis que leur père conduisait, Abby avait senti le battement de son cœur. Tout comme elle sentait aujourd'hui le cœur de ce garçon battre régulièrement dans sa poitrine.

Il poussa une légère plainte et se réveilla avec un frisson. Il leva les yeux vers elle, parut peu à peu la reconnaître.

« Ah-bee », murmura-t-il.

Elle acquiesça d'un signe de tête. « C'est ça. Abby. Tu t'en es souvenu. » Souriant, elle caressa son visage, suivit du doigt l'ecchymose sur sa joue. « Et toi tu es... Yakov. »

Il hocha la tête.

Ils sourirent tous les deux.

Dehors, le vent grondait et Abby sentit le plancher osciller. Des ombres balayaient le visage de l'enfant. Il l'étudiait d'un regard avide.

« Yakov », répéta-t-elle. Elle effleura d'un baiser un sourcil blond. Lorsqu'elle releva la tête, elle avait les lèvres humides. Non pas à cause des larmes du garçon, mais des siennes. Elle se détourna pour les essuyer et s'aperçut qu'il la contemplait avec la même extase muette.

« Je suis là », murmura-t-elle, passant tendrement ses doigts dans ses cheveux.

Les paupières de l'enfant se refermèrent et son corps à nouveau s'abandonna mollement au sommeil.

« Voilà pour le mandat de perquisition », dit Lundquist, flanquant un coup de pied dans la porte. Elle s'ouvrit brusquement et alla heurter le mur. Il s'avança avec prudence dans la pièce et s'immobilisa. « Où sommes-nous, bordel ? »

Katzka abaissa l'interrupteur mural.

Les deux hommes clignèrent des yeux dans la lumière. Elle tombait avec une intensité aveuglante de trois plafonniers. Toutes les surfaces brillaient et miroitaient autour d'eux. Des armoires d'acier poli. Des bacs remplis d'instruments, des potences de perfusion. Des moniteurs hérissés de boutons.

Au centre se dressait une table d'opération.

Katzka s'approcha de la table et contempla les courroies qui pendaient de chaque côté. Deux pour les poignets, deux pour les chevilles, deux plus longues pour la poitrine et la taille.

Son regard alla vers le chariot d'anesthésie placé à la tête de la table. Il s'en approcha et ouvrit le tiroir du haut. À l'intérieur étaient rangées des seringues et des aiguilles avec leurs bouchons de plastique.

« Qu'est-ce que tout ça fait ici ? » dit Lundquist.

Katzka referma le tiroir et ouvrit le suivant. Il contenait des petits flacons. Il en prit un. Du chlorure de potassium. Il était à moitié vide. « Ce matériel a déjà servi », dit-il.

« C'est dingue. Quel genre de chirurgie pratiquent-ils ici ? »

Katzka examina encore la table. Les courroies. Soudain il revit Abby, les poignets attachés sur le lit, les larmes coulant le long de ses joues. Le souvenir était si douloureux qu'il secoua la tête pour le repousser. L'inquiétude l'empêchait de réfléchir. Et il avait besoin de réfléchir s'il voulait l'aider. S'il voulait la sauver. Dans un sursaut, il s'écarta de la table.

« Slug ? » Lundquist le regardait d'un air surpris. « Ça va ?

— Ça va. » Katzka fit demi-tour et se dirigea vers la porte. « Tout va bien. »

Dehors, le vent soufflait par rafales. Il s'arrêta sur le trottoir et examina la façade d'Amity. De la rue, on ne remarquait rien d'insolite. Un bâtiment délabré parmi d'autres dans une rue décrépite. Une construction de pierre brune, des fenêtres d'où saillaient les appareils à air conditionné. En y pénétrant la veille, il n'avait vu que ce qu'il s'attendait à voir. Ce qu'il était censé y trouver. Une salle d'exposition minable, des bureaux en piètre état chargés de piles de catalogues. Quelques vendeurs apathiques qui parlaient nonchalamment au téléphone. Il n'avait pas visité le dernier étage. Comment imaginer que l'ascenseur le mènerait à ce genre de pièce ?

Qu'il y découvrirait cette table avec ses courroies.

Moins d'une heure avant, Lundquist avait découvert qu'Amity était contrôlée par la Sigayev Company — la même société du New Jersey propriétaire du cargo. La piste de la mafia russe une fois de plus. Était-elle impliquée dans Bayside ? Ou les Russes étaient-ils simplement en relation avec quelqu'un de l'hôpital ? Un associé, peut-être, dans le marché noir des fournitures.

Le bip de Lundquist sonna. Il regarda l'écran et

attrapa son téléphone portable à l'intérieur de la voiture.

Katzka resta posté devant le bâtiment, l'esprit occupé par Abby, se demandant où la chercher. Toutes les chambres de l'hôpital avaient été fouillées. Ainsi que le parking et les abords immédiats. Il semblait qu'elle eût quitté l'hôpital de son plein gré. Où s'était-elle rendue ? Qui avait-elle appelé ? Certainement quelqu'un en qui elle avait confiance.

« Slug ! »

Katzka se tourna et vit Lundquist agiter le téléphone dans sa direction. « Qui est en ligne ?

— Les gardes-côtes. Ils ont un hélicoptère qui nous attend. »

Des pas retentirent avec un son métallique dans l'escalier.

Abby redressa brusquement la tête. Yakov dormait profondément, plongé dans l'inconscience. Elle avait le cœur qui battait si fort qu'elle craignit de le réveiller, mais il ne bougea pas.

La porte s'ouvrit brusquement sur Tarasoff, encadré par deux hommes. « C'est le moment d'y aller, dit-il.

— Où ?

— À quelques pas d'ici. » Tarasoff jeta un coup d'œil à Yakov. « Réveillez-le. Il vient avec nous. »

Abby serra Yakov plus étroitement contre elle. « Pas l'enfant, dit-elle.

— Surtout l'enfant. »

Elle secoua la tête. « Pourquoi ?

— Il est AB positif. Le seul AB que nous ayons en stock à ce jour. »

Elle regarda Tarasoff. Puis baissa les yeux sur Yakov, sur son visage rosi par le sommeil. Elle entendait les battements de son cœur à travers sa maigre poitrine. *Nina Voss,* pensa-t-elle. *Nina Voss est AB positive.*

Un des hommes la saisit par le poignet et la força à se lever. Ses bras laissèrent échapper le garçon qui roula sur le sol où il resta désorienté, clignant des yeux. L'autre homme poussa violemment Yakov du pied et cria un ordre en russe.

Encore endormi, l'enfant se remit péniblement debout.

Tarasoff conduisit la marche. Ils longèrent un couloir obscur, franchirent un panneau fermé au verrou, grimpèrent un escalier et passèrent un deuxième panneau, qui débouchait sur une passerelle métallique. À son extrémité se trouvait une porte bleue. Tarasoff se dirigea vers elle, la passerelle résonnant sous ses pas.

Soudain, le garçon refusa d'avancer. Il leur échappa et se mit à courir en sens inverse. L'un des hommes le rattrapa par sa chemise. Yakov pivota sur lui-même et enfonça ses dents dans la main de son poursuivant. Hurlant de douleur, l'homme le frappa au visage. Le coup fut si brutal qu'il envoya Yakov valdinguer.

« Arrêtez ! » hurla Abby.

L'enfant trébucha vers Abby, qui le souleva dans ses bras tandis qu'il s'accrochait à elle, sanglotant sur son épaule. L'homme s'avança dans leur direction, prêt à les séparer.

« Ne posez pas vos sales pattes sur lui ! » hurla-t-elle.

Yakov tremblait, murmurait des mots incompréhensibles. Elle posa ses lèvres sur ses cheveux et murmura : « Chéri, je suis avec toi. Je suis là. »

Il leva la tête. Et elle vit dans ses yeux remplis d'effroi qu'il savait ce qui les attendait.

On la poussa en avant, la forçant à traverser la passerelle, à franchir la porte bleue.

Ils se retrouvèrent dans un univers différent.

Au-delà de la porte, le couloir était lambrissé de bois clair, le sol recouvert de linoléum blanc. Une lumière diffuse baignait l'atmosphère. Ils passèrent devant un escalier métallique en colimaçon, puis le couloir fit un coude. Au bout s'ouvrait une large porte.

Yakov tremblait de plus en plus fort. Et devenait lourd. Elle le posa par terre et prit son visage dans ses mains. Pendant une seconde leurs yeux se rencontrèrent, et ce qu'ils n'avaient pu se dire avec des mots passa dans cet unique regard. Elle s'empara de sa main et la pressa. Ensemble ils se dirigèrent vers la porte. Un homme les précédait, l'autre fermait la marche. Tarasoff marchait devant. Au moment où il déverrouillait la porte, Abby porta tout son poids en avant, chaque muscle tendu, prête à l'action suivante. Elle avait déjà lâché la main de Yakov.

Tarasoff poussa la porte qui pivota sur ses gonds, s'ouvrit en grand sur une pièce entièrement blanche.

Abby plongea. Son épaule heurta l'homme qui la précédait, le projetant contre Tarasoff qui trébucha en travers du seuil et atterrit sur les genoux.

« Salauds », hurla-t-elle, les frappant à coups de poing. *« Espèces d'ordures ! »*

L'homme derrière elle voulut lui saisir les bras. Elle se retourna et lui décocha un coup qui l'atteignit au visage avec un bruit mat assez satisfaisant. Elle vit confusément quelque chose passer comme un éclair. C'était Yakov qui s'élançait et disparaissait à l'angle du couloir. L'homme qu'elle avait fait trébucher s'était relevé, et s'approchait d'elle par-derrière. Aidé de son acolyte, il la souleva du sol. Elle continua à se débattre et à leur donner des coups pendant qu'ils la portaient jusqu'à l'intérieur de la pièce blanche.

« Essayez de la maîtriser ! dit Tarasoff.

— Le gosse...

— Laissez tomber pour l'instant ! Il n'ira pas bien loin. Mettez-la sur la table !

— Pas moyen de la faire tenir tranquille !

— *Fumiers ! »* hurla Abby, dégageant une de ses jambes.

Elle entendit Tarasoff fouiller dans un tiroir. Il ordonna : « Tenez-lui le bras ! Il faut que je puisse atteindre son bras ! »

Il s'approcha, une seringue à la main. Abby poussa un cri au moment où l'aiguille s'enfonça. Elle chercha désespérément à se libérer, continua à se débattre, mais ses membres peu à peu ne lui obéirent plus. Elle y voyait mal. Ses paupières se refermaient malgré ses efforts pour les garder ouvertes. Sa voix n'était plus qu'un soupir. Elle voulut crier, mais n'en trouva pas la force.

Que m'arrive-t-il ? Pourquoi ne puis-je pas bouger ?

« Amenez-la dans l'autre pièce ! dit Tarasoff. Il faut l'intuber tout de suite si nous ne voulons pas la perdre. »

Les hommes la portèrent dans la pièce voisine et la déposèrent sur une table. Des lampes s'allumèrent au plafond, d'un éclat aveuglant. Bien que totalement éveillée, pleinement consciente, elle était incapable de bouger un muscle. Mais elle était sensible au moindre mouvement autour d'elle. Les sangles que l'on bouclait autour de ses poignets et de ses chevilles. La pression des mains de Tarasoff sur son front, lui ramenant la tête en arrière. La lame glacée du laryngoscope qui pénétrait dans sa gorge. Son cri d'horreur dont le seul écho résonna dans sa tête, puisqu'elle ne pouvait émettre aucun son. Elle sentit la canule se faufiler dans sa gorge, l'étouffant au moment où elle atteignit la trachée. Elle ne pouvait pas détourner la tête, ni même lutter pour respirer. Le tube était collé par du sparadrap à son visage et relié à un respirateur manuel. Tarasoff pressa le masque et la poitrine d'Abby s'éleva et s'abaissa à trois reprises, trois respirations salvatrices. Il retira alors le masque et relia le tube à un ventilateur. La machine se mit en marche, insufflant de l'air dans ses poumons à intervalles réguliers.

« Maintenant allez chercher le gosse ! commanda sèchement Tarasoff. Non, pas tous les deux. J'ai besoin de quelqu'un pour m'aider. »

L'un des hommes quitta la pièce. L'autre se rapprocha de la table.

« Attachez la sangle de poitrine, dit Tarasoff. L'effet de la Succinylcholine va disparaître dans une minute ou deux. Pas question de la laisser se débattre comme une damnée pendant que je commence la perfusion. »

De la Succinylcholine. C'était ainsi qu'Aaron était mort. Dans l'impossibilité de se défendre. Dans l'impossibilité de respirer.

L'effet de la drogue commençait déjà à s'atténuer. Abby sentait les muscles de sa poitrine se contracter en réaction à ce maudit tube. Et elle pouvait ouvrir les paupières à présent, voir le visage de l'homme penché sur elle. Il découpait ses vêtements, un éclair d'intérêt traversant son regard au moment où il dénudait ses seins, puis son ventre.

Tarasoff fixa la perfusion dans son bras. Au moment où il se redressait, il croisa les yeux d'Abby et lut la question qu'ils contenaient.

« Un foie sain, dit-il, ne se rencontre pas tous les jours. Il y a un gentleman dans le Connecticut qui attend un donneur depuis plus d'un an. » Tarasoff s'empara d'un second sac de perfusion et l'accrocha à la potence. Puis il reporta son regard vers elle. « Il a été ravi d'apprendre que nous avions enfin trouvé un organe compatible. »

Tout ce sang qu'on m'a prélevé au service des urgences, se souvint-elle. *Ils l'ont utilisé pour le typage sérologique.*

Il continua à s'affairer, reliant le second sac au tube, remplissant les seringues. Elle ne pouvait que rester muette en le regardant pendant que le respirateur insufflait l'air dans ses poumons. Ses fonctions musculaires commençaient à renaître. Déjà elle pouvait remuer les doigts, bouger les épaules. Une goutte de sueur roula le long de sa tempe. Elle transpirait, s'efforçant désespérément de bouger. De retrouver le contrôle de son corps. Au mur, une horloge marquait onze heures et quart.

Tarasoff avait fini de disposer les seringues sur le plateau. Il entendit la porte s'ouvrir et se refermer, et se tourna dans sa direction. « Le gosse s'est enfui, dit-il. Ils sont toujours à sa recherche. Nous allons d'abord prélever le foie. »

Des pas s'approchèrent de la table. Un autre visage apparut, et se pencha sur Abby.

Si souvent elle avait contemplé ce visage à travers la table l'opération. Si souvent elle avait vu ces yeux lui sourire par-dessus le masque chirurgical. Ils ne souriaient pas à présent.

« *Non* », sanglota-t-elle, mais seul jaillit de sa bouche le faible souffle de l'air dans la canule. « *Non...* »

C'était Mark.

25

Gregor savait que la seule issue à l'arrière du bateau était la porte bleue, et elle était fermée à clé. Le gosse avait dû emprunter l'escalier en colimaçon.

Il jeta un coup d'œil vers le haut des marches, mais ne vit que des ombres incurvées. Il commença à gravir le léger escalier dont les marches ployaient sous ses pas. Son bras était encore endolori à l'endroit où le gamin l'avait mordu. Le petit salaud. Dès le départ, ce môme ne lui avait causé que des ennuis.

Il atteignit l'étage supérieur et s'engagea sur le palier, recouvert d'un épais tapis. Il se trouvait maintenant dans les appartements du chirurgien et de son assistant. À l'arrière il y avait deux cabines avec une douche et des toilettes communes. Dans la partie avant, un salon confortable. Le seul moyen de sortir d'ici était de rebrousser chemin par l'escalier. Le gosse était pris au piège.

Gregor se dirigea d'abord vers l'arrière.

La première cabine dans laquelle il pénétra était celle du chirurgien mort. Elle empestait le tabac. Il alluma l'électricité et vit un lit défait, un placard ouvert, un bureau avec un cendrier débordant de mégots. Il se dirigea vers le placard. À l'intérieur, il y avait des vêtements qui puaient la fumée, une bouteille vide de vodka, et une pile de magazines pornos. Aucune trace de l'enfant.

Gregor fouilla ensuite la cabine de l'assistant. Elle était beaucoup mieux rangée, le lit fait, les vêtements rangés dans la penderie, repassés. Pas de trace du garçon là non plus.

Il regarda dans les toilettes, puis se dirigea vers le salon. Avant de l'avoir atteint, il entendit un bruit. Une plainte étouffée.

Il se précipita et alluma la lumière. Rapidement son regard balaya la pièce, enregistrant au passage le divan, la table et les chaises, le poste de télévision avec sa pile de cassettes. Où était ce diable de marmot ? Il fit le tour du salon, puis s'arrêta, l'œil fixé sur le mur en face de lui.

Le monte-plat.

Il y courut et ouvrit brutalement les portes. Il ne vit que des câbles. Il appuya d'un coup sec sur le bouton de la montée, et les câbles se mirent en branle, hissant leur charge avec un grincement. Gregor se pencha, prêt à s'emparer du garçon.

Au lieu de quoi, il se trouva devant le monte-plat vide.

Le gosse s'était déjà enfui dans la cuisine.

Gregor repartit en direction de l'escalier. Il n'était pas inquiet. La cuisine était fermée à cette heure. Gregor avait pris l'habitude de la cadenasser tous les soirs, après s'être aperçu que l'équipage subtilisait des vivres dans la réserve. Cette fois, l'enfant était pris dans la nasse.

Il poussa la porte bleue et s'engagea sur la passerelle.

« Je regrette, Abby, disait Mark, je n'ai jamais imaginé que les choses iraient si loin. »

Pitié, pensait-elle. *Pitié, ne fais pas ça.*

« S'il y avait un autre moyen... » Il secoua la tête. « Tu as été trop loin. Ensuite, je n'ai pas pu t'arrêter. Je n'ai pas pu te faire entendre raison. »

Elle sentit une larme rouler sur sa tempe, se perdre dans ses cheveux. Un instant, elle vit une lueur de souffrance passer sur son visage. Il se détourna.

« Il est temps, dit Tarasoff. À vous l'honneur. » Il tendit une seringue à Mark. « Pentobarb. Nous voulons nous comporter humainement, n'est-ce pas ? »

Mark hésita. Puis il saisit la seringue et se tourna vers la potence de la perfusion. Il ôta le bouchon de l'aiguille et la planta dans la chambre d'injection. À nouveau il eut un instant d'hésitation, regarda Abby.

Je t'aimais, pensa-t-elle. *Je t'aimais tant.*

Il appuya sur le piston.

Les lumières faiblirent. Elle vit son visage vaciller, puis s'effacer dans une nappe grise de plus en plus sombre.

Je t'aimais...

Je t'aimais...

La porte de la cuisine était fermée à clé.

Yakov eut beau tirer sur la poignée, il ne put l'ouvrir. Que faire maintenant ? Le monte-plat à nouveau ? Il y courut, appuya sur le bouton. En vain.

Affolé, il regarda autour de lui dans la cuisine, considérant l'une après l'autre les cachettes possibles. L'office. Les placards. L'armoire réfrigérante. Toutes n'offraient que des refuges temporaires. Ses poursuivants fouilleraient la pièce de fond en comble et finiraient par le trouver.

Il devait leur compliquer la tâche.

Il leva les yeux vers les lumières du plafond. Des ampoules nues brillaient au-dessus de sa tête. Il se précipita vers le placard et y prit une grosse tasse en faïence. Il la lança contre l'ampoule la plus proche de lui.

Le bulbe vola en éclats et s'éteignit.

Il alla chercher d'autres tasses. Trois essais et la seconde ampoule se brisa.

Il s'apprêtait à viser la dernière ampoule lorsque son regard tomba sur la radio du cuisinier. Elle occupait sa place habituelle sur le dessus du placard. Il suivit des yeux le fil électrique qui descendait jusqu'au comptoir où trônait le grille-pain.

Yakov examina le dessus du fourneau et repéra une casserole vide. Il la retira du brûleur, la porta sur l'évier et ouvrit le robinet.

La radio marchait à plein volume.

Gregor ouvrit d'un coup sec la porte de la cuisine et entra dans la pièce. Une musique tonitruante emplissait l'obscurité. Batterie et guitares électriques. Il tâtonna pour trouver l'interrupteur sur le mur et l'abaissa. Pas de lumière. Il recommença à plusieurs reprises sans plus de résultat. Il avança d'un pas et sa semelle de cuir broya des éclats de verre.

Le petit salaud a cassé les ampoules. Il va essayer de me filer entre les doigts dans le noir.

Gregor referma la porte. À la flamme d'une allumette, il inséra la clé dans la serrure et tourna le verrou. Bon. Il ne risquait plus de lui échapper. L'allumette s'éteignit.

Il fit face à l'obscurité. « Viens, petit ! cria-t-il. Il ne t'arrivera rien ! »

Les hurlements de la radio étouffaient tous les autres bruits. Il se déplaça en direction du son, et craqua une seconde allumette. La radio était sur le dessus du placard, droit devant lui. En arrêtant la musique, il aperçut le couteau à découper posé sur le comptoir. À côté, des bouts de cordon de caoutchouc.

Il a déniché les couteaux du cuisinier.

L'allumette vacilla.

Gregor sortit son revolver et appela : « Petit ! »

Il s'aperçut alors qu'il avait les pieds mouillés.

Il alluma une troisième allumette et baissa les yeux. Il se tenait dans une flaque d'eau. Les semelles de cuir de ses souliers étaient déjà trempées, sans doute définitivement foutues. D'où venait cette flotte ? À la lueur de la flamme vacillante, il inspecta le sol autour de ses pieds et constata que l'eau recouvrait la moitié de la surface du plancher. Il aperçut alors la rallonge électrique, dont l'extrémité était coupée, un fil dénudé brillant au bord de la flaque d'eau. Stupéfait, il suivit du regard la rallonge qui serpentait sur le sol et grimpait le long d'une chaise.

Une seconde avant que l'allumette ne s'éteigne, la dernière image enregistrée par Gregor fut un vague reflet de cheveux blonds et une silhouette enfantine, le bras tendu vers la prise murale.

L'extrémité du fil électrique pendait dans sa main.

Tarasoff lui présentait le scalpel. « À vous de faire la première incision, dit-il, et il vit l'expression de désarroi dans les yeux de son confrère. *Vous n'avez pas le choix, Hodell,* pensa-t-il. *C'est vous qui avez voulu la faire entrer dans l'équipe. C'est vous qui êtes responsable de l'erreur. À vous désormais de la corriger.*

Hodell prit le scalpel. Ils n'avaient pas commencé à opérer et déjà la sueur perlait à son front. Il s'immobilisa, la lame en suspens au-dessus de l'abdomen découvert. Ils savaient l'un comme l'autre que c'était un test — peut-être le test ultime.

Vas-y. Archer a rempli son rôle en se débarrassant de Mary Allen. Tout comme Zwick avec Aaron Levi. Maintenant, c'est ton tour. Montre que tu fais toujours partie de l'équipe, que tu es l'un des nôtres. Allez, ouvre cette femme à qui tu faisais l'amour.

Vas-y.

Mark changea la position du scalpel, comme s'il cherchait à l'assurer dans sa main. Puis il respira à fond et pressa la lame contre la peau.

Allez.

Mark incisa. Une longue entaille incurvée. La peau

s'écarta, un trait sanglant apparut et commença à couler sur les champs.

Tarasoff se détendit. Hodell ne poserait pas de problème. En réalité, il avait dépassé le point de non-retour voilà déjà longtemps, lorsqu'il était stagiaire. Une nuit un peu trop arrosée, quelques lignes de cocaïne. Le lendemain matin, dans un lit inconnu, une jolie étudiante infirmière morte étranglée sur l'oreiller à côté de lui. Et Hodell incapable de retrouver le moindre souvenir. Des arguments très convaincants.

Et l'argent pour consolider le tout.

La carotte et le bâton. Cela marchait quasiment à tous les coups. Cela avait marché pour Archer et Zwick, et pour Mohandas. Et pour Aaron Levi également — pendant un temps. Leur confrérie était fermée et gardait jalousement ses secrets. Et ses profits. Personne à Bayside, ni Colin Wettig, ni même Jeremiah Parr, ne pouvait soupçonner l'étendue des sommes qui avaient changé de mains. Assez d'argent pour acheter les meilleurs médecins, la meilleure équipe — l'équipe créée par Tarasoff. Les Russes se bornaient à fournir la matière première et, si nécessaire, la force brutale. En salle d'op', ils formaient l'équipe qui accomplissait des miracles.

L'argent n'avait pas suffi à garder Aaron Levi parmi eux. Mais Hodell était toujours l'un des leurs. Il en donnait la preuve à l'instant même, avec chaque mouvement de son scalpel.

Tarasoff l'assistait, mettait en place les écarteurs, clampait les vaisseaux. C'était un plaisir de travailler sur des tissus aussi jeunes et sains. Cette femme était en excellente condition. Très peu de graisse sous-cutanée et des muscles abdominaux plats et tendus — si tendus que leur assistant, au bout de la table, devait injecter davantage de Succinylcholine pour faciliter la rétraction.

La lame pénétra la couche musculaire. Ils avaient atteint la cavité abdominale à présent. Tarasoff écarta davantage. Sous le voile du tissu péritonéal brillaient le foie et les boucles du petit intestin. Tous tellement sains, tellement sains ! Le corps humain était un spectacle admirable.

Soudain la lumière vacilla.

« Que se passe-t-il ? » demanda Hodell.

Ils levèrent les yeux vers le plafond. Les lampes avaient retrouvé leur pleine intensité.

« Une simple interruption, dit Tarasoff. J'entends toujours le générateur.

— L'installation est un peu juste. Le bateau qui tangue. L'électricité qui lâche...

— C'est un arrangement temporaire. Jusqu'à ce que nous trouvions un autre endroit en remplacement d'Amity. »

Hodell leva son scalpel. Sa formation était celle d'un chirurgien thoracique ; il avait rarement effectué la résection d'un foie. Peut-être avait-il besoin d'indications supplémentaires.

À moins que la réalité de son acte ne commence à lui apparaître.

« Un problème ? demanda Tarasoff.

— Non. » Hodell déglutit avec effort. Il se remit à inciser, mais sa main tremblait. Il leva à nouveau le scalpel et aspira une longue bouffée d'air.

« Le temps nous est compté, docteur Hodell. Il y a encore un autre prélèvement à effectuer.

— C'est seulement... Ne fait-il pas un peu trop chaud ?

— Je n'ai rien remarqué. Continuez. »

Hodell baissa la tête. Empoignant fermement sa lame, il s'apprêtait à faire une autre incision quand il s'immobilisa.

Tarasoff entendit le bruit en même temps que lui — le soupir de la porte qui se refermait doucement.

Mark, le regard fixé droit devant lui, leva son scalpel.

Le coup l'atteignit en plein visage. Sa tête bascula en arrière. Du sang et des fragments d'os se répandirent sur la table d'opération.

Tarasoff pivota sur lui-même et regarda vers la porte, aperçut des cheveux blonds, le visage pâle d'un enfant.

Il y eut une deuxième détonation.

Le coup se perdit, la balle alla fracasser la porte vitrée d'un placard. Les éclats s'éparpillèrent sur le sol.

L'anesthésiste se jeta derrière le ventilateur, cherchant à se mettre à l'abri.

Tarasoff recula, sans quitter le revolver du regard. C'était celui de Gregor, assez petit et léger pour une main d'enfant. Mais cette main tremblait trop fort à présent pour viser juste. *Ce n'est qu'un enfant,* pensa Tarasoff. Un enfant terrifié qui pointait l'arme alternativement sur lui et sur l'anesthésiste.

Il jeta un regard de biais vers le plateau où étaient disposés les instruments, et y vit la seringue de Succinylcholine. Elle contenait encore suffisamment de produit pour maîtriser le garçon. Lentement, il se déplaça de côté, enjambant le corps d'Hodell, marchant dans la flaque de sang. Le canon du revolver revint vers lui et il s'immobilisa.

L'enfant s'était mis à pleurer, il respirait par à-coups.

« Calme-toi », dit Tarasoff d'un ton apaisant. Et il lui sourit. « N'aie pas peur. Je ne fais qu'aider ton amie. Je l'aide à guérir. Elle est très malade. Tu ne vois pas ? Elle a besoin d'un docteur. »

Le regard de l'enfant se porta sur la table. Sur la femme. Il fit un pas en avant. Puis un autre. Et soudain, une longue plainte stridente s'échappa de sa gorge. Il n'entendit pas l'anesthésiste se glisser derrière lui et quitter la pièce. Pas plus qu'il ne sembla entendre le grondement de l'hélicoptère. L'appareil approchait, prêt à ramasser sa récolte.

Tarasoff prit la seringue dans le plateau, se rapprocha calmement de la table.

L'enfant leva la tête et son gémissement se transforma en un hurlement désespéré.

Tarasoff leva la seringue.

Les yeux du garçon rencontrèrent les siens. Et ce n'était plus la peur, mais la rage qui les habitait au moment où il pointa l'arme de Gregor.

Et tira une dernière fois.

26

L'enfant refusait de quitter le chevet d'Abby. Dès l'instant où les infirmières avaient poussé le brancard hors de la salle de réveil pour la conduire au service des soins intensifs, il était resté à côté d'elle, petit fantôme pâle hantant les abords de son lit. À deux reprises, les infirmières l'avaient gentiment fait sortir du box. À deux reprises, l'enfant avait regagné sa place. Maintenant, il était agrippé aux barreaux du lit, son regard l'implorant silencieusement de se réveiller. Au moins n'était-il plus dans l'état d'hystérie où l'avait trouvé Katzka à bord du bateau. Il avait découvert le garçon penché sur le corps torturé d'Abby, sanglotant, l'implorant de continuer à vivre. Katzka n'avait pas compris un mot de ce qu'il disait. Mais il avait parfaitement compris sa panique. Son désespoir.

Un coup fut frappé à la vitre du box. Katzka tourna la tête et vit Vivian Chao qui lui faisait signe. Il alla la rejoindre à l'extérieur.

« Ce gosse ne peut pas rester là toute la nuit, dit-elle. Il gêne tout le monde. De plus, il n'est pas très propre.

— Chaque fois qu'on tente de le faire sortir, il se met à hurler.

— Ne pouvez-vous le raisonner ?

— Je ne parle pas un mot de russe. Et vous ?

— Nous attendons l'arrivée du traducteur de l'hôpital. Pourquoi ne pas faire preuve d'un peu d'autorité masculine ? Vous n'avez qu'à le pousser dehors.

— Laissez-le encore un peu avec elle, d'accord ? » Katzka se retourna et regarda le lit à travers la vitre. Il aurait voulu effacer l'image qui allait le poursuivre pendant le restant de ses jours : Abby gisant sur la table, l'abdomen ouvert, les intestins brillant sous la lumière des lampes. Le gosse en larmes qui lui tenait le visage entre ses mains. Et sur le sol, baignant dans une mare de sang, deux hommes — Hodell déjà mort, Tarasoff inconscient mais encore en vie. Comme le reste de la troupe à bord du cargo, Tarasoff avait été arrêté.

Bientôt suivraient d'autres arrestations. L'enquête ne faisait que commencer. Dès aujourd'hui, les autorités fédérales s'intéressaient de près à la Société Sigayev. Si l'on en croyait les premières déclarations de l'équipage du cargo, le trafic d'organes paraissait beaucoup plus vaste — et plus horrible — que ne l'avait imaginé Katzka.

Il cligna des yeux et revint à la réalité présente : Abby étendue de l'autre côté de la vitre de séparation, le ventre entouré de bandages. Sa poitrine qui s'élevait et s'abaissait. Le moniteur où s'inscrivait le rythme régulier de son cœur. Un court instant, il fut saisi du même effroi qui s'était emparé de lui sur le bateau, au moment où le tracé s'était mis à tressauter sur l'écran. Il avait pensé qu'il allait la perdre, que l'hélicoptère amenant Wettig et Vivian n'arriverait pas à temps. Il toucha la vitre et cilla à nouveau.

Derrière lui, Vivian dit doucement : « Katzka, elle va se remettre. Le Major et moi faisons ce qu'il faut pour ça. »

Katzka approuva d'un signe de tête. Sans un mot, il rentra dans le box.

L'enfant leva vers lui des yeux aussi humides que les siens. « Ah-bee », murmura-t-il.

« C'est ça, petit. C'est bien son nom. » Katzka sourit.

Ils se tournèrent d'un même mouvement vers le lit. Un long moment passa. Un silence seulement rompu par le bip faible et régulier du moniteur cardiaque. Ils se tenaient côte à côte, veillant ensemble une femme que ni l'un ni l'autre ne connaissaient bien, mais qu'ils chérissaient déjà si profondément.

Katzka finit par lui tendre la main. « Viens. Tu as besoin de dormir, fiston. Et elle aussi. »

L'enfant hésita. Il examina Katzka. Puis, à regret, il prit la main qui lui était offerte.

Ils traversèrent la salle des soins intensifs, les chaussures de plastique du garçon traînant sur le linoléum du couloir. Soudain, il ralentit le pas.

« Qu'y a-t-il ? » demanda Katzka.

L'enfant s'arrêta devant un autre box. Katzka, à son tour, regarda à travers la paroi vitrée.

De l'autre côté, un homme aux cheveux gris était assis dans un fauteuil près du lit d'une patiente. La tête dans ses mains, il était secoué de sanglots silencieux. *Il est des choses que même Victor Voss ne peut pas acheter,* pensa Katzka. *Il va tout perdre. Sa femme. Sa liberté.* Il contempla la femme étendue sur le lit. Son visage était aussi blanc et d'apparence aussi fragile que de la porcelaine. Ses yeux, mi-clos, avaient le reflet voilé de l'approche de la mort.

Le garçon se pressa plus fort contre la vitre.

Comme il se penchait en avant, les yeux de la femme semblèrent s'éclairer d'un dernier sursaut de vie. Elle fixa l'enfant. Lentement ses lèvres formèrent un sourire. Et elle abaissa les paupières.

Katzka murmura : « Il est temps de partir. »

L'enfant leva la tête vers lui. Avec assurance, il refusa d'un signe. Et sous le regard impuissant de Katzka, il fit demi-tour et rebroussa chemin jusqu'au box d'Abby.

Brusquement, Katzka se sentit accablé d'une indicible fatigue. Il regarda Victor Voss, un homme fini, anéanti, écrasé par le désespoir. Il regarda la femme étendue dans le lit, dont l'âme était en train de s'enfuir. Et il pensa : *Si peu de temps. Nous avons si peu de temps à passer sur cette terre avec ceux que nous aimons.*

Il soupira. Et lentement, lui aussi fit demi-tour et revint vers le box où reposait Abby.

Et reprit sa place aux côtés de l'enfant.

Composition réalisée par NORD COMPO

IMPRIMÉ EN FRANCE PAR BRODARD ET TAUPIN
Usine de La Flèche (Sarthe).
LIBRAIRIE GÉNÉRALE FRANÇAISE - 43, quai de Grenelle - 75015 Paris
ISBN : 2 - 253 - 17046 - 1